선행학습 · 보충학습의 강자!

자신감

고등수학 II

Construction & Feature

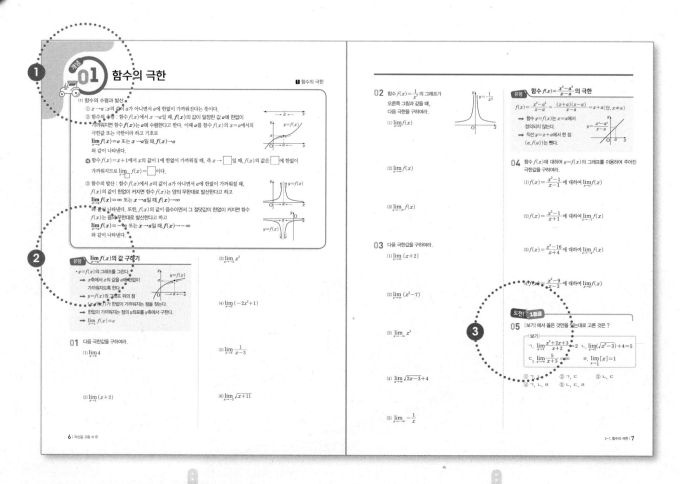

❶ 단원별로 꼭 알아야 하는 기본 개념을 알기 쉽게 정리한 예를 통하여 다시 한 번 확인할 수 있도록 하였습니다.

❷ 개념을 유형별로 세분화하여 단계별 학습을 할 수 있도록 설계 하였습니다.
또한, 유형별 기초 연산 문제를 반복적으로 풀어 보면서 개념을 확실히 익힐 수 있도록 하였습니다.

❸ 유형별로 개념을 익힌 후 시험에 나오는 형태의 문제를 풀어 볼 수 있도록 하였습니다.

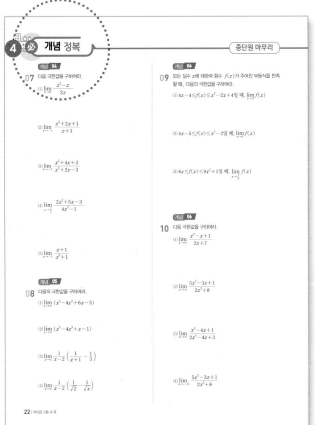

4 필 개념 정복 〈중단원 마무리〉

개념 04

07 다음 극한값을 구하여라.

(1) $\lim_{x\to0} \dfrac{x^3-x}{2x}$

(2) $\lim_{x\to-1} \dfrac{x^2+2x+1}{x+1}$

(3) $\lim_{x\to-3} \dfrac{x^2+4x+3}{x^2+2x-3}$

(4) $\lim_{x\to\frac12} \dfrac{2x^3+5x-3}{4x^2-1}$

(5) $\lim_{x\to-1} \dfrac{x+1}{x^3+1}$

개념 05

08 다음의 극한값을 구하여라.

(1) $\lim_{x\to1} (x^3-4x^2+6x-3)$

(2) $\lim_{x\to-1} (x^2-4x^3+x-1)$

(3) $\lim_{x\to2} \dfrac{1}{x-2}\left(\dfrac{1}{x+1}-\dfrac{1}{3}\right)$

(4) $\lim_{x\to2} \dfrac{1}{x-2}\left(\dfrac{1}{\sqrt2}-\dfrac{1}{\sqrt x}\right)$

개념 06

09 모든 실수 x에 대하여 함수 $f(x)$가 주어진 부등식을 만족할 때, 다음의 극한값을 구하여라.

(1) $4x-4\le f(x)\le x^2-2x+4$일 때, $\lim_{x\to2} f(x)$

(2) $4x-5\le f(x)\le x^2-2$일 때, $\lim_{x\to3} f(x)$

(3) $6x\le f(x)\le 9x^2+1$일 때, $\lim_{x\to\frac13} f(x)$

개념 06

10 다음 극한값을 구하여라.

(1) $\lim_{x\to\infty} \dfrac{x^2-x+1}{2x+7}$

(2) $\lim_{x\to\infty} \dfrac{5x^2-3x+1}{2x^3+8}$

(3) $\lim_{x\to\infty} \dfrac{x^3-4x+1}{2x^2-4x+3}$

(4) $\lim_{x\to-\infty} \dfrac{5x^2-3x+1}{2x^3+8}$

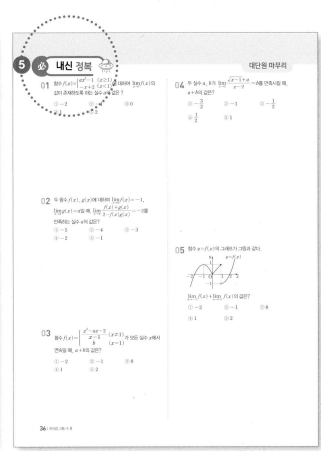

5 필 내신 정복 〈대단원 마무리〉

01 함수 $f(x)=\begin{cases} ax^2-1 & (x\ge1) \\ -x+2 & (x<1) \end{cases}$에 대하여 $\lim_{x\to1} f(x)$의 값이 존재하도록 하는 실수 a의 값은?

① -2 ② -1 ③ 0
④ 1 ⑤ 2

02 두 함수 $f(x)$, $g(x)$에 대하여 $\lim_{x\to1} f(x)=-1$, $\lim_{x\to1} g(x)=a$일 때, $\lim \dfrac{f(x)+g(x)}{2-f(x)g(x)}=-2$를 만족하는 실수 a의 값은?

① -5 ② -4 ③ -3
④ -2 ⑤ -1

03 함수 $f(x)=\begin{cases} \dfrac{x^2-ax-2}{x-1} & (x\ne1) \\ b & (x=1) \end{cases}$가 모든 실수 x에서 연속일 때, $a+b$의 값은?

① -2 ② -1 ③ 0
④ 1 ⑤ 2

04 두 실수 a, b가 $\lim_{x\to2} \dfrac{\sqrt{x-1}+a}{x-2}=b$를 만족시킬 때, $a+b$의 값은?

① $-\dfrac{3}{2}$ ② -1 ③ $-\dfrac{1}{2}$
④ $\dfrac{1}{2}$ ⑤ 1

05 함수 $y=f(x)$의 그래프가 그림과 같다.

$\lim_{x\to-1} f(x) + \lim_{x\to1} f(x)$의 값은?

① -2 ② -1 ③ 0
④ 1 ⑤ 2

필 개념 정복

❹ 앞에서 배운 내용을 중단원별로 다시 한 번 학습함으로써 개념을 확실히 정복할 수 있도록 하였습니다.

필 내신 정복

❺ 실전 예상 문제를 풀어봄으로써 학교 시험을 완벽 대비할 수 있도록 하였습니다.

I

함수의 극한과 연속

01 함수의 극한

(1) 함수의 수렴과 발산

① $x \to a$: x의 값이 a가 아니면서 a에 한없이 가까워진다는 뜻이다.

② 함수의 수렴 : 함수 $f(x)$에서 $x \to a$일 때, $f(x)$의 값이 일정한 값 α에 한없이 가까워지면 함수 $f(x)$는 α에 수렴한다고 한다. 이때 α를 함수 $f(x)$의 $x=a$에서의 극한값 또는 극한이라 하고 기호로

$$\lim_{x \to a} f(x) = \alpha \text{ 또는 } x \to a \text{일 때}, f(x) \to \alpha$$

와 같이 나타낸다.

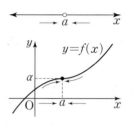

예 함수 $f(x)=x+1$에서 x의 값이 1에 한없이 가까워질 때, 즉 $x \to \boxed{}$일 때, $f(x)$의 값은 $\boxed{}$에 한없이 가까워지므로 $\lim_{x \to \boxed{}} f(x) = \boxed{}$ 이다.

③ 함수의 발산 : 함수 $f(x)$에서 x의 값이 a가 아니면서 a에 한없이 가까워질 때, $f(x)$의 값이 한없이 커지면 함수 $f(x)$는 양의 무한대로 발산한다고 하고

$$\lim_{x \to a} f(x) = \infty \text{ 또는 } x \to a \text{일 때}, f(x) \to \infty$$

와 같이 나타낸다. 또한, $f(x)$의 값이 음수이면서 그 절댓값이 한없이 커지면 함수 $f(x)$는 음의 무한대로 발산한다고 하고

$$\lim_{x \to a} f(x) = -\infty \text{ 또는 } x \to a \text{일 때}, f(x) \to -\infty$$

와 같이 나타낸다.

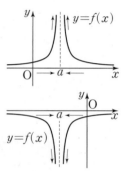

유형 $\displaystyle\lim_{x \to a} f(x)$의 값 구하기

- $y=f(x)$의 그래프를 그린다.
  - ➡ x축에서 x의 값을 a에 한없이 가까워지도록 한다.
  - ➡ $y=f(x)$의 그래프 위의 점 $(x, f(x))$가 한없이 가까워지는 점을 찾는다.
  - ➡ 한없이 가까워지는 점의 y좌표를 y축에서 구한다.
  - ➡ $\displaystyle\lim_{x \to a} f(x) = \alpha$

01 다음 극한값을 구하여라.

(1) $\displaystyle\lim_{x \to 3} 4$

(2) $\displaystyle\lim_{x \to 1} (x+2)$

(3) $\displaystyle\lim_{x \to -2} x^2$

(4) $\displaystyle\lim_{x \to 2} (-2x^2+1)$

(5) $\displaystyle\lim_{x \to 5} \frac{1}{x-3}$

(6) $\displaystyle\lim_{x \to -2} \sqrt{x+11}$

02 함수 $f(x)=\dfrac{1}{x^2}$ 의 그래프가 오른쪽 그림과 같을 때, 다음 극한을 구하여라.

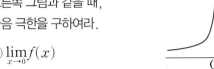

(1) $\lim\limits_{x \to 0} f(x)$

(2) $\lim\limits_{x \to \infty} f(x)$

(3) $\lim\limits_{x \to -\infty} f(x)$

03 다음 극한값을 구하여라.

(1) $\lim\limits_{x \to \infty} (x+2)$

(2) $\lim\limits_{x \to \infty} (x^2-7)$

(3) $\lim\limits_{x \to -\infty} x^3$

(4) $\lim\limits_{x \to \infty} \sqrt{2x-3}+4$

(5) $\lim\limits_{x \to -\infty} -\dfrac{1}{x}$

유형 **함수 $f(x)=\dfrac{x^2-a^2}{x-a}$ 의 극한**

$$f(x)=\frac{x^2-a^2}{x-a}=\frac{(x+a)(x-a)}{x-a}=x+a\,(\text{단}, \ x \neq a)$$

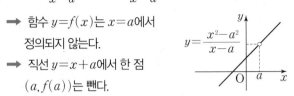

➡ 함수 $y=f(x)$는 $x=a$에서 정의되지 않는다.

➡ 직선 $y=x+a$에서 한 점 $(a, f(a))$는 뺀다.

04 함수 $f(x)$에 대하여 $y=f(x)$의 그래프를 이용하여 주어진 극한값을 구하여라.

(1) $f(x)=\dfrac{x^2-1}{x-1}$ 에 대하여 $\lim\limits_{x \to 1} f(x)$

(2) $f(x)=\dfrac{x^2-1}{x+1}$ 에 대하여 $\lim\limits_{x \to -1} f(x)$

(3) $f(x)=\dfrac{x^2-16}{x+4}$ 에 대하여 $\lim\limits_{x \to -4} f(x)$

(4) $f(x)=\dfrac{x^2-9}{x-3}$ 에 대하여 $\lim\limits_{x \to 3} f(x)$

도전! 1등급

05 |보기|에서 옳은 것만을 있는대로 고른 것은?

┌ 보기 ┐

ㄱ. $\lim\limits_{x \to 1} \dfrac{x^2+2x+3}{x+2}=2$ 　ㄴ. $\lim\limits_{x \to 2} (\sqrt{x^2-3})+4=5$

ㄷ. $\lim\limits_{x \to \infty} \dfrac{5}{x+3}=\infty$ 　　ㄹ. $\lim\limits_{x \to \frac{1}{2}} [x]=1$

① ㄱ, ㄴ 　　② ㄱ, ㄷ 　　③ ㄴ, ㄷ

④ ㄱ, ㄴ, ㄹ 　　⑤ ㄴ, ㄷ, ㄹ

개념 02 함수의 극한의 존재

(1) 우극한과 좌극한

① 우극한 : x의 값이 a보다 크면서 a에 한없이 가까워지는 것을 $x \to a+$로 나타내고 $x \to a+$일 때, $f(x)$의 값이 일정한 값 a에 한없이 가까워지면 a를 $f(x)$의 $x=a$에서의 우극한이라 하고 다음과 같이 나타낸다.

$$\lim_{x \to a+} f(x) = a \text{ 또는 } x \to a+ \text{일 때, } f(x) \to a$$

② 좌극한 : x의 값이 a보다 작으면서 a에 한없이 가까워지는 것을 $x \to a-$로 나타내고 $x \to a-$일 때, $f(x)$의 값이 일정한 값 β에 한없이 가까워지면 β를 $f(x)$의 $x=a$에서의 좌극한이라 하고 다음과 같이 나타낸다.

$$\lim_{x \to a-} f(x) = \beta \text{ 또는 } x \to a- \text{일 때, } f(x) \to \beta$$

(2) 함수의 극한값의 존재

함수 $f(x)$의 $x=a$에서의 극한값이 a이면 $x=a$에서의 우극한과 좌극한이 모두 존재하고 그 값은 a이다. 역으로 $x=a$에서의 우극한과 좌극한이 모두 존재하고 그 값이 a로 같으면 $\lim_{x \to a} f(x) = a$이다.

예 $f(x) = x+1$이면 $\lim_{x \to 0+} f(x) = \boxed{}$, $\lim_{x \to 0-} f(x) = \boxed{}$이므로 $x=0$에서의 우극한과 좌극한이 모두 존재하고 그 값이 $\boxed{}$로 같으므로 $\lim_{x \to 0} f(x) = \boxed{}$이다.

유형 우극한, 좌극한

- 우극한 : x축에서 x가 a의 오른쪽에서 a에 한없이 가까워질 때의 함수의 극한값
- 좌극한 : x축에서 x가 a의 왼쪽에서 a에 한없이 가까워질 때의 함수의 극한값

$$\lim_{x \to a+} f(x) = a$$
$$\lim_{x \to a-} f(x) = \beta$$

01 다음 함수의 $x=0$에서의 우극한과 좌극한을 각각 구하여라.

(1) $f(x) = 2x+1$

우극한 (   ), 좌극한 (   )

(2) $f(x) = \dfrac{x^2-x}{x}$

우극한 (   ), 좌극한 (   )

(3) $f(x) = \dfrac{|x|}{x}$

우극한 (   ), 좌극한 (   )

(4) $f(x) = [x]$

우극한 (   ), 좌극한 (   )

(5) $f(x) = \dfrac{1}{x}$

우극한 (   ), 좌극한 (   )

(6) $f(x) = \begin{cases} x^2-3 & (x \geq 0) \\ -x^2+3 & (x < 0) \end{cases}$

우극한 (   ), 좌극한 (   )

- $x=a$에서의 $f(x)$의 극한값이 존재한다.

 $\Longleftrightarrow$ 우극한과 좌극한이 각각 존재하고

 (우극한) = (좌극한)

- $\lim\limits_{x \to a} f(x) = \alpha \Leftrightarrow \lim\limits_{x \to 0+} f(x) = \lim\limits_{x \to 0-} f(x) = \alpha$

 $\longleftarrow f(a)$의 값은 존재하지 않아도 된다.

02 다음 함수에 대하여 주어진 극한값을 구하라.

(1) $f(x) = |x-2|$

 $\lim\limits_{x \to 2+} f(x) =$ 　　　　$\lim\limits_{x \to 2-} f(x) =$

 $\lim\limits_{x \to 2} f(x) =$

(2) $f(x) = |x^2 - 3|$

 $\lim\limits_{x \to 0+} f(x) =$ 　　　　$\lim\limits_{x \to 0-} f(x) =$

 $\lim\limits_{x \to 0} f(x) =$

(3) $f(x) = [x]$

 $\lim\limits_{x \to \sqrt{5}+} f(x) =$ 　　　　$\lim\limits_{x \to \sqrt{5}-} f(x) =$

 $\lim\limits_{x \to \sqrt{5}} f(x) =$

(4) $f(x) = \begin{cases} x^3 + 4 & (x \geq 0) \\ -x^3 + 4 & (x < 0) \end{cases}$

 $\lim\limits_{x \to 0+} f(x) =$ 　　　　$\lim\limits_{x \to 0-} f(x) =$

 $\lim\limits_{x \to 0} f(x) =$

- $x=a$에서의 $f(x)$의 극한값이 존재하지 않는다.

 $\Longleftrightarrow$ 우극한 또는 좌극한이 존재하지 않거나 우극한과 좌극한

 이 각각 존재하지만 (우극한) $\neq$ (좌극한)

03 함수 $y=f(x)$의 그래프가 다음과 같을 때, $\lim\limits_{x \to 0} f(x)$의 값이 존재하는 것은 ○를, 존재하지 않는 것은 ×를 ( ) 안에 써넣어라.

(1) 　　　　　　　　　　　　　(　　　)

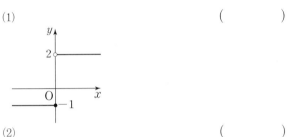

(2) 　　　　　　　　　　　　　(　　　)

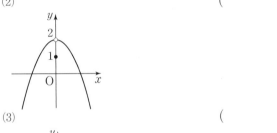

(3) 　　　　　　　　　　　　　(　　　)

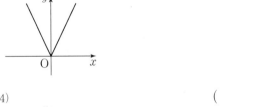

(4) 　　　　　　　　　　　　　(　　　)

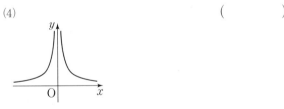

도전! 1등급

04 함수 $f(x) = \begin{cases} ax+1 & (x \geq 2) \\ -x+3 & (x < 2) \end{cases}$ 에 대하여 $\lim\limits_{x \to 2} f(x)$의 값이 존재하도록 하는 실수 a의 값은?

① -2 　　　② -1 　　　③ 0

④ 1 　　　⑤ 2

개념 **03** 함수의 극한에 대한 성질

두 함수 $f(x)$, $g(x)$에서 $\lim\limits_{x \to a} f(x) = \alpha$, $\lim\limits_{x \to a} g(x) = \beta$ (α, β는 실수)일 때,

(1) $\lim\limits_{x \to a} \{ f(x) + g(x) \} = \lim\limits_{x \to a} f(x) + \lim\limits_{x \to a} g(x) = \alpha + \beta$

예 $\lim\limits_{x \to 1} (2x+1) = \boxed{} + \boxed{} = \boxed{} + \boxed{} = \boxed{}$

(2) $\lim\limits_{x \to a} \{ f(x) - g(x) \} = \lim\limits_{x \to a} f(x) - \lim\limits_{x \to a} g(x) = \alpha - \beta$

예 $\lim\limits_{x \to 2} (x^2 - 3x) = \boxed{} - \boxed{} = \boxed{} - \boxed{} = \boxed{}$

(3) $\lim\limits_{x \to a} cf(x) = c\alpha$ (단, c는 상수)   **예** $\lim\limits_{x \to 1} 3x^2 = \boxed{} \lim\limits_{x \to 1} x^2 = \boxed{} \times \boxed{} = \boxed{}$

(4) $\lim\limits_{x \to a} f(x)g(x) = \lim\limits_{x \to a} f(x) \lim\limits_{x \to a} g(x) = \alpha\beta$

예 $\lim\limits_{x \to 2} (x^2+1)(2x-1) = \boxed{} \times \boxed{} = \boxed{} \times \boxed{} = \boxed{}$

(5) $\lim\limits_{x \to a} \dfrac{f(x)}{g(x)} = \dfrac{\lim\limits_{x \to a} f(x)}{\lim\limits_{x \to a} g(x)} = \dfrac{\alpha}{\beta}$ (단, $g(x) \neq 0$, $\beta \neq 0$)   **예** $\lim\limits_{x \to 0} \dfrac{\sqrt{x+3}}{x^2+2} = \dfrac{\boxed{}}{\boxed{}} = \boxed{}$

유형 ⚫ 함수의 극한에 대한 성질

두 함수 $f(x)$, $g(x)$가 $x=a$에서 각각 수렴할 때,

- 합 : $\lim\limits_{x \to a} \{ f(x) + g(x) \} = \lim\limits_{x \to a} f(x) + \lim\limits_{x \to a} g(x)$
- 차 : $\lim\limits_{x \to a} \{ f(x) - g(x) \} = \lim\limits_{x \to a} f(x) - \lim\limits_{x \to a} g(x)$
- 상수배 : $\lim\limits_{x \to a} cf(x) = c\lim\limits_{x \to a} f(x)$ (단, c는 상수)
- 곱 : $\lim\limits_{x \to a} f(x)g(x) = \lim\limits_{x \to a} f(x) \lim\limits_{x \to a} g(x)$
- 몫 : $\lim\limits_{x \to a} \dfrac{f(x)}{g(x)} = \dfrac{\lim\limits_{x \to a} f(x)}{\lim\limits_{x \to a} g(x)}$ (단, $g(x) \neq 0$)

01 두 함수 $f(x)$, $g(x)$에서 $\lim\limits_{x \to 1} f(x) = 3$, $\lim\limits_{x \to 1} g(x) = 4$ 일 때, 다음 극한값을 구하여라.

(1) $\lim\limits_{x \to 1} \{ f(x) + g(x) \}$

(2) $\lim\limits_{x \to 1} \{ f(x) - g(x) \}$

(3) $\lim\limits_{x \to 1} 5f(x)$

(4) $\lim\limits_{x \to 1} f(x)g(x)$

(5) $\lim\limits_{x \to 1} \dfrac{f(x)}{g(x)}$

(6) $\lim\limits_{x \to 1} \{ f(x) \}^2$

- $\lim_{x \to a} f(x) = \alpha$, $g(x) = \beta$ (α, β는 실수)일 때,

$$\lim_{x \to a} \{k f(x) + l g(x)\} = k\alpha + l\beta$$
$$\lim_{x \to a} \{f(x)\}^k = \{\lim_{x \to a} f(x)\}^k = \alpha^k$$
$$\lim_{x \to a} \frac{kf(x) + lg(x)}{mf(x) + ng(x)} = \frac{k\alpha + l\beta}{m\alpha + n\beta}$$

$f(x)$에 α를, $g(x)$에 β를 대입

02 두 함수 $f(x)$, $g(x)$에서 $\lim_{x \to 0} f(x) = -2$, $\lim_{x \to 0} g(x) = 5$일 때, 다음 극한값을 구하여라.

(1) $\lim_{x \to 0} \{2f(x) + 3g(x)\}$

(2) $\lim_{x \to 0} \{3 - 2f(x)g(x)\}$

(3) $\lim_{x \to 0} \{1 - f(x)\}\{2f(x) + 3\}$

(4) $\lim_{x \to 0} \{f(x) - 2g(x)\}^2$

(5) $\lim_{x \to 0} \dfrac{f(x)g(x) - 3}{2g(x) + 3}$

(6) $\lim_{x \to 0} \dfrac{\{f(x)\}^5 - 3}{\{g(x)\}^3}$

(7) $\lim_{x \to 0} [\{f(x)\}^2 + 2f(x) + 3]$

- $\lim_{x \to a} f(x) = \alpha$, $\lim_{x \to a} \{\underbrace{kf(x) + lg(x)}_{h(x)로\ 치환}\} = \beta$ (α, β는 실수)일 때

$\Rightarrow g(x) = \dfrac{h(x) - kf(x)}{l}$, $\lim_{x \to a} h(x) = \beta$

$\Rightarrow \lim_{x \to a} g(x) = \lim_{x \to a} \dfrac{h(x) - kf(x)}{l} = \dfrac{\beta - k\alpha}{l}$

03 두 함수 $f(x)$, $g(x)$에 대하여 다음을 구하여라.

(1) $\lim_{x \to 0} f(x) = 1$, $\lim_{x \to 0} \{3f(x) - 2g(x)\} = 3$일 때, $\lim_{x \to 0} g(x)$의 값

(2) $\lim_{x \to 1} g(x) = 2$, $\lim_{x \to 1} \{2f(x) + 4g(x)\} = 2$일 때, $\lim_{x \to 1} f(x)$의 값

(3) $\lim_{x \to 2} f(x) = -2$, $\lim_{x \to 2} \dfrac{f(x) + 3g(x)}{2} = 2$일 때, $\lim_{x \to 2} g(x)$의 값

도전! 1등급

04 두 함수 $f(x)$, $g(x)$에서 $\lim_{x \to 0} f(x) = 1$ $\lim_{x \to 0} g(x) = a$ 일 때, $\lim_{x \to 0} \dfrac{f(x) - 2g(x)}{f(x)g(x) + 1} = -1$을 만족하는 실수 a의 값은?

① -2 ② -1 ③ 0
④ 1 ⑤ 2

개념 04 함수의 극한값의 계산 (1)

함수의 극한

(1) $\dfrac{0}{0}$ 꼴의 극한

① 분자와 분모가 다항식이면 분자, 분모를 각각 인수분해하여 약분한다.

예 $\displaystyle\lim_{x\to 0}\dfrac{x^2+x}{x}=\lim_{x\to 0}\dfrac{\boxed{}}{x}=\lim_{x\to 0}(\boxed{})=\boxed{}$

② 분자 또는 분모에 무리식이 있으면 근호를 포함한 쪽을 유리화한다.

예 $\displaystyle\lim_{x\to 1}\dfrac{x-1}{\sqrt{x}-1}=\lim_{x\to 1}\dfrac{(x-1)(\boxed{})}{(\sqrt{x}-1)(\boxed{})}=\lim_{x\to 1}\dfrac{(x-1)(\boxed{})}{\boxed{}}=\lim_{x\to 1}(\boxed{})=\boxed{}$

(2) $\dfrac{\infty}{\infty}$ 꼴의 극한 : 분모의 최고차항으로 분자, 분모를 각각 나눈다.

예 $\displaystyle\lim_{x\to\infty}\dfrac{2x+1}{x+2}=\lim_{x\to\infty}\dfrac{\dfrac{2x}{\boxed{}}+\dfrac{1}{\boxed{}}}{\dfrac{x}{\boxed{}}+\dfrac{2}{\boxed{}}}=\lim_{x\to\infty}\boxed{}=\boxed{}$

유형 $\dfrac{0}{0}$ 꼴의 함수의 극한 — 다항식

· $\displaystyle\lim_{x\to a}\dfrac{(\text{다항식})}{(\text{다항식})}$ ➡ 분자, 분모를 각각 인수분해
➡ 분자, 분모에서 $(x-a)$를 약분

01 다음 극한값을 구하여라

(1) $\displaystyle\lim_{x\to 0}\dfrac{x^2+3x}{x}$

(2) $\displaystyle\lim_{x\to 1}\dfrac{x^2-x}{x-1}$

(3) $\displaystyle\lim_{x\to 2}\dfrac{x^2-3x+2}{x^2-2x}$

(4) $\displaystyle\lim_{x\to 2}\dfrac{x^3-8}{x^2-2x}$

(5) $\displaystyle\lim_{x\to -1}\dfrac{x^2-x-2}{x^2-1}$

(6) $\displaystyle\lim_{x\to -2}\dfrac{x+2}{x^3+8}$

(7) $\displaystyle\lim_{x\to 1}\dfrac{x^3-1}{x-1}$

(8) $\displaystyle\lim_{x\to -1}\dfrac{x^3+1}{x+1}$

(9) $\displaystyle\lim_{x\to 1}\dfrac{x^3-3x+2}{x-1}$

(10) $\displaystyle\lim_{x\to \frac{1}{2}}\dfrac{2x^2-3x+1}{2x-1}$

유형 $\dfrac{0}{0}$ 꼴의 함수의 극한 $-$ 무리식

- $\displaystyle\lim_{x\to a} \dfrac{(\text{다항식})}{(\text{무리식})},\ \dfrac{(\text{무리식})}{(\text{다항식})},\ \dfrac{(\text{무리식})}{(\text{무리식})}$

  ➡ 근호를 포함한 쪽을 유리화

  ➡ 분자, 분모의 $(x-a)$를 약분

02 다음 극한값을 구하여라

(1) $\displaystyle\lim_{x\to 1} \dfrac{\sqrt{x}-1}{x-1}$

(2) $\displaystyle\lim_{x\to 4} \dfrac{x-4}{\sqrt{x}-2}$

(3) $\displaystyle\lim_{x\to -1} \dfrac{\sqrt{x+2}-1}{x+1}$

(4) $\displaystyle\lim_{x\to 0} \dfrac{\sqrt{x+1}-1}{x}$

(5) $\displaystyle\lim_{x\to 0} \dfrac{x^2}{1-\sqrt{1-x^2}}$

유형 $\dfrac{\infty}{\infty}$ 꼴의 함수의 극한 $- \displaystyle\lim_{x\to\infty} \dfrac{(\text{다항식})}{(\text{다항식})}$

- $(\text{분자의 차수}) = (\text{분모의 차수})$

  ➡ $(\text{극한 값}) = \dfrac{(\text{분자의 최고차항의 계수})}{(\text{분모의 최고차항의 계수})}$

- $(\text{분자의 차수}) < (\text{분모의 차수}) \Rightarrow (\text{극한 값}) = 0$

- $(\text{분자의 차수}) > (\text{분모의 차수}) \Rightarrow \text{극한은 발산}$

03 다음 극한값을 구하여라.

(1) $\displaystyle\lim_{x\to\infty} \dfrac{x-3x^2}{x^2-2x+3}$

(2) $\displaystyle\lim_{x\to\infty} \dfrac{2x-1}{x^2-1}$

(3) $\displaystyle\lim_{x\to\infty} \dfrac{x^3-8x-3}{x^2-2x}$

(4) $\displaystyle\lim_{x\to\infty} \dfrac{x^3+8x^2-3}{2x^3-2x-1}$

(5) $\displaystyle\lim_{x\to\infty} \dfrac{5x^2-6x+3}{3x^3-1}$

도전! 1등급

04 $\displaystyle\lim_{x\to 8} \dfrac{x-8}{\sqrt[3]{x}-2}$ 의 극한값을 구하면?

① -12 ② -10 ③ 0

④ 10 ⑤ 12

(1) $\infty - \infty$꼴의 극한

　① 다항식은 최고차항으로 묶어낸다.　**예** $\displaystyle\lim_{x \to \infty}(x^2 - x + 1) = \lim_{x \to \infty}\boxed{}\left(\boxed{}\right) = \boxed{}$

　② 무리식은 근호를 포함한 쪽을 유리화한다.

　예 $\displaystyle\lim_{x \to \infty}(\sqrt{x+1} - \sqrt{x}) = \lim_{x \to \infty}\dfrac{(\sqrt{x+1} - \sqrt{x})\left(\boxed{}\right)}{\boxed{}} = \lim_{x \to \infty}\boxed{} = \boxed{}$

(2) $\infty \times 0$꼴의 극한 : $\infty \times$(상수), $\dfrac{(상수)}{\infty}$, $\dfrac{0}{0}$, $\dfrac{\infty}{\infty}$ 꼴로 **변형**한다.

(3) **절댓값함수, 가우스함수의 극한**

　① 절댓값함수 : 양수범위와 음수범위를 나누어 구한다.

　② 가우스함수 : 정수범위를 구분하여 구한다.

유형 **$\infty - \infty$꼴의 함수의 극한**

・$\infty - \infty$ 꼴 $\begin{cases} 다항식 : 최고차항으로 묶는다. \\ 무리식 : 근호가 있는 쪽을 유리화한다. \end{cases}$

01 다음 극한값을 구하여라.

(1) $\displaystyle\lim_{x \to \infty}(x^3 - 2x + 1)$

(2) $\displaystyle\lim_{x \to \infty}(x - 2x^2 - 3)$

(3) $\displaystyle\lim_{x \to \infty}(\sqrt{x+2} - \sqrt{x-1})$

(4) $\displaystyle\lim_{x \to \infty}(\sqrt{x^2 + 2x + 2} - \sqrt{x^2 - 2x - 2})$

(5) $\displaystyle\lim_{x \to \infty}(\sqrt{x^2 + 3x} - x)$

유형 **$x \to -\infty$꼴의 함수의 극한**

・$x \to -\infty$에서

　$x = -t$로 치환하면 $t \to \infty$

02 다음 극한값을 구하여라.

(1) $\displaystyle\lim_{x \to -\infty}\dfrac{x}{\sqrt{x^2 + 1} + 1}$

(2) $\displaystyle\lim_{x \to -\infty}(\sqrt{x^2 - 4x} + x)$

(3) $\displaystyle\lim_{x \to -\infty}\dfrac{\sqrt{x^2 + 2019} - 2019}{2019x + 2019}$

(4) $\displaystyle\lim_{x \to -\infty}\dfrac{\sqrt{4x^2 + 3} - 4}{2x}$

- $\infty \times ($상수$)$, $\dfrac{(상수)}{\infty}$, $\dfrac{0}{0}$, $\dfrac{\infty}{\infty}$ 꼴로 변형한다.

03 다음 극한값을 구하여라.

(1) $\lim\limits_{x \to 0} \dfrac{1}{x}\left(\dfrac{3}{x-1}+3\right)$

(2) $\lim\limits_{x \to \infty} x\left(3-\dfrac{3x}{x-1}\right)$

(3) $\lim\limits_{x \to 0} \dfrac{1}{x}\left(\dfrac{1}{\sqrt{x+4}}-\dfrac{1}{2}\right)$

(4) $\lim\limits_{x \to 1} \dfrac{1}{x-1}\left(\dfrac{1}{3}-\dfrac{1}{x+2}\right)$

(5) $\lim\limits_{x \to 0} \dfrac{1}{x}\left(1-\dfrac{2}{x+2}\right)$

절댓값함수 : 양수범위와 음수범위를 나누어 구한다.

가우스함수 : 정수범위를 구분하여 구한다.

04 다음 극한값을 구하여라.

(1) $\lim\limits_{x \to 0+} \dfrac{|x|}{x}$

(2) $\lim\limits_{x \to 0-} \dfrac{|x|}{x}$

(3) $\lim\limits_{x \to 1+} \dfrac{|x-1|}{x-1}$

(4) $\lim\limits_{x \to 1-} \dfrac{|x-1|}{x-1}$

(5) $\lim\limits_{x \to 2+} [1-x]$

(6) $\lim\limits_{x \to 0-} \dfrac{x}{[x]}$

도전! 1등급

05 $\lim\limits_{x \to \infty} \dfrac{f(x)}{x}=1$일 때, $\lim\limits_{x \to \infty} \dfrac{x^2-2f(x)}{x^2+\{f(x)\}^2}$의 값은?

① $-\dfrac{1}{2}$ ② -10 ③ 0

④ $\dfrac{1}{4}$ ⑤ $\dfrac{1}{2}$

개념 06 함수의 극한의 대소관계와 미정계수의 결정

(1) 함수의 극한의 대소 관계

두 함수 $f(x)$, $g(x)$에서 $\lim\limits_{x \to a} f(x) = \alpha$, $\lim\limits_{x \to a} g(x) = \beta$ (α, β는 실수)일 때, a에 가까운 모든 x의 값에서

① $f(x) \leq g(x)$이면 $\alpha \leq \beta$ ② $f(x) < g(x)$이면 $\alpha \leq \beta$

예 $x > 0$일 때, $f(x) = x$, $g(x) = 2x$이면 0이 아닌 모든 x에 대하여 $f(x) \boxed{} g(x)$이지만 $\lim\limits_{x \to 0} f(x) = \boxed{}$,

$\lim\limits_{x \to 0} g(x) = \boxed{}$이므로 $\lim\limits_{x \to 0} f(x) \boxed{} \lim\limits_{x \to 0} g(x)$이다.

③ 함수 $h(x)$에 대하여 $f(x) \leq h(x) \leq g(x)$이고 $\alpha = \beta$이면 $\lim\limits_{x \to a} h(x) = \alpha$이다.

(2) 미정계수의 결정

두 함수 $f(x)$, $g(x)$에서

① $\lim\limits_{x \to a} \dfrac{f(x)}{g(x)} = \alpha$ (α는 실수)이고 $\lim\limits_{x \to a} g(x) = 0$이면 $\lim\limits_{x \to a} f(x) = 0$이다.

예 $\lim\limits_{x \to 1} \dfrac{ax+2}{x-1} = -2$이면 주어진 극한은 $\boxed{}$하고 $x \to 1$일 때, (분모)$= \boxed{}$이므로

(분자)$= \boxed{} = \boxed{}$이다. 따라서 $a = \boxed{}$이다.

② $\lim\limits_{x \to a} \dfrac{f(x)}{g(x)} = \alpha$ (α는 0이 아닌 실수)이고 $\lim\limits_{x \to a} f(x) = 0$이면 $\lim\limits_{x \to a} g(x) = 0$이다.

예 $\lim\limits_{x \to -1} \dfrac{x+1}{3x+a} = \dfrac{1}{3}$이면 주어진 극한은 $\boxed{}$이 아닌 값에 $\boxed{}$하고 $x \to -1$일 때, (분자)$= \boxed{}$이므로

(분모)$= \boxed{} = \boxed{}$이다. 따라서 $a = \boxed{}$이다.

유형 **함수의 극한의 대소 관계(1)**

• 부등식 $A(x) \leq f(x) \leq B(x)$가 성립할 때,

$\lim\limits_{x \to a} f(x)$의 값

$\Rightarrow \lim\limits_{x \to a} A(x) = \alpha$, $\lim\limits_{x \to a} B(x) = \alpha$이면 $\lim\limits_{x \to a} f(x) = \alpha$

01 모든 실수 x에 대하여 함수 $f(x)$가 주어진 부등식을 만족할 때, 다음 극한값을 구하여라.

(1) $2x - 1 \leq f(x) \leq x^2$일 때, $\lim\limits_{x \to 1} f(x)$

(2) $4x - 1 \leq f(x) \leq 4x^2$일 때, $\lim\limits_{x \to \frac{1}{2}} f(x)$

(3) $4x + 1 \leq f(x) \leq x^2 + 4$일 때, $\lim\limits_{x \to 1} f(x)$

(4) $x^2 + 3 \leq f(x) \leq x^3 + 5$일 때, $\lim\limits_{x \to -1} f(x)$

(5) $3x^3 - 3 \leq f(x) \leq 4x^3 - 3$일 때, $\lim\limits_{x \to 0} f(x)$

함수의 극한의 대소 관계(2)

- 부등식 $A(x) \le f(x) \le B(x)$가 성립할 때,

$\displaystyle\lim_{x \to a} \frac{f(x)}{x-a}$의 값

➡ $\dfrac{A(x)}{x-a} \le \dfrac{f(x)}{x-a} \le \dfrac{B(x)}{x-a}$ 또는

$\dfrac{B(x)}{x-a} \le \dfrac{f(x)}{x-a} \le \dfrac{A(x)}{x-a}$ 가 성립하므로

➡ $\displaystyle\lim_{x \to a} \dfrac{A(x)}{x-a} = \alpha$, $\displaystyle\lim_{x \to a} \dfrac{B(x)}{x-a} = \alpha$ 이면

$\displaystyle\lim_{x \to a} \dfrac{f(x)}{x-a} = \alpha$

02 모든 실수 x에 대하여 함수 $f(x)$가 주어진 부등식을 만족할 때, 다음 극한값을 구하여라.

(1) $x^2 - 1 \le f(x) \le 2x^2 + 2x$일 때, $\displaystyle\lim_{x \to -1} \dfrac{f(x)}{x+1}$의 값

(2) $2x + 1 \le f(x) \le 2x + 5$일 때, $\displaystyle\lim_{x \to \infty} \dfrac{\{f(x)\}^2}{x^2+1}$의 값

(3) $x^2 - 1 \le f(x) \le 2x^2 - 2x$일 때, $\displaystyle\lim_{x \to 1} \dfrac{f(x)}{x-1}$의 값

극한 $\displaystyle\lim_{x \to a} \dfrac{f(x)}{g(x)}$ 의 미정계수의 결정(1)

- $x \to a$일 때, 극한값이 존재하고

(분모) $\to 0$이면 (분자) $\to 0$ ➡ $f(a) = 0$

➡ $f(x) = (x-a)h(x)$로 인수분해

➡ 분모, 분자에서 $(x-a)$ 약분한 후 극한값 구하기

03 다음을 만족하는 상수 a, b를 구하여라.

(1) $\displaystyle\lim_{x \to 0} \dfrac{x^2 + ax + b}{x} = 2$

(2) $\displaystyle\lim_{x \to 1} \dfrac{x^2 + ax + b}{x-1} = 6$

(3) $\displaystyle\lim_{x \to -1} \dfrac{x^2 + ax + b}{x+1} = 4$

(4) $\displaystyle\lim_{x \to 2} \dfrac{x^2 + ax + b}{x-2} = -2$

• $x \to a$일 때, 극한값이 존재하고

(분자) $\to 0$이면 (분모) $\to 0 \Rightarrow g(a) = 0$

$\Rightarrow g(x) = (x-a)h(x)$로 인수분해

$\Rightarrow$ 분모, 분자에서 $(x-a)$ 약분한 후 극한값 구하기

04 다음을 만족하는 상수 a, b을 구하여라.

(1) $\lim_{x \to 0} \dfrac{x}{x^2 + ax + b} = 2$

(2) $\lim_{x \to 1} \dfrac{x-1}{x^2 + ax + b} = \dfrac{1}{2}$

(3) $\lim_{x \to 3} \dfrac{x-3}{x^2 + ax + b} = 1$

(4) $\lim_{x \to -1} \dfrac{x+1}{x^2 + ax + b} = 1$

극한값이 $0 \Rightarrow$ (분모의 차수) > (분자의 차수)

05 다음을 만족하는 상수 a, b를 구하여라.

(1) $\lim_{x \to \infty} \dfrac{ax^2 + bx - 3}{2x - 3} = 0$

(2) $\lim_{x \to \infty} \dfrac{ax^2 + bx + 2}{5x - 3} = 0$

(3) $\lim_{x \to \infty} \dfrac{ax^3 + bx^2 + 2x - 6}{2x^2 - 3x + 1} = 0$

(4) $\lim_{x \to \infty} \dfrac{ax^3 + bx^2 + 6x - 1}{3x^2 - 5x + 1} = 0$

(5) $\lim_{x \to \infty} \dfrac{ax^3 + bx^2 + 9x - 7}{9x^2 - 8x + 9} = 0$

극한 $\lim\limits_{x \to \infty} \dfrac{f(x)}{g(x)} = a$의 **미정계수의 결정**

- 0이 아닌 극한값이 존재 ➡

  (분모의 차수) = (분자의 차수)

  (극한값) = $\dfrac{(분자의\ 최고차항의\ 계수)}{(분모의\ 최고차항의\ 계수)}$

06 다음을 만족하는 상수 a, b를 구하여라.

(1) $\lim\limits_{x \to \infty} \dfrac{ax^2 + bx + 5}{x - 3} = 2$

(2) $\lim\limits_{x \to \infty} \dfrac{ax^2 + bx - 5}{x - 1} = 1$

(3) $\lim\limits_{x \to \infty} \dfrac{ax^3 + bx^2 - x - 4}{x^2 + 2x + 3} = 3$

(4) $\lim\limits_{x \to \infty} \dfrac{ax^3 + bx^2 - 2x - 2}{2x^2 - 5x + 3} = -2$

다항식의 결정

- $\lim\limits_{x \to \infty} \dfrac{f(x)}{(이차식)} = a \quad (a \neq 0)$

  ➡ $f(x)$는 이차식 ➡ $a = \dfrac{(분자의\ x^2의\ 계수)}{(분모의\ x^2의\ 계수)}$

- $\lim\limits_{x \to a} \dfrac{f(x)}{x - a} = \beta \quad (\beta \neq 0)$

  ➡ $f(a) = 0$ ➡ $f(x)$는 $x - a$로 인수분해됨

07 다음을 만족시키는 x에 대한 다항식 $f(x)$를 구하라.

(1) $\lim\limits_{x \to \infty} \dfrac{f(x)}{x^2} = 1$, $\lim\limits_{x \to 1} \dfrac{f(x)}{x - 1} = 1$

(2) $\lim\limits_{x \to \infty} \dfrac{f(x)}{2x^2 + x} = 2$, $\lim\limits_{x \to -1} \dfrac{f(x)}{x + 1} = 2$

도전! 1등급

08 모든 양수 x에 대하여 함수 $f(x)$가

$x - 3 \leq f(x) \leq x + 3$을 만족 시킬 때, $\lim\limits_{x \to \infty} \dfrac{f(x)}{x}$의 값은?

① -2 ② -1 ③ 0

④ 1 ⑤ 2

09 x에 대한 다항식 $f(x)$가 다음 두 조건을 만족시킬 때, $f(2)$의 값은?

(가) $\lim\limits_{x \to \infty} \dfrac{f(x) - x^3}{x^2} = 1$ (나) $\lim\limits_{x \to 1} \dfrac{f(x)}{x - 1} = 2$

① 8 ② 7 ③ 6

④ 5 ⑤ 4

01 다음의 극한값을 구하여라.

(1) $\lim\limits_{x \to -1} (2x+1)$

(2) $\lim\limits_{x \to -2} (3x^2+2)$

(3) $\lim\limits_{x \to 2} (x^3-3x^2+3x-1)$

(4) $\lim\limits_{x \to 2} \dfrac{2}{x+1}$

(5) $\lim\limits_{x \to -1} \dfrac{2x+3}{x^2-3x+1}$

(6) $\lim\limits_{x \to 1} \dfrac{2x^3-3x^2+5x+4}{x^2+1}$

(7) $\lim\limits_{x \to 1} \sqrt{2-x}$

(8) $\lim\limits_{x \to 1} \sqrt{2x^2+7x-5}$

02 함수 $f(x)$에 대하여 주어진 극한값을 구하여라.

(1) $\lim\limits_{x \to 0} \dfrac{x^2+2x}{x}$

(2) $\lim\limits_{x \to 0} \dfrac{3x^2-x}{x}$

(3) $\lim\limits_{x \to 2} \dfrac{x^2-4}{x-2}$

(4) $\lim\limits_{x \to 3} \dfrac{x^3-27}{x-3}$

(5) $\lim\limits_{x \to -2} \dfrac{x^3+8}{x+2}$

(6) $\lim\limits_{x \to -1} \dfrac{x^3-2x^2-x+2}{x+1}$

(7) $\lim\limits_{x \to 1} \dfrac{x^3-4x^2+5x-2}{x^2-2x+1}$

03 다음 함수의 $x=1$에서의 우극한과 좌극한을 구하여라.

(1) $f(x)=\dfrac{x^2-x}{x-1}$

우극한 (   ), 좌극한 (   )

(2) $f(x)=[x]$

우극한 (   ), 좌극한 (   )

(3) $f(x)=\begin{cases} x+3 & (x\geq 1) \\ 2x+2 & (x<1) \end{cases}$

우극한 (   ), 좌극한 (   )

(4) $f(x)=\begin{cases} x^2-3x & (x\geq 1) \\ -x^2 & (x<1) \end{cases}$

우극한 (   ), 좌극한 (   )

04 다음 함수에 대하여 주어진 극한값 존재하도록 하는 실수 a의 값을 구하여라.

(1) $f(x)=\begin{cases} ax+3 & (x\geq 1) \\ 2x+2 & (x<1) \end{cases}$, $\lim\limits_{x\to 1}f(x)$가 존재

(2) $f(x)=\begin{cases} -ax+3 & (x\geq 2) \\ 3x+5 & (x<2) \end{cases}$, $\lim\limits_{x\to 2}f(x)$가 존재

(3) $f(x)=\begin{cases} -4x+1 & (x\geq -1) \\ ax+5 & (x<-1) \end{cases}$, $\lim\limits_{x\to -1}f(x)$가 존재

(4) $f(x)=\begin{cases} -x^2+4 & (x\geq 0) \\ 5x+a & (x<0) \end{cases}$, $\lim\limits_{x\to 0}f(x)$가 존재

05 다음 함수에 대하여 주어진 극한값을 구하여라.

(1) $f(x)=|x-4|$

$\lim\limits_{x\to 2+}f(x)=$ $\lim\limits_{x\to 2-}f(x)=$

$\lim\limits_{x\to 2}f(x)=$

(2) $f(x)=|x^2-1|$

$\lim\limits_{x\to 1+}f(x)=$ $\lim\limits_{x\to 1-}f(x)=$

$\lim\limits_{x\to 1}f(x)=$

(3) $f(x)=[x]$

$\lim\limits_{x\to \frac{1}{2}+}f(x)=$ $\lim\limits_{x\to \frac{1}{2}-}f(x)=$

$\lim\limits_{x\to \frac{1}{2}}f(x)=$

(4) $f(x)=-\dfrac{1}{x+1}$

$\lim\limits_{x\to 0+}f(x)=$ $\lim\limits_{x\to 0-}f(x)=$

$\lim\limits_{x\to 0}f(x)=$

06 두 함수 $f(x)$, $g(x)$에서 $\lim\limits_{x\to 0}f(x)=3$, $\lim\limits_{x\to 0}g(x)=-4$ 일 때, 다음 극한값을 구하여라.

(1) $\lim\limits_{x\to 0}\{f(x)-2g(x)\}$

(2) $\lim\limits_{x\to 0}\dfrac{f(x)+2}{g(x)+1}$

(3) $\lim\limits_{x\to 0}\{2f(x)+1\}\{g(x)-4\}$

(4) $\lim\limits_{x\to 0}\left\{\dfrac{f(x)}{g(x)}-2\right\}\{-2g(x)+4\}$

개념 04

07 다음 극한값을 구하여라.

(1) $\lim\limits_{x \to 0} \dfrac{x^2-x}{2x}$

(2) $\lim\limits_{x \to -1} \dfrac{x^2+2x+1}{x+1}$

(3) $\lim\limits_{x \to -3} \dfrac{x^2+4x+3}{x^2+2x-3}$

(4) $\lim\limits_{x \to \frac{1}{2}} \dfrac{2x^2+5x-3}{4x^2-1}$

(5) $\lim\limits_{x \to -1} \dfrac{x+1}{x^3+1}$

개념 05

08 다음의 극한값을 구하여라.

(1) $\lim\limits_{x \to \infty} (x^3-4x^2+6x-3)$

(2) $\lim\limits_{x \to \infty} (x^2-4x^3+x+1)$

(3) $\lim\limits_{x \to 2} \dfrac{1}{x-2} \left(\dfrac{1}{x+1} - \dfrac{1}{3} \right)$

(4) $\lim\limits_{x \to 2} \dfrac{1}{x-2} \left(\dfrac{1}{\sqrt{2}} - \dfrac{1}{\sqrt{x}} \right)$

개념 06

09 모든 실수 x에 대하여 함수 $f(x)$가 주어진 부등식을 만족할 때, 다음의 극한값을 구하여라.

(1) $4x-4 \le f(x) \le x^2-2x+4$일 때, $\lim\limits_{x \to 2} f(x)$

(2) $4x-5 \le f(x) \le x^2-2$일 때, $\lim\limits_{x \to 1} f(x)$

(3) $6x \le f(x) \le 9x^2+1$일 때, $\lim\limits_{x \to \frac{1}{3}} f(x)$

개념 06

10 다음 극한값을 구하여라.

(1) $\lim\limits_{x \to \infty} \dfrac{x^2-x+1}{2x+7}$

(2) $\lim\limits_{x \to \infty} \dfrac{5x^2-3x+1}{2x^3+8}$

(3) $\lim\limits_{x \to \infty} \dfrac{x^2-4x+1}{2x^2-4x+3}$

(4) $\lim\limits_{x \to -\infty} \dfrac{5x^2-3x+1}{2x+8}$

11 다음을 만족하는 상수 a, b의 값을 각각 구하여라.

(1) $\displaystyle\lim_{x \to 0} \frac{2x^2 + ax + b}{x} = 4$

(2) $\displaystyle\lim_{x \to 1} \frac{3x^2 + ax + b}{x - 1} = 3$

(3) $\displaystyle\lim_{x \to -1} \frac{x^2 + 2ax + b}{x + 1} = -1$

(4) $\displaystyle\lim_{x \to 2} \frac{x^2 + ax - b}{x - 2} = 2$

(5) $\displaystyle\lim_{x \to 1} \frac{2x^2 - 3x + a}{x^2 - 1} = b$

12 다음을 만족시키는 x에 대한 다항식 $f(x)$를 구하여라.

(1) $\displaystyle\lim_{x \to \infty} \frac{f(x) - x^3}{x^2} = 1$, $\displaystyle\lim_{x \to 0} \frac{f(x)}{x} = 3$

(2) $\displaystyle\lim_{x \to \infty} \frac{f(x)}{x^2 + 1} = 2$, $\displaystyle\lim_{x \to 1} \frac{f(x)}{x^2 - 1} = -1$

(3) $\displaystyle\lim_{x \to \infty} \frac{f(x)}{x^2 - x} = 1$, $\displaystyle\lim_{x \to 2} \frac{f(x)}{x - 2} = 3$

07 함수의 연속과 불연속

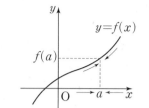

(1) **함수의 연속** : 함수 $f(x)$가 실수 a에 대하여 다음을 모두 만족시킬 때, $f(x)$는 $x=a$에서 연속이라 한다.

  (i) $f(x)$는 $x=a$에서 정의되어 있다.

  (ii) 극한값 $\lim\limits_{x \to a} f(x)$가 존재한다.

  (iii) $\lim\limits_{x \to a} f(x) = f(a)$

  예 함수 $f(x) = x+1$은 $x=1$에서 (정의되어 있고, 정의되어 있지 않고), $\lim\limits_{x \to 1} f(x)$가 (존재하고, 존재하지 않고),

    $f(1) = \boxed{}$, $\lim\limits_{x \to 1} f(x) = \boxed{}$ 이므로 $f(1) \boxed{} \lim\limits_{x \to 1} f(x)$이다.

    따라서 $f(x) = x+1$은 $x=1$에서 연속이다.

(2) **함수의 불연속** : 함수 $f(x)$가 $x=a$에서 연속이 아닐 때, $f(x)$는 $x=a$에서 불연속이라 한다. 즉,

  (i) $f(x)$가 $x=a$에서 정의되어 있지 않거나   (ii) 극한값 $\lim\limits_{x \to a} f(x)$가 존재하지 않거나   (iii) $\lim\limits_{x \to a} f(x) \neq f(a)$

  이면 $f(x)$는 $x=a$에서 불연속이다.

  예 함수 $f(x) = \dfrac{1}{x}$은 $x=0$에서 (정의되어 있고, 정의되어 있지 않고) $\lim\limits_{x \to 0} f(x)$가 (존재하므로,

    존재하지 않으므로) $f(x) = \dfrac{1}{x}$은 $x=0$에서 (연속, 불연속)이다.

유형 **함수의 연속과 불연속의 의미**

• 함수 $f(x)$가 $x=a$에서

  연속 ➡ 그래프가 $x=a$에서 이어져 있다.

  불연속 ➡ 그래프가 $x=a$에서 끊어져 있다.

01 다음 그래프를 보고 함수 $f(x)$가 $x=1$에서 연속인지 불연속인지를 판정하여 ( )안에 써넣어라.

(1)

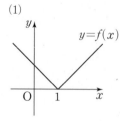

(   )

(2)

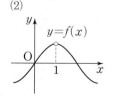

(   )

(3)

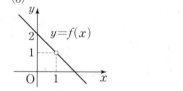

(   )

(4)

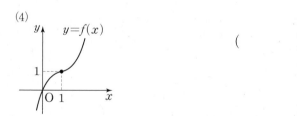

(   )

(5)

(   )

(6)

(   )

• $f(x)$가 (i) 또는 (ii) 또는 (iii)이면 $x=a$에서 불연속

(i) 함숫값 $f(a)$가 존재하지 않는다.

(ii) 극한값 $\lim\limits_{x \to a} f(x)$가 존재하지 않는다.

← (좌극한) ≠ (우극한)

(iii) $\lim\limits_{x \to a} f(x) \neq f(a)$

➡ 극한값과 함숫값이 각각 존재

하지만 (극한값) ≠ (함숫값)

02 다음 함수가 $f(x)$가 $x=0$에서 연속인지 불연속인지를 판정하여 ( )안에 써 놓고 불연속이면 불연속인 이유를 보기에서 골라 써라.

> (1) 함수값 $f(0)$이 존재하지 않는다.
> (2) 극한값 $\lim\limits_{x \to 0} f(x)$가 존재하지 않는다.
> (3) $\lim\limits_{x \to 0} f(x) \neq f(a)$

(1) $f(x) = x^2$　　(　　　　)

(2) $f(x) = \dfrac{1}{x}$　　(　　　　　　)

(3) $f(x) = \sqrt{x+2}$　　(　　　)

(4) $f(x) = |x|$　　(　　　　)

(5) $f(x) = [x]$　　(　　　　　)

(6) $f(x) = \dfrac{x^2+x}{x}$　　(　　　　)

(7) $f(x) = \begin{cases} x & (x \geq 0) \\ -x+1 & (x < 0) \end{cases}$　　(　　　　)

(8) $f(x) = \begin{cases} 2 & (x \neq 0) \\ 0 & (x = 0) \end{cases}$　　(　　　)

03 다음 [보기] 중에서 극한값이 존재하는 것을 모두 고른 것은? (단 $[x]$는 x를 넘지 않는 최대 정수이다.)

> [보기]
> ㉠ $\lim\limits_{x \to 0+} \dfrac{1}{x}$　　　　㉡ $\lim\limits_{x \to 0-} \dfrac{|x|}{x}$
> ㉢ $\lim\limits_{x \to 1} \dfrac{x^2-1}{x-1}$　　　㉣ $\lim\limits_{x \to 2} \dfrac{[x]}{x}$

① ㉠, ㉡　　　　② ㉠, ㉢　　　　③ ㉡, ㉢

④ ㉡, ㉣　　　　⑤ ㉠, ㉢, ㉣

함수의 연속성에 대한 여러 가지문제

(1) $(x-a)f(x)=g(x)$꼴의 함수가 $x=a$에서 연속 ➡ $f(a)=\lim\limits_{x \to a}\dfrac{g(x)}{x-a}$

(2) 함수 $f(x)=\begin{cases} g(x)\,(x\neq a):극한값 \\ k\quad(x=a):함숫값 \end{cases}$ 가 $x=a$에서 연속 ➡ $\lim\limits_{x \to a}f(x)=f(a)\,(극한값=함숫값)$

(3) 구간으로 나누어진 함수의 미정계수

　　함수 $f(x)=\begin{cases} f_1(x)\,(x<a) \\ f_2(x)\,(x\geq a) \end{cases}$ 가 $x=a$에서 연속 ➡ $\lim\limits_{x \to a-}f_1(x)=\lim\limits_{x \to a+}f_2(x)\,(좌극한=우극한)$

(3) x^n을 포함한 극한으로 정의된 함수의 연속성

　　① $|x|<1$일 때, $\lim\limits_{x \to \infty}x^n=0$

　　② $|x|>1$일 때, $\lim\limits_{x \to \infty}x^n=\infty$

　　③ $x=1$일 때, $\lim\limits_{x \to \infty}x^n=1$

　　④ $x=-1$일 때, $\lim\limits_{x \to \infty}x^{2n}=1$, $\lim\limits_{x \to \infty}x^{2n-1}=-1$

유형 $(x-a)f(x)=g(x)$꼴의 함수의 연속성

• $(x-a)f(x)=g(x)$를 만족하는 함수 $f(x)$가
$x=a$에서 연속 ➡ $f(a)=\lim\limits_{x \to a}\dfrac{g(x)}{x-a}$

01 다음 함숫값을 구하여라.

(1) $(x-1)f(x)=x^2-x$를 만족하는 $f(x)$가 $x=1$
에서 연속일 때, $f(1)$의 값

(2) $(x-2)f(x)=x^2-4$를 만족하는 $f(x)$가 $x=2$
에서 연속일 때, $f(2)$의 값

(3) $(x+1)f(x)=x^3+1$를 만족하는 $f(x)$가 $x=-1$
에서 연속일 때, $f(-1)$의 값

유형 구간으로 나누어진 함수의 미정계수

• 함수 $f(x)=\begin{cases} f_1(x)\,(x<a) \\ f_2(x)\,(x\geq a) \end{cases}$ 가 $x=a$에서 연속

➡ $\underset{(좌극한)}{\lim\limits_{x \to a-}f_1(x)}=\underset{(우극한)}{\lim\limits_{x \to a+}f_2(x)}$

02 함수 $f(x)$가 다음을 만족할 때, 상수 a를 구하여라.

(1) $f(x)=\begin{cases} \sqrt{x+1}\,\,(x\geq 3) \\ a\qquad(x<3) \end{cases}$ 가 $x=3$에서 연속

(2) $f(x)=\begin{cases} 1\qquad\,\,(x\geq 2) \\ x^3+a\,\,(x<2) \end{cases}$ 가 $x=2$에서 연속

(3) $f(x)=\begin{cases} x+1\qquad(x\geq 1) \\ -ax-2\,\,(x<1) \end{cases}$ 가 $x=1$에서 연속

(4) $f(x)=\begin{cases} x^3+2\,\,(x\geq -1) \\ 2x+a\,\,(x<-1) \end{cases}$ 가 $x=-1$에서 연속

(5) $f(x)=\begin{cases} [x]\qquad(x\geq -2) \\ x^2+a\,\,(x<-2) \end{cases}$ 가 $x=-2$에서 연속

유형 **함숫값의 결정**

- 함수 $f(x)=\begin{cases} g(x)\,(x\neq a) \\ k \quad (x=a) \end{cases}$ 가 $x=a$에서 연속

$\Rightarrow \displaystyle\lim_{x\to a}f(x)=f(a)$ ← (극한값)=(함숫값)

03 함수 $f(x)$가 다음을 만족할 때, 상수 a를 구하여라.

(1) $f(x)=\begin{cases} x^2-1 \ (x\neq 0) \\ a \qquad (x=0) \end{cases}$ 가 $x=0$에서 연속

(2) $f(x)=\begin{cases} \sqrt{x^2+8} \ (x\neq 1) \\ a \qquad\quad (x=1) \end{cases}$ 가 $x=1$에서 연속

(3) $f(x)=\begin{cases} \dfrac{x^2+4x+3}{x+1} \ (x\neq -1) \\ a \qquad\qquad (x=-1) \end{cases}$ 가 $x=-1$에서 연속

(4) $f(x)=\begin{cases} \dfrac{x-4}{\sqrt{x}-2} \ (x\neq 4) \\ a \qquad\quad (x=4) \end{cases}$ 가 $x=4$에서 연속

(5) $f(x)=\begin{cases} \dfrac{x+2}{x^3+8} \ (x\neq -2) \\ a \qquad\quad (x=-2) \end{cases}$ 가 $x=-2$에서 연속

유형 x^n**을 포함한 극한으로 정의된 함수의 연속성**

- $\underbrace{|x|<1,}_{\displaystyle\lim_{x\to\infty}x^n=0} \quad \underbrace{x=-1,}_{\substack{\displaystyle\lim_{x\to\infty}x^{2n}=1,\\ \displaystyle\lim_{x\to\infty}x^{2n-1}=-1}} \quad \underbrace{x=1,}_{} \quad \underbrace{|x|>1}_{\displaystyle\lim_{x\to\infty}x^n=0}$ → x^n으로 분모, 분자를 분자를 각각 나눈다.

인 경우로 나누어서 함수를 각각 구한다.

$\Rightarrow x=-1, x=1$에서의 함수의 연속성을 조사한다.

04 함수 $f(x)$의 연속성을 조사하는 다음 과정의 □ 안에 알맞은 것을 써 넣어라.

(1) $f(x)=\displaystyle\lim_{n\to\infty}\dfrac{x^n+1}{x^n+2} \ (x\neq -1)$

i) $|x|<1$일 때, $\displaystyle\lim_{n\to\infty}x^n=\boxed{}$ 이므로 $f(x)=\boxed{}$

ii) $x=1$일 때, $\displaystyle\lim_{n\to\infty}x^n=\boxed{}$ 이므로 $f(x)=\boxed{}$

iii) $|x|>1$일 때, $\boxed{}$ 으로 분자, 분모를 각각 나누면

$$f(x)=\lim_{n\to\infty}\boxed{}=\boxed{}$$

따라서 $f(x)$는 $x=\boxed{}$, $x=\boxed{}$ 에서 불연속이다.

(2) $f(x)=\displaystyle\lim_{n\to\infty}\dfrac{x^{n+1}+2x}{x^n+1} \ (x\neq -1)$

i) $|x|<1$일 때, $\displaystyle\lim_{n\to\infty}x^n=\boxed{}$ 이므로 $f(x)=\boxed{}$

ii) $x=1$일 때, $\displaystyle\lim_{n\to\infty}x^n=\boxed{}$ 이므로 $f(x)=\boxed{}$

iii) $|x|>1$일 때, $\boxed{}$ 으로 분자, 분모를 각각 나누면

$$f(x)=\lim_{n\to\infty}\boxed{}=\boxed{}$$

따라서 $f(x)$는 $x=\boxed{}$, $x=\boxed{}$ 에서 불연속이다.

도전! 1등급

05 함수 $y=f(x)$의 그래프가 그림과 같을 때, $-1\leq x\leq 4$에서 함수 $g(x)=xf(x)$가 불연속이 되는 모든 x의 값의 합은?

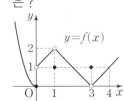

① 1   ② 2
③ 3   ④ 4
⑤ 5

09 연속함수의 성질

(1) 구간

　　두 실수 a, b에 대하여 집합 $\{x|a\le x\le b\}$, $\{x|a\le x<b\}$, $\{x|a<x\le b\}$, $\{x|a<x<b\}$를 구간이라 하고 기호로 각각 $[a, b]$, $[a, b)$, $(a, b]$, (a, b)와 같이 나타낸다. 이때 $[a, b]$를 닫힌 구간, $[a, b)$, $(a, b]$를 반닫힌 구간 또는 반열린 구간, (a, b)를 열린 구간이라 한다.

(2) 연속함수 : 함수 $f(x)$가 어떤 구간에 속하는 모든 실수 x에 대하여 연속일 때, $f(x)$는 그 구간에서 연속이라 한다. 또 어떤 구간에서 연속인 함수를 그 구간에서의 연속함수라고 한다.

(3) 연속함수의 성질 : 두 함수 $f(x)$, $g(x)$가 $x=a$에서 연속이면 다음 함수도 $x=a$에서 연속이다.

　　① $f(x)+g(x)$　　② $f(x)-g(x)$　　③ $cf(x)$(단, c는 상수)　　④ $f(x)g(x)$　　⑤ $\dfrac{f(x)}{g(x)}$(단, $g(x)\ne 0$)

　　예 함수 $f(x)=x+1$은 모든 실수 x에서 (연속, 불연속)이고 함수 $g(x)=x^2$은 모든 실수 x에서 (연속, 불연속)이므로 $f(x)+g(x)$, $f(x)-g(x)$, $3f(x)$, $-2g(x)$, $f(x)g(x)$는 모든 실수 x에서 (연속, 불연속)이고 $\dfrac{g(x)}{f(x)}$ 는 $x\ne\boxed{}$인 실수 x에서 연속, $\dfrac{f(x)}{g(x)}$ 는 $x\ne\boxed{}$인 실수 x에서 연속이다.

유형 구간

• $a\le x\le b$ ➡ $[a, b]$.	• $a<x<b$ ➡ (a, b)
• $a<x\le b$ ➡ $(a, b]$	• $a\le x<b$ ➡ $[a, b)$
• $x<a$ ➡ $(-\infty, a)$	• $x>a$ ➡ (a, ∞)
• $x\le a$ ➡ $(-\infty, a]$	• $x\ge a$ ➡ $[a, \infty)$

• x는 모든 실수 ➡ $(-\infty, \infty)$
• $a\le x\le b$ 또는 $c\le x\le d$ ➡ $[a, b]\cup[c, d]$

01 다음과 같은 실수의 집합을 구간의 기호로 나타내어라.

(1) $\{x|-3\le x\le 5\}$

(2) $\{x|-2\le x<10\}$

(3) $\{x|-3\sqrt{3}<x\le\sqrt{3}\}$

(4) $\left\{x\,\middle|\,x>\dfrac{1}{3}\right\}$

(5) $\{x|x\le 100\}$

02 다음 함수의 정의역을 구간의 기호로 나타내어라.

(1) $f(x)=\sqrt{x-2}$

(2) $f(x)=x^2$

(3) $f(x)=\dfrac{1}{x+1}+1$

(4) $f(x)=\dfrac{x^2-3x}{x-3}$

(5) $f(x)=\sqrt{4-x^2}$

유형 **함수가 연속인 구간**

- 다항함수 $f(x)=ax+b$, $f(x)=ax^2+bx+c$
  $f(x)=ax^3+bx^2+cx+d$, …는 실수 전체에서 연속
  $\Rightarrow (-\infty, \infty)$

- 유리함수 $f(x)=\dfrac{1}{x-a}+b$는 (분모)$\neq 0$인 x에서 연속
  이므로 $x\neq a$ $\Rightarrow (-\infty, a)\cup(a, \infty)$

- 무리함수 $f(x)=\sqrt{x-a}+b$는 ($\sqrt{}$ 안의 식)≥ 0인
  x에서 연속이므로 $x\geq a$ $\Rightarrow [a, \infty)$

03 두 함수 $f(x)=x+2$, $g(x)=x^2-2x-3$에 대하여 다음 함수가 연속인 x의 값의 구간을 구하여라.

(1) $f(x)+g(x)$

(2) $f(x)-g(x)$

(3) $3f(x)$

(4) $f(x)g(x)$

(5) $\dfrac{f(x)}{g(x)}$

(6) $\dfrac{g(x)}{f(x)}$

(7) $\sqrt{f(x)}$

(8) $\sqrt{g(x)}$

04 실수 전체에서 정의된 두 함수 $f(x)$, $g(x)$의 연속에 대한 설명으로 옳은 것은 ○를, 옳지 않은 것은 ×를 ( ) 안에 써 넣어라.

(1) $f(x)$와 $f(x)+g(x)$가 연속함수이면 $g(x)$도 연속함수이다. ( )

(2) $f(x)$와 $f(x)g(x)$가 연속함수이면 $g(x)$도 연속함수이다. ( )

(3) $f(x)$와 $g(x)$가 연속함수이면 $\{f(x)\}^2+\{g(x)\}^2$도 연속함수이다. ( )

(4) $f(x)$와 $g(x)$가 연속함수이면 $\dfrac{1}{f(x)-g(x)}$도 연속함수이다. ( )

(5) $f(x)$와 $g(x)$가 연속함수이면 $\dfrac{f(x)}{g(x)}$도 연속함수이다. ( )

(6) $f(x)$와 $g(x)$가 연속함수이면 $(f\circ g)(x)$도 연속함수이다. ( )

도전! 1등급

05 두 함수 $f(x)=\dfrac{1}{x}$, $g(x)=x^2+1$에 대하여 다음 중 실수 전체의 집합에서 연속인 함수는?

① $f(x)+g(x)$ ② $(f\circ g)(x)$ ③ $\dfrac{f(x)}{g(x)}$

④ $(g\circ f)(x)$ ⑤ $f(x)g(x)$

(1) 최대·최소의 정리

함수 $f(x)$가 닫힌 구간 $[a, b]$에서 연속이면 $f(x)$는 이 구간에서 반드시 최댓값과 최솟값을 갖는다.

예 $f(x)=x$는 닫힌 구간 $[0, 1]$에서 연속이므로 $f(x)$는 구간 $[0, 1]$에서 최댓값 ☐을 갖고, 최솟값 ☐을 갖는다.

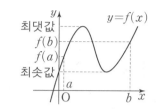

(2) 사잇값 정리

함수 $f(x)$가 닫힌 구간 $[a, b]$에서 연속이고 $f(a) \neq f(b)$이면 $f(a)$와 $f(b)$ 사이에 있는 임의의 값 k에 대하여 $f(c)=k$를 만족하는 c가 열린 구간 (a, b)에 적어도 하나 존재한다.

예 $f(x)=x^2$은 닫힌 구간 $[0, 1]$에서 연속이고 $f(0)=$ ☐ , $f(1)=$ ☐ 이므로 $f(0)$ ☐ $f(1)$이다. 따라서 $f(c)=\dfrac{1}{2}$을 만족하는 c가 열린 구간 ☐ 에 적어도 하나 존재한다.

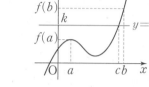

(3) 사잇값 정리의 활용

함수 $f(x)$가 닫힌 구간 $[a, b]$에서 연속이고 $f(a)f(b)<0$이면 $f(c)=0$인 c가 열린 구간 (a, b)에 적어도 하나 존재한다.

예 $f(x)=x$는 닫힌 구간 $[-1, 1]$에서 연속이고 $f(-1)f(1)$ ☐ 0이므로 $f(c)=0$인 c가 열린 구간 ☐ 에 적어도 하나 존재한다.

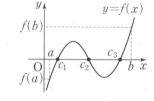

유형 **최대·최소의 정리**

· 함수 $f(x)$가 닫힌 구간 $[a, b]$에서 연속이면 $f(x)$는 구간 $[a, b]$에서 반드시 최댓값과 최솟값을 갖는다.

01 함수 $f(x)=\dfrac{2}{x-1}$ 에 대하여 다음 구간에서 최댓값과 최솟값이 존재하면 ○를, 존재하지 않으면 ×를 ( )안에 써 넣어라.

(1) $[-3, -1]$ (   )

(2) $[-2, 0]$ (   )

(3) $[0, 1]$ (   )

(4) $[0, 2]$ (   )

유형 **최대·최소의 정리의 역**

· 함수 $f(x)$가 닫힌 구간 $[a, b]$에서 최댓값과 최솟값을 가져도 $f(x)$가 구간 $[a, b]$에서 항상 연속은 아니다.

02 다음 함수 $f(x)$가 닫힌 구간 $[0, 2]$에서 최댓값과 최솟값을 갖고 이 구간에서 연속이면 ○를 연속이 아니면 ×를 ( )안에 써 넣어라.

(1) $f(x)=3x-2$ (   )

(2) $f(x)=[x]$ (   )

(3) $f(x)=x^2+3$ (   )

(4) $f(x)=\sqrt{x+2}$ (   )

유형 **사잇값 정리**

• 함수 $f(x)$가 닫힌 구간 $[a, b]$에서 연속이고
$f(a) \neq f(b)$ ➡ $f(a) < k < f(b)$인 임의의 값 k에 대하여
$f(c) = k$를 만족하는 c가 구간 (a, b)에 반드시 존재한다.
↳ 적어도 하나

03 다음을 증명하여라.

(1) 함수 $f(x) = 4x + 1$에 대하여 $f(c) = 1$을 만족하는 c가 구간 $(-2, 2)$에 반드시 존재한다.

(2) 함수 $f(x) = \dfrac{1}{x}$에 대하여 $f(c) = \dfrac{3}{4}$을 만족하는 c가 구간 $(1, 2)$에 반드시 존재한다.

(3) 함수 $f(x) = x^3 - 1$에 대하여 $f(c) = 0$을 만족하는 c가 구간 $(-1, 2)$에 반드시 존재한다.

(4) 함수 $f(x) = \sqrt{x+1} - 2$에 대하여 $f(c) = 0$을 만족하는 c가 구간 $(0, 8)$에 반드시 존재한다.

유형 **방정식의 실근이 존재하는 구간**

• 함수 $f(x)$가 닫힌 구간 $[a, b]$에서 연속이고
$f(a)f(b) < 0$이면 방정식 $f(x) = 0$은 구간 (a, b)에 실근이 반드시 존재한다.
↳ 적어도 하나

• 방정식 $f(x) = 0$이 구간 (a, b)에 실근이 반드시 존재한다고 해서 $f(a)f(b) < 0$인 것은 아니다.

← $f(a)f(b) > 0$이어도 방정식 $f(x) = 0$은 구간 (a, b)에 실근이 존재할 수 있다.

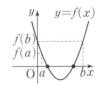

04 방정식 $f(x) = x^3 - x^2 + 2x - 3$의 실근은 오직 하나 존재한다. 방정식 $f(x) = 0$의 근이 존재하는 구간의 ( ) 안에 ○를 써넣어라.

(1) $(-1, 0)$ ( )

(2) $(0, 1)$ ( )

(3) $(1, 2)$ ( )

(4) $(2, 3)$ ( )

도전! **1등급**

05 이차방정식 $x^2 + x + a = 0$이 구간 $(0, 1)$에서 적어도 하나의 실근을 갖도록 하는 상수 a의 값의 모든 범위가 $\alpha < a < \beta$일 때, $\alpha + \beta$의 값은?

① -2 ② -1 ③ 0

④ 1 ⑤ 2

개념 정복

개념 07

01 다음 함수 $f(x)$가 $x=1$에서 연속인지 불연속인지를 판정하여 ( ) 안에 써 넣고 불연속이면 그 이유를 보기에서 골라 써넣어라.

[보기]
(1) $x=1$에서 정의되어 있지 않다.
(2) 극한값 $\lim_{x\to 1}f(x)$가 존재하지 않는다.
(3) $\lim_{x\to 1}f(x)\neq f(1)$

(1) $f(x)=x^2+2x$　　　(　　　　　)

(2) $f(x)=\dfrac{2}{x-1}+2$　　　(　　　　　)

(3) $f(x)=\sqrt{x+1}+1$　　　(　　　　　)

(4) $f(x)=|x-2|$　　　(　　　　　)

(5) $f(x)=\dfrac{x^2+x-2}{x-1}$　　　(　　　　　)

(6) $f(x)=\begin{cases}x+2 & (x\geq 1)\\-x+2 & (x<1)\end{cases}$ (　　　　　)

개념 08

02 다음 함숫값을 구하여라.

(1) $(x-2)f(x)=x^2-3x+2$를 만족하는 $f(x)$가 $x=2$에서 연속일 때, $f(2)$

(2) $(x-1)f(x)=x^3-2x^2-x+2$를 만족하는 $f(x)$가 $x=1$에서 연속일 때, $f(1)$

(3) $(x+1)f(x)=x^3+1$를 만족하는 $f(x)$가 $x=-1$에서 연속일 때, $f(-1)$

(4) $(x-1)f(x)=x^3-6x^2+11x-6$를 만족하는 $f(x)$가 $x=1$에서 연속일 때, $f(1)$

(5) $(x+2)f(x)=x^2+4x+4$를 만족하는 $f(x)$가 $x=-2$에서 연속일 때, $f(-2)$

03 함수 $f(x)$가 다음을 만족할 때, 상수 a의 값을 구하여라.

(1) $f(x) = \begin{cases} \sqrt{2x-1} & (x \geq 1) \\ a & (x < 1) \end{cases}$ 가 $x=1$에서 연속

(2) $f(x) = \begin{cases} 2 & (x \geq 0) \\ 2x^3 - a & (x < 0) \end{cases}$ 가 $x=0$에서 연속

(3) $f(x) = \begin{cases} ax+1 & (x \geq -1) \\ -x+2 & (x < -1) \end{cases}$ 가 $x=-1$에서 연속

(4) $f(x) = \begin{cases} [x] & (x \geq 2) \\ x^2 + ax + 4 & (x < 2) \end{cases}$ 가 $x=2$에서 연속

(5) $f(x) = \begin{cases} 2x+5 & (x \geq 1) \\ ax-2 & (x < 1) \end{cases}$

04 함수 $f(x)$가 다음을 만족할 때, 상수 a의 값을 구하여라.

(1) $f(x) = \begin{cases} x^2 - 9 & (x \neq 2) \\ a & (x = 2) \end{cases}$ 가 $x=2$에서 연속

(2) $f(x) = \begin{cases} \sqrt{x^2 + 3x + 5} & (x \neq 1) \\ a & (x = 1) \end{cases}$ 가 $x=1$에서 연속

(3) $f(x) = \begin{cases} \dfrac{x-9}{\sqrt{x}-3} & (x \neq 9) \\ a & (x = 9) \end{cases}$ 가 $x=9$에서 연속

(4) $f(x) = \begin{cases} \dfrac{x^3 - 3x + 2}{(x-1)^2} & (x \neq 1) \\ a+1 & (x = 1) \end{cases}$ 가 $x=1$에서 연속

(5) $f(x) = \begin{cases} \dfrac{x^3 - 2x^2 - x + 2}{x - 2} & (x \neq 2) \\ a-1 & (x = 2) \end{cases}$ 가 $x=2$에서 연속

05 다음 함수 $f(x)$의 연속성을 구간별로 조사하여라.

(1) $f(x)=\lim\limits_{x\to\infty}\dfrac{x^n-4x}{x^n+2}\ (x\neq-1)$

① $|x|<1$일 때

② $|x|>1$일 때

③ $x=1$일 때

④ 따라서 $x=\boxed{},\ x=\boxed{}$에서 $\boxed{}$이다.

(2) $f(x)=\lim\limits_{x\to\infty}\dfrac{x^{n+1}+3x+1}{x^n+1}\ (x\neq-1)$

① $|x|<1$일 때

② $|x|>1$일 때

③ $x=1$일 때

④ 따라서 $x=\boxed{},\ x=\boxed{}$에서 $\boxed{}$이다.

(3) $f(x)=\lim\limits_{x\to\infty}\dfrac{x^{2n}+1}{x^{2n}-2}$

① $|x|<1$일 때

② $|x|>1$일 때

③ $|x|=1$일 때

④ 따라서 $x=\boxed{},\ x=\boxed{}$에서 $\boxed{}$이다.

06 두 함수 $f(x)=x-1$, $g(x)=x^2-3x+2$에 대하여 다음 함수가 연속인 구간 x의 값을 구하여라.

(1) $f(x)+g(x)$

(2) $f(x)-g(x)$

(3) $3f(x)$

(4) $f(x)g(x)$

(5) $\{f(x)\}^2$

(6) $\dfrac{g(x)}{f(x)}$

(7) $\dfrac{f(x)}{g(x)}$

(8) $\sqrt{f(x)}$

(9) $\sqrt{g(x)}$

개념 09

07 함수 $f(x)=\dfrac{1}{x+1}$ 에 대하여 다음 구간에서 최댓값과 최솟값이 존재하면 ○를, 존재하지 않으면 ×를 ( )안에 써 넣어라.

(1) $[-3, -2]$ ( )

(2) $[-2, -1]$ ( )

(3) $[-1, 0]$ ( )

(4) $[0, 1]$ ( )

(5) $[1, 2]$ ( )

개념 10

08 방정식 $f(x)=x^3-2x^2+x-5$의 실근은 오직 하나 존재한다. 방정식 $f(x)=0$의 근이 존재하는 구간의 ( ) 안에 ○를 써넣어라.

(1) $(-1, 0)$ ( )

(2) $(0, 1)$ ( )

(3) $(1, 2)$ ( )

(4) $(2, 3)$ ( )

(5) $(2, 4)$ ( )

개념 10

09 다음 방정식이 주어진 구간에서 적어도 한 개의 실근을 갖도록 하는 상수 a의 값의 범위를 구하여라.

(1) $x^2-3x+a=0, \ (-1, 0)$

(2) $2x^2-5x+a=0, \ (-1, 1)$

(3) $x^2+x-2a=0, \ (0, 1)$

(4) $x^3+3x^2-x+a=0, \ (0, 2)$

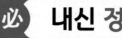 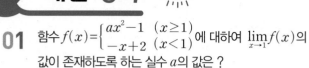

01 함수 $f(x)=\begin{cases} ax^2-1 & (x\geq 1) \\ -x+2 & (x<1) \end{cases}$ 에 대하여 $\lim\limits_{x\to 1}f(x)$의 값이 존재하도록 하는 실수 a의 값은?

① -2　　　② -1　　　③ 0

④ 1　　　⑤ 2

02 두 함수 $f(x)$, $g(x)$에 대하여 $\lim\limits_{x\to 0}f(x)=-1$, $\lim\limits_{x\to 0}g(x)=a$일 때, $\lim\limits_{x\to 0}\dfrac{f(x)+g(x)}{2-f(x)g(x)}=-2$를 만족하는 실수 a의 값은?

① -5　　　② -4　　　③ -3

④ -2　　　⑤ -1

03 함수 $f(x)=\begin{cases} \dfrac{x^2-ax-2}{x-1} & (x\neq 1) \\ b & (x=1) \end{cases}$ 가 모든 실수 x에서 연속일 때, $a+b$의 값은?

① -2　　　② -1　　　③ 0

④ 1　　　⑤ 2

04 두 실수 a, b가 $\lim\limits_{x\to 2}\dfrac{\sqrt{x-1}+a}{x-2}=b$를 만족시킬 때, $a+b$의 값은?

① $-\dfrac{3}{2}$　　　② -1　　　③ $-\dfrac{1}{2}$

④ $\dfrac{1}{2}$　　　⑤ 1

05 함수 $y=f(x)$의 그래프가 그림과 같다.

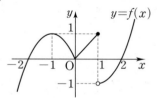

$\lim\limits_{x\to -1}f(x)+\lim\limits_{x\to 1+}f(x)$의 값은?

① -2　　　② -1　　　③ 0

④ 1　　　⑤ 2

06 $\lim\limits_{x\to\infty}\dfrac{f(x)}{x}=2$일 때, $\lim\limits_{x\to\infty}\dfrac{2x^2+xf(x)+1}{x^2-\{f(x)\}^2}$의 값은?

① -2 ② $-\dfrac{4}{3}$ ③ 0

④ $\dfrac{1}{4}$ ⑤ 1

07 함수 $f(x)$에 대하여 $\lim\limits_{x\to2}\dfrac{f(x)-3}{x-2}=5$일 때,

$\lim\limits_{x\to2}\dfrac{x-2}{\{f(x)\}^2-9}$의 값은?

① $\dfrac{1}{81}$ ② $\dfrac{1}{21}$ ③ $\dfrac{1}{24}$

④ $\dfrac{1}{27}$ ⑤ $\dfrac{1}{30}$

08 x에 대한 다항식 $f(x)$가 다음 두 조건을 만족시킬 때, $f(1)$의 값은?

(가) $\lim\limits_{x\to\infty}\dfrac{f(x)-x^3}{x^2}=2$ (나) $\lim\limits_{x\to2}\dfrac{f(x)}{x-2}=1$

① 8 ② 7 ③ 6

④ 5 ⑤ 4

09 함수 $f(x)=\dfrac{x}{x^2}$에 대하여 다음 중 최솟값이 존재하지 않는 구간은?

① $[-4,-3]$ ② $[-3,-1]$ ③ $[-2,0]$

④ $[0,1]$ ⑤ $[1,2]$

10 함수 $f(x)=\begin{cases}\dfrac{a\sqrt{x+2}+b}{x-2} & (x\neq2)\\ 2 & (x=2)\end{cases}$ 가 $x=2$에서 연속

일 때, 두 상수 a, b에 대하여 $2a-b$의 값을 구하시오.

11 그림과 같이 함수 $y=f(x)$의 그래프가 있다. 위 그래프에 대한 설명 중 [보기]에서 옳은 것을 모두 고른 것은?
(단, $-2\leq x\leq2$)

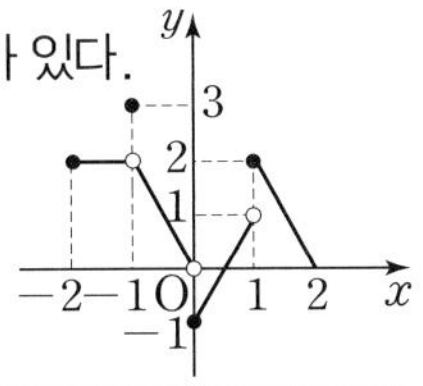

[보기]

ㄱ. 불연속점의 개수는 3개이다.

ㄴ. 극한값이 존재하지 않는 점의 개수는 3개이다.

ㄷ. 함수 $f(x)$는 폐구간 $[2,-2]$에서 최댓값과 최솟값이 존재한다.

① ㄱ, ㄴ ② ㄴ ③ ㄱ, ㄷ

④ ㄴ, ㄷ ⑤ ㄱ, ㄴ, ㄷ

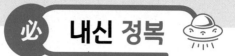

12 이차방정식 $x^2+2x+a=0$이 구간 $(1, 2)$에서 적어도 하나의 실근을 갖도록 하는 상수 a의 값의 모든 범위가 $a < x < \beta$일 때, $\alpha-\beta$의 값은?

① -2 ② -3 ③ -4

④ -5 ⑤ -6

13 다항식 $f(x)$가 $\lim\limits_{x \to -1} \dfrac{f(x)}{x^2-1}=1$, $\lim\limits_{x \to \infty} \dfrac{f(x)}{1-2x}=1$을 만족시킬 때, $f(-2)$의 값은?

① 1 ② 2 ③ 3

④ 4 ⑤ 5

14 $\lim\limits_{x \to 1} \dfrac{x^5-x^3-x^2+1}{x^2-2x+1}$의 값은?

① -3 ② -2 ③ 3

④ 5 ⑤ 6

15 $\lim\limits_{x \to 2} \dfrac{f(x)}{x-2}=4$, $\lim\limits_{x \to 2} \dfrac{g(x)}{x-2}=6$일 때 $\lim\limits_{x \to 2} \dfrac{f(x)+g(x)}{4f(x)-2g(x)}$ 의 값은?

① $\dfrac{1}{2}$ ② 1 ③ $\dfrac{3}{2}$

④ 2 ⑤ $\dfrac{5}{2}$

16 양의 실수 전체의 집합에서 정의된 함수 $f(x)=\lim\limits_{x \to \infty} \dfrac{x^n+2x+a}{x^{n-1}+1}$ 가 $x=1$에서 연속이 되도록 하는 실수 a의 값은?

① 2 ② -1 ③ $-\dfrac{1}{2}$

④ $-\dfrac{5}{2}$ ⑤ 0

17 다음 중에서 방정식 $x^3+x-1=0$의 실근을 포함하는 구간은?

① $(-3, -2)$ ② $(-2, -1)$ ③ $(-1, 0)$

④ $(0, 1)$ ⑤ $(1, 2)$

II

미분

평균변화율과 미분계수

❶ 미분계수와 도함수

(1) 증분 : 함수 $y=f(x)$에서 x의 값이 a에서 b까지 변할 때 x의 값의 변화량 $b-a$를 x의 증분이라 하고 기호로 $\varDelta x$로 나타낸다. 이때 y의 값의 변화량 $f(b)-f(a)$를 y의 증분이라 하고 기호로 $\varDelta y$로 나타낸다.

　(예) 함수 $f(x)=2x$에서 x의 값이 0에서 3까지 변할 때 x의 값의 변화량 □－□＝□을 x의 □이 라 하고 기호로 □로 나타낸다. 이때 y의 값의 변화량 $f(\boxed{})-f(\boxed{})=$□－□＝□을 y의 □이라 하고 기호로 □로 나타낸다.

(2) 평균변화율 : 함수 $y=f(x)$에서 x의 값이 a에서 b까지 변할 때의 평균변화율은 다음과 같다.

$$\frac{\varDelta y}{\varDelta x}=\frac{f(b)-f(a)}{b-a}=\frac{f(a+\varDelta x)-f(a)}{\varDelta x}$$

　(예) 함수 $f(x)=2x$에서 x의 값이 0에서 3까지 변할 때의 평균변화율은 $\dfrac{\boxed{}-\boxed{}}{\boxed{}-\boxed{}}=\boxed{}$이다.

(3) 미분계수 : 함수 $y=f(x)$의 $x=a$에서의 순간변화율 또는 미분계수는 다음과 같다.

$$f'(a)=\lim_{\varDelta x\to 0}\frac{f(a+\varDelta x)-f(a)}{x-a}=\lim_{x\to a}\frac{f(x)-f(a)}{x-a}$$

　(예) 함수 $f(x)=2x$에서 $x=1$에서의 순간변화율은

$$f'(\boxed{})=\lim_{\varDelta x\to 0}\frac{f(\boxed{}+\varDelta x)-f(\boxed{})}{\boxed{}}=\lim_{x\to 1}\frac{f(\boxed{})-f(\boxed{})}{x-\boxed{}}=2$$

(4) 미분계수의 기하학적 의미

　함수 $f(x)$의 $x=a$에서의 미분계수 $f'(a)$는 곡선 $y=f(x)$ 위의 점 $(a,f(a))$에서의 접선의 기울기와 같다.

유형 · 증분

함수 $y=f(x)$에서
- (x의 증분)＝$\varDelta x=b-a=$ (x의 값의 변화량)
　　　　　델타 x　델타 y
- (y의 증분)＝$\varDelta y=f(b)-f(a)=$ (y의 값의 변화량)

01 함수 $f(x)$에서 x의 값이 다음과 같이 변할 때, x의 증분과 y의 증분을 각각 구하여라.

(1) $f(x)=3$, x의 값이 1에서 4까지
　⇒ x의 증분 (　　), y의 증분 (　　)

(2) $f(x)=x+1$, x의 값이 -1에서 1까지
　⇒ x의 증분 (　　), y의 증분 (　　)

(3) $f(x)=x^2-2$, x의 값이 0에서 3까지
　⇒ x의 증분 (　　), y의 증분 (　　)

유형 · 평균변화율

함수 $y=f(x)$에서
- (평균변화율)＝$\dfrac{\varDelta y}{\varDelta x}=\dfrac{f(b)-f(a)}{b-a}$
　　　일차함수이면 그래프의 기울기

02 함수 $f(x)$에서 x의 값이 다음과 같이 변할 때, 평균변화율을 구하여라.

(1) $f(x)=3$, x의 값이 1에서 4까지

(2) $f(x)=x+1$, x의 값이 -1에서 1까지

(3) $f(x)=x^2-2$, x의 값이 0에서 3까지

유형 · 미분계수

- $y=f(x)$에서의 순간변화율
  → 미분계수 → $f'(a)$

$$f'(a)=\lim_{\Delta x \to 0}\frac{f(a+\Delta x)-f(a)}{\Delta x}$$
$$=\lim_{h \to 0}\frac{f(a+h)-f(a)}{h}=\lim_{x \to a}\frac{f(x)-f(a)}{x-a}$$

03 다음 함수 $f(x)$의 미분계수를 구하는 과정의 □ 안에 알맞은 것을 써넣어라.

(1) $f(x)=2x-1$에 대하여 $f'(1)$

$$f'(1)=\lim_{h \to 0}\frac{f(\boxed{}+h)-f(\boxed{})}{h}$$
$$=\lim_{h \to 0}\frac{\boxed{}}{h}=\boxed{}$$

(2) $f(x)=-3x+4$에 대하여 $f'(-1)$

$$f'(-1)=\lim_{h \to 0}\frac{f(\boxed{}+h)-f(\boxed{})}{h}$$
$$=\lim_{h \to 0}\frac{\boxed{}}{h}=\boxed{}$$

(3) $f(x)=x^2$에 대하여 $f'(2)$

$$f'(2)=\lim_{h \to 0}\frac{f(\boxed{}+h)-f(\boxed{})}{h}$$
$$=\lim_{h \to 0}\frac{\boxed{}}{h}=\boxed{}$$

(4) $f(x)=x^3-2$에 대하여 $f'(-2)$

$$f'(-2)=\lim_{h \to 0}\frac{f(\boxed{}+h)-f(\boxed{})}{h}$$
$$=\lim_{h \to 0}\frac{\boxed{}}{h}=\boxed{}$$

유형 · 미분계수와 접선의 기울기

- 곡선 $y=f(x)$ 위의
  점 $(a,f(a))$에서의
  접선의 기울기
  → $f'(a)$: 미분계수

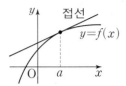

04 다음 함수 $f(x)$에 대하여 곡선 $y=f(x)$ 위의 주어진 점에서의 접선의 기울기를 구하여라.

(1) $f(x)=x^2$, 점 $(2, 4)$

(2) $f(x)=2x^3-3$, 점 $(1, -1)$

(3) $f(x)=-x^2+3x+4$, 점 $(0, 4)$

(4) $f(x)=3x^3-2x$, 점 $(-1, 1)$

도전! 1등급

05 다항함수 $f(x)$에 대하여 $\displaystyle\lim_{h \to 0}\frac{f(a+3h)-f(a)}{h}$ 의 값을 $f'(a)$를 이용하여 나타낸 것은?

① $-3f'(a)$　　② $-2f'(a)$　　③ $-f'(a)$
④ $2f'(a)$　　⑤ $3f'(a)$

개념 02 미분가능성과 연속

1 미분계수와 도함수

(1) 미분가능성

함수 $y=f(x)$의 $x=a$에서의 미분계수 $f'(a)$가 존재할 때, 함수 $f(x)$는 $x=a$에서 미분가능하다고 한다.

(2) 미분가능성과 연속성의 관계

함수 $y=f(x)$가 $x=a$에서 미분가능하면 $f(x)$는 $x=a$에서 연속이다.

하지만 함수 $y=f(x)$가 $x=a$에서 연속이라고 해서 반드시 $x=a$에서 미분가능한 것은 아니다.

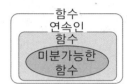

유형 · $f(x)$의 $x=a$에서의 미분가능성

$$\cdot \lim_{x \to 0-} \underbrace{\frac{f(a+h)-f(a)}{h}}_{\text{(좌극한)}} = \lim_{x \to 0+} \underbrace{\frac{f(a+h)-f(a)}{h}}_{\text{(우극한)}}$$

01 함수 $f(x)$에 대하여 주어진 x의 값에서의 미분가능성을 조사하기 위한 과정이다. □ 안에 알맞은 것을 써넣고 ( ) 안의 알맞은 것을 골라라.

(1) $f(x)=|x|$, $x=0$

$$\lim_{h \to 0+} \frac{f(\boxed{}+h)-f(\boxed{})}{h}$$

$$=\lim_{h \to 0+} \frac{\boxed{}}{h}=\lim_{h \to 0+}\left(\frac{\boxed{}}{h}\right)=\boxed{}$$

$$\lim_{h \to 0-} \frac{f(\boxed{}+h)-f(\boxed{})}{h}$$

$$=\lim_{h \to 0-} \frac{\boxed{}}{h}=\lim_{h \to 0-}\left(\frac{\boxed{}}{h}\right)=\boxed{}$$

즉, $f'(0)$의 값이 (존재하므로, 존재하지 않으므로)

$f(x)$는 $x=0$에서 (미분가능하다, 미분가능하지 않다).

(2) $f(x)=x^2$, $x=0$

$$\lim_{h \to 0+} \frac{f(\boxed{}+h)-f(\boxed{})}{h}$$

$$=\lim_{h \to 0+} \frac{\boxed{}-0}{h}=\lim_{h \to 0+}\left(\boxed{}\right)=\boxed{}$$

$$\lim_{h \to 0-} \frac{f(\boxed{}+h)-f(\boxed{})}{h}$$

$$=\lim_{h \to 0-} \frac{\boxed{}-0}{h}=\lim_{h \to 0-}\left(\boxed{}\right)=\boxed{}$$

즉, $f'(0)$의 값이 (존재하므로, 존재하지 않으므로)

$f(x)$는 $x=0$에서 (미분가능하다, 미분가능하지 않다).

(3) $f(x)=1$, $x=0$

$$\lim_{h \to 0+} \frac{f(\boxed{}+h)-f(\boxed{})}{h}$$

$$=\lim_{h \to 0+} \frac{\boxed{}}{h}=\lim_{h \to 0+}\left(\boxed{}\right)=\boxed{}$$

$$\lim_{h \to 0-} \frac{f(\boxed{}+h)-f(\boxed{})}{h}$$

$$=\lim_{h \to 0-} \frac{\boxed{}}{h}=\lim_{h \to 0-}\left(\boxed{}\right)=\boxed{}$$

즉, $f'(0)$의 값이 (존재하므로, 존재하지 않으므로)

$f(x)$는 $x=0$에서 (미분가능하다, 미분가능하지 않다).

(4) $f(x)=\begin{cases} x & (x \geq 0) \\ x^2 & (x<0) \end{cases}$, $x=0$

$$\lim_{h \to 0+} \frac{f(\boxed{}+h)-f(\boxed{})}{h}$$

$$=\lim_{h \to 0+} \frac{\boxed{}}{h}=\lim_{h \to 0+}\left(\boxed{}\right)=\boxed{}$$

$$\lim_{h \to 0-} \frac{f(\boxed{}+h)-f(\boxed{})}{h}$$

$$=\lim_{h \to 0-} \frac{\boxed{}}{h}=\lim_{h \to 0-}\left(\boxed{}\right)=\boxed{}$$

즉, $f'(0)$의 값이 (존재하므로, 존재하지 않으므로)

$f(x)$는 $x=0$에서 (미분가능하다, 미분가능하지 않다).

유형 **$f(x)$의 그래프에서 미분가능성 판단**

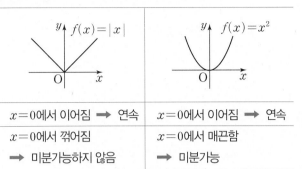

$x=0$에서 이어짐 ➡ 연속	$x=0$에서 이어짐 ➡ 연속
$x=0$에서 꺾어짐 ➡ 미분가능하지 않음	$x=0$에서 매끈함 ➡ 미분가능

· 미분가능하지 않은 점 ➡ 불연속인 점, 꺾어진 점

02 함수 $y=f(x)$의 그래프를 보고 주어진 x의 값에서 $f(x)$의 연속성과 미분가능성을 조사하여라.

(1)

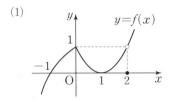

① $x=-1$에서
  (연속, 불연속), (미분가능, 미분가능하지 않음)
② $x=0$에서
  (연속, 불연속), (미분가능, 미분가능하지 않음)
③ $x=1$에서
  (연속, 불연속), (미분가능, 미분가능하지 않음)
④ $x=2$에서
  (연속, 불연속), (미분가능, 미분가능하지 않음)

(2)

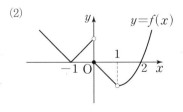

① $x=-1$에서
  (연속, 불연속), (미분가능, 미분가능하지 않음)
② $x=0$에서
  (연속, 불연속), (미분가능, 미분가능하지 않음)
③ $x=1$에서
  (연속, 불연속), (미분가능, 미분가능하지 않음)
④ $x=2$에서
  (연속, 불연속), (미분가능, 미분가능하지 않음)

유형 **연속이지만 미분가능하지 않은 함수**

· $y=f(x)$의 그래프에서 연속이지만 미분가능하지 않은 점
  ➡ 이어져 있지만 꺾어진 점
  ➡ $x=a$

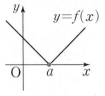

03 함수 $f(x)$가 주어진 x의 값에서 연속이지만 미분가능하지 않으면 (   ) 안에 ◯를 써넣어라.

(1) $f(x)=|x-1|$, $x=1$ (   )

(2) $f(x)=\begin{cases} 1 & (x \ge 1) \\ x & (x<1) \end{cases}$, $x=1$ (   )

(3) $f(x)=\begin{cases} x & (x \ge 0) \\ x^2 & (x<0) \end{cases}$, $x=0$ (   )

(4) $f(x)=\begin{cases} x^2 & (x \ge 0) \\ -x^2 & (x<0) \end{cases}$, $x=0$ (   )

도전! 1등급

04 함수 $f(x)=\begin{cases} ax+b & (x \ge 1) \\ x^2 & (x<1) \end{cases}$ 이 $x=1$에서 미분가능할 때, 상수 a, b의 값을 각각 구하면?

① $a=1$, $b=0$ ② $a=2$, $b=-1$

③ $a=0$, $b=1$ ④ $a=-1$, $b=2$

⑤ $a=3$, $b=-2$

개념 03 도함수와 미분법

1 미분계수와 도함수

(1) 도함수

미분가능한 함수 $y=f(x)$의 정의역의 각 원소 x에 미분계수 $f'(x)$를 대응시켜 만든 새로운 함수 $y=f'(x)$ 를 $y=f(x)$의 도함수라 한다. 즉,

$$f'(x)=\lim_{\Delta x \to 0}\frac{f(x+\Delta x)-f(x)}{\Delta x}=\lim_{h \to 0}\frac{f(x+h)-f(x)}{h}$$

이고 $y=f(x)$의 도함수를 기호로 $f'(x)$, y', $\dfrac{dy}{dx}$, $\dfrac{d}{dx}f(x)$와 같이 나타낸다.

예 함수 $f(x)=x$의 도함수는 $f'(x)=\lim_{h \to 0}\boxed{}=\lim_{h \to 0}\boxed{}=\lim_{h \to 0}\boxed{}=\boxed{}$ 이다.

(2) 미분과 미분법

함수 $f(x)$에서 도함수 $f'(x)$를 구하는 것을 $f(x)$를 미분한다고 하고 미분하는 계산법을 미분법이라고 한다.

(3) 미분법의 공식

① $y=x^n$ (n은 양의 정수)이면 $y'=nx^{n-1}$ ② $y=c$ (c는 상수)이면 $y'=0$

예 함수 $y=x^2$을 미분하면 $y'=\boxed{}$, $y=x^3$을 미분하면 $y'=\boxed{}$, $y=1$을 미분하면 $y'=\boxed{}$ 이다.

(4) 함수의 실수배, 합, 차의 미분법

두 함수 $f(x)$, $g(x)$가 각각 미분가능할 때,

① $y=cf(x)$ (c는 실수)이면 $y'=cf'(x)$ ② $y=f(x)+g(x)$이면 $y'=f'(x)+g'(x)$

③ $y=f(x)-g(x)$이면 $y'=f'(x)-g'(x)$

예 함수 $y=2x^2+3x+2$를 미분하면

$$y'=2\left(\boxed{}\right)'+3\left(\boxed{}\right)'+\left(\boxed{}\right)'=2\left(\boxed{}\right)+3\left(\boxed{}\right)+\left(\boxed{}\right)=\boxed{}$$

(5) 곱의 미분법

세 함수 $f(x)$, $g(x)$, $h(x)$가 각각 미분가능할 때,

① $y=f(x)g(x)$이면 $y'=f'(x)g(x)+f(x)g'(x)$

② $y=f(x)g(x)h(x)$이면 $y'=f'(x)g(x)h(x)+f(x)g'(x)h(x)+f(x)g(x)h'(x)$

유형· **도함수의 정의에 따라 도함수 구하기**

$$f'(x)=\lim_{\Delta x \to 0}\frac{f(x+\Delta x)-f(x)}{\Delta x}=\lim_{h \to 0}\frac{f(x+h)-f(x)}{h}$$

← 미분계수 $f'(a)$의 식에 a 대신 x를 대입한 식

01 도함수의 정의를 이용하여 다음 함수의 도함수를 구하여라.

(1) $f(x)=-2$

(2) $f(x)=3x$

(3) $f(x)=x^2+x$

다항함수의 미분

$n=1, 2, 3, \cdots$이고 c는 상수일 때

- $y=x^n \Rightarrow y'=nx^{n-1}$ ← 차수가 1 줄어듦
- $y=cx^n \Rightarrow y'=cnx^{n-1}$
- $y=c \Rightarrow y'=0$ ← $(상수)'=0$
- $y=ax+b \Rightarrow y'=a$
- $y=ax^2+bx+c \Rightarrow y'=2ax+b$
- $y=ax^3+bx^2+cx+d \Rightarrow y'=3ax^2+2bx+c$

02 다음 함수를 미분하여라.

(1) $y=x+1$

(2) $y=2x-3$

(3) $y=-3x^2$

(4) $y=2x^2-5x+3$

(5) $y=\dfrac{1}{2}x^2+x-3$

(6) $y=-3x^3+x^2-5x$

(7) $y=5x^3+5x^2-3x+1$

(8) $y=-2x^4+x^3-3x^2-7$

(9) $y=10x^{10}+9x^9+8x^8+\cdots+2x^2+x$

(10) $y=x^{100}-x^{99}+x^{98}-\cdots-x+1$

두 함수의 곱의 미분법

두 함수 $f(x), g(x)$가 미분가능할 때,

$$y=f(x)g(x) \Rightarrow y'=\underset{\text{미분}}{f'(x)}\cdot\underset{\text{그대로}}{g(x)}+\underset{\text{그대로}}{f(x)}\cdot\underset{\text{미분}}{g'(x)}$$

03 다음 함수를 미분하여라.

(1) $y=(2x-3)(3x-4)$

(2) $y=(x^2+x)(x-1)$

(3) $y=3x^2(x^2-x-3)$

(4) $y=(3x+2)(x^2+4x-2)$

세 함수의 곱의 미분법

세 함수 $f(x), g(x), h(x)$가 미분가능할 때,

$y=f(x)g(x)h(x)$

$\Rightarrow y'=f'(x)g(x)h(x)+f(x)g'(x)h(x)$
$\qquad +f(x)g(x)h'(x)$

04 다음 함수를 미분하여라.

(1) $y=(x+1)(-2x+3)(4x-3)$

(2) $y=x(4x-1)(3x^2-x+2)$

(3) $y=x^2(x^2-x+1)(x^2+x+1)$

- 미분법의 공식을 써서 도함수 $f'(x)$를 구한다.
  ➡ $f'(x)$에 $x=a$를 대입 ➡ $f'(a)$

05 함수 $f(x)=x^3+5x^2-4x-1$에 대하여 주어진 미분계수를 구하여라.

(1) $f'(-5)$

(2) $f'(-1)$

(3) $f'(0)$

(4) $f'\left(\dfrac{1}{2}\right)$

- $\displaystyle\lim_{h\to 0}\dfrac{f(a+h)-f(a)}{h}=f'(a)$ ⬅ $f'(x)$에 $x=a$를 대입

06 함수 $f(x)=-\dfrac{1}{3}x^3+x^2-3x+4$에 대하여 주어진 극한값을 구하여라.

(1) $\displaystyle\lim_{h\to 0}\dfrac{f(2+h)-f(2)}{h}$

(2) $\displaystyle\lim_{h\to 0}\dfrac{f(h-1)-f(-1)}{h}$

(3) $\displaystyle\lim_{h\to 0}\dfrac{f(h)-f(0)}{h}$

(4) $\displaystyle\lim_{h\to 0}\dfrac{f(1+h)-f(1)}{h}$

- $\displaystyle\lim_{x\to a}\dfrac{f(x)-f(a)}{x-a}=f'(a)$ ⬅ $f'(x)$에 $x=a$를 대입

07 함수 $f(x)=-2x^2+4x+3$에 대하여 주어진 극한값을 구하여라.

(1) $\displaystyle\lim_{x\to 0}\dfrac{f(x)-f(0)}{x}$

(2) $\displaystyle\lim_{x\to -2}\dfrac{f(x)-f(-2)}{x+2}$

(3) $\displaystyle\lim_{x\to 3}\dfrac{f(x)-f(3)}{x-3}$

- $\displaystyle\lim_{x\to \frac{1}{a}}\dfrac{f(x)-f\left(\frac{1}{a}\right)}{ax-1}=\dfrac{1}{a}\lim_{x\to \frac{1}{a}}\dfrac{f(x)-f\left(\frac{1}{a}\right)}{x-\frac{1}{a}}=\dfrac{1}{a}f'\left(\dfrac{1}{a}\right)$

08 함수 $f(x)=(x-1)(x^2+3x-1)$에 대하여 주어진 극한값을 구하여라.

(1) $\displaystyle\lim_{x\to \frac{1}{2}}\dfrac{f(x)-f\left(\frac{1}{2}\right)}{2x-1}$

(2) $\displaystyle\lim_{x\to -\frac{1}{3}}\dfrac{f(x)-f\left(-\frac{1}{3}\right)}{-3x-1}$

(3) $\displaystyle\lim_{x\to \frac{1}{10}}\dfrac{f(x)-f\left(\frac{1}{10}\right)}{10x-1}$

$$\cdot \lim_{h \to 0} \frac{f(a+kh)-f(a)}{h} = kf'(a)$$

09 함수 $f(x)=x^{10}+5x^2+5$에 대하여 주어진 극한값을 구하여라.

(1) $\displaystyle \lim_{h \to 0} \frac{f(1+3h)-f(1)}{h}$

(2) $\displaystyle \lim_{h \to 0} \frac{f(5h)-f(0)}{h}$

(3) $\displaystyle \lim_{h \to 0} \frac{f(-1+3h)-f(-1)}{h}$

$$\cdot \lim_{h \to 0} \frac{f(a+kh)-f(a+lh)}{h} = (k-l)f'(a)$$

10 함수 $f(x)=x^{10}+x^9+x^8+\cdots+x+1$에 대하여 주어진 극한값을 구하여라.

(1) $\displaystyle \lim_{h \to 0} \frac{f(1+3h)-f(1+h)}{h}$

(2) $\displaystyle \lim_{h \to 0} \frac{f(1+5h)-f(1-3h)}{h}$

(3) $\displaystyle \lim_{h \to 0} \frac{f(3h-1)-f(h-1)}{h}$

(4) $\displaystyle \lim_{h \to 0} \frac{f(4h-1)-f(-2h-1)}{h}$

$$\cdot \lim_{h \to 0} \frac{f(a+kh)-f(a)}{lh} = \frac{k}{l}f'(a)$$

11 함수 $f(x)=\dfrac{1}{100}x^{100}-\dfrac{1}{99}x^{99}+\dfrac{1}{98}x^{98}-\cdots-x+1$에 대하여 주어진 극한값을 구하여라.

(1) $\displaystyle \lim_{h \to 0} \frac{f(1+3h)-f(1)}{2h}$

(2) $\displaystyle \lim_{h \to 0} \frac{f(1-h)-f(1)}{4h}$

(3) $\displaystyle \lim_{h \to 0} \frac{f(6h-1)-f(-1)}{2h}$

(4) $\displaystyle \lim_{h \to 0} \frac{f(-1+6h)-f(-1)}{-3h}$

도전! 1등급

12 함수 $f(x)=(x^2+x+1)(4x+a)$에 대하여 $f'(1)=12$일 때, 상수 a의 값은?

① -5　　　② -4　　　③ -3

④ -2　　　⑤ -1

13 함수 $f(x)=\displaystyle\sum_{k=1}^{n}x^k$에 대하여 $f'(1)$의 값은?

① n　　　② $n(n+1)$　　　③ $n(n-1)$

④ $\dfrac{n(n+1)}{2}$　　⑤ $\dfrac{n(n-1)}{2}$

04 미분계수를 이용한 미정계수의 결정

1 미분계수와 도함수

(1) $\lim\limits_{x \to a}\dfrac{f(x)}{x-a}=c\,(c\text{는 상수})$를 만족하는 다항함수 $f(x)$의 미정계수 구하기

$x \to a$일 때, $f(x) \to 0$이므로 $f(a)=0$이고 $\lim\limits_{x \to a}\dfrac{f(x)}{x-a}=\lim\limits_{x \to a}\dfrac{f(x)-f(a)}{x-a}=f'(a)$이므로 $f'(a)=c$이다.

$\lim\limits_{x \to 1}\dfrac{f(x)}{x-1}=1$이면 $x \to 1$일 때, $f(x) \to \boxed{}$이므로 $f(1)=\boxed{}$이고 $f'(1)=\boxed{}$이다.

(2) 치환을 이용한 $\dfrac{0}{0}$꼴의 극한값 구하기

$x \to a$일 때, $\dfrac{0}{0}$꼴의 극한에서 분모, 분자의 일부를 $f(x)$로 치환하여 미분계수의 정의

$\lim\limits_{x \to a}\dfrac{f(x)-f(a)}{x-a}=f'(a)$를 이용한다.

$\lim\limits_{x \to 1}\dfrac{x^n-1}{x-1}$이면 $x \to 1$일 때, $x^n-1 \to \boxed{}$이므로 주어진 극한은 $\boxed{}$꼴이고 $f(x)=\boxed{}$이라 치환하면

주어진 극한은 $\lim\limits_{x \to 1}\dfrac{\boxed{}-1}{x-1}=f'(\boxed{})$ 이다.

(3) 다항식 $f(x)$가 $(x-a)^2$으로 나누어 떨어질 때

$f(x)=(x-a)^2Q(x)$이므로 $f(a)=0$이고 $f'(x)=2(x-a)Q(x)+(x-a)^2Q'(x)$이므로 $f'(a)=0$이다.

다항식 $f(x)$가 $(x-1)^2$으로 나누어 떨어지면 $f(1)=\boxed{}$, $f'(1)=\boxed{}$이다.

유형 미분계수를 이용한 미정계수의 결정

- $\lim\limits_{x \to a}\dfrac{f(x)}{x-a}=c\,(c\text{는 상수}) \Rightarrow f(a)=0,\ f'(a)=c$

01 $f(x)=ax+b$에 대하여 다음을 만족하는 상수 a, b의 값을 각각 구하여라.

(1) $\lim\limits_{x \to 1}\dfrac{f(x)}{x-1}=1$

(2) $\lim\limits_{x \to 0}\dfrac{f(x)}{x}=2$

(3) $\lim\limits_{x \to -1}\dfrac{f(x)}{x+1}=3$

02 $f(x)=x^2+ax+b$에 대하여 다음을 만족하는 상수 a, b의 값을 각각 구하여라.

(1) $\lim\limits_{x \to 1}\dfrac{f(x)}{x-1}=-1$

(2) $\lim\limits_{x \to -1}\dfrac{f(x)}{x+1}=5$

(3) $\lim\limits_{x \to 0}\dfrac{f(x)}{x}=2$

(4) $\lim\limits_{x \to 2}\dfrac{f(x)}{x-2}=-3$

유형 **미분계수를 이용하여 극한값 구하기**

$f(x)$로 치환하면

$\cdot \lim\limits_{x \to a} \dfrac{x^n + kx + l - f(a)}{x-a} = f'(a)$

$f'(x) = nx^{n-1} + k$를 구하여 $x = a$ 대입

03 다음 극한값을 구하여라.

(1) $\lim\limits_{x \to 1} \dfrac{x^{10} + x^2 - 2}{x-1}$

(2) $\lim\limits_{x \to -1} \dfrac{x^8 - x^2 + 2x + 2}{x+1}$

(3) $\lim\limits_{x \to 2} \dfrac{x^5 - 3x^3 - 8}{x-2}$

04 다음을 만족하는 자연수 n의 값을 구하여라.

(1) $\lim\limits_{x \to 1} \dfrac{x^n + x^2 - 2}{x-1} = 3$

(2) $\lim\limits_{x \to 1} \dfrac{x^n + 2x - 3}{x-1} = 10$

(3) $\lim\limits_{x \to 1} \dfrac{x^n + 3x - 4}{x-1} = 12$

유형 **$f(x)$가 $(x-a)^2$으로 나누어 떨어질 때**

· 다항식 $f(x)$가 $(x-a)^2$으로 나누어 떨어지면

$\rightarrow f(a) = 0$, $f'(a) = 0$

05 다음을 만족하는 상수 a, b의 값을 각각 구하여라.

(1) $x^3 + ax + b$가 $(x-1)^2$으로 나누어 떨어진다.

(2) $x^4 + ax^2 + b$가 $(x-2)^2$으로 나누어 떨어진다.

(3) $x^5 - ax^2 + b$가 $(x+1)^2$으로 나누어 떨어진다.

(4) $x^6 - ax - b$가 $(x+2)^2$으로 나누어 떨어진다.

도전! 1등급

06 $\lim\limits_{x \to 1} \dfrac{x-1}{x^5 - x^4 + x^3 - x^2 + x - 1}$ 의 값은?
은?

① $\dfrac{1}{5}$ ② $\dfrac{1}{4}$ ③ $\dfrac{1}{3}$

④ $\dfrac{1}{2}$ ⑤ 1

개념 01

01 함수 $f(x)$에서 x의 값이 다음과 같이 변할 때, 평균변화율을 구하여라.

(1) $f(x)=1$, x의 값이 1에서 6까지

(2) $f(x)=2x+1$, x의 값이 -1에서 2까지

(3) $f(x)=x^2+2$, x의 값이 -3에서 -1까지

(4) $f(x)=\sqrt{x+3}$, x의 값이 1에서 6까지

개념 01

02 다음 함수 $f(x)$에 대하여 $y=f(x)$ 위의 주어진 점에서의 접선의 기울기를 구하여라.

(1) $y=2x^2-1$, 점$(1, 1)$

(2) $y=x^2+3x-1$, 점$(-1, -3)$

(3) $y=-x^2+4x-3$, $(0, -3)$

(4) $y=2x^3+3$, $(1, 5)$

개념 02

03 함수 $y=f(x)$의 그래프를 보고 주어진 x의 값에서 $f(x)$의 연속성과 미분가능성을 조사하여라.

(1)
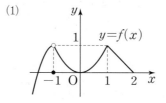

① $x=-1$에서
(연속, 불연속), (미분가능, 미분가능하지 않음)
② $x=0$에서
(연속, 불연속), (미분가능, 미분가능하지 않음)
③ $x=1$에서
(연속, 불연속), (미분가능, 미분가능하지 않음)

(2)
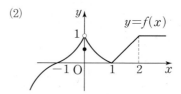

① $x=-1$에서
(연속, 불연속), (미분가능, 미분가능하지 않음)
② $x=0$에서
(연속, 불연속), (미분가능, 미분가능하지 않음)
③ $x=1$에서
(연속, 불연속), (미분가능, 미분가능하지 않음)
④ $x=2$에서
(연속, 불연속), (미분가능, 미분가능하지 않음)

04 다음 함수에 대하여 위의 주어진 점에서의 연속성과 미분가능성을 조사하여 ( ) 안에 ○, ×를 써넣어라.

(1) $f(x) = \dfrac{|x|}{x}$, $x = 0$

연속성( ) 미분가능성( )

(2) $f(x) = \dfrac{|x|}{x}$, $x = 2$

연속성( ) 미분가능성( )

(3) $f(x) = |x^2 - 1|$, $x = 1$

연속성( ) 미분가능성( )

(4) $f(x) = \begin{cases} 2x & (x \geq 0) \\ x^2 & (x < 0) \end{cases}$

연속성( ) 미분가능성( )

(5) $f(x) = \begin{cases} x^3 + 2 & (x \geq 1) \\ 3x & (x < 1) \end{cases}$

연속성( ) 미분가능성( )

05 도함수의 정의를 이용하여 다음 함수의 도함수를 구하여라.

(1) $f(x) = 4$

(2) $f(x) = -x + 7$

(3) $f(x) = x^2 - 3x$

06 다음 함수를 미분하여라.

(1) $y = -8$

(2) $y = 5x + 3$

(3) $y = -5x^2 - 4x - 1$

(4) $y = \dfrac{x^2 + 3x - 5}{2}$

(5) $y = x^3 + x^2 - 5$

(6) $y = x^{10} - x^9 + x^8 - \cdots - x + 1$

07 다음 함수를 미분하여라.

(1) $y=2x^3(x^2-3x+2)$

(2) $y=(x+4)(4x^2-2)$

(3) $y=(x^2-4x)(2x^2-1)$

(4) $y=x(3x+2)(x^3-x+3)$

(5) $y=(x-3)(x^2+2x)(3x-5)$

08 함수 $f(x)=x^3-x^2+x-2$에 대하여 주어진 극한값을 구하여라.

(1) $\displaystyle\lim_{x\to\frac{1}{2}}\frac{f(x)-f\left(\frac{1}{2}\right)}{2x-1}$

(2) $\displaystyle\lim_{x\to-\frac{1}{2}}\frac{f(x)-f\left(-\frac{1}{2}\right)}{-2x-1}$

(3) $\displaystyle\lim_{x\to-\frac{1}{3}}\frac{f(x)-f\left(-\frac{1}{3}\right)}{-3x-1}$

(4) $\displaystyle\lim_{x\to\frac{1}{5}}\frac{f(x)-f\left(\frac{1}{5}\right)}{5x-1}$

09 함수 $f(x)=x^{10}-x^9+x^8+\cdots-x+1$에 대하여 주어진 극한값을 구하여라.

(1) $\displaystyle\lim_{h\to 0}\frac{f(1+4h)-f(1-h)}{h}$

(2) $\displaystyle\lim_{h\to 0}\frac{f(10h)-f(3h)}{h}$

(3) $\displaystyle\lim_{h\to 0}\frac{f(2h-1)-f(5h-1)}{h}$

(4) $\displaystyle\lim_{h\to 0}\frac{f(1-8h)-f(1+2h)}{h}$

10 $f(x)=ax^2+bx$에 대하여 다음을 만족하는 상수 a, b의 값을 각각 구하여라.

(1) $\lim\limits_{x\to 1}\dfrac{f(x)}{x-1}=4$

(2) $\lim\limits_{x\to -1}\dfrac{f(x)}{x+1}=3$

(3) $\lim\limits_{x\to -2}\dfrac{f(x)}{x+2}=10$

(4) $\lim\limits_{x\to 3}\dfrac{f(x)}{x-3}=12$

11 다음을 만족하는 자연수 n의 값을 구하여라.

(1) $\lim\limits_{x\to 1}\dfrac{x^n+x^2-2}{x-1}=4$

(2) $\lim\limits_{x\to 1}\dfrac{x^n-3x+2}{x-1}=-2$

(3) $\lim\limits_{x\to 1}\dfrac{x^n+4x-5}{x-1}=9$

(4) $\lim\limits_{x\to 1}\dfrac{x^n-5x^2+4}{x-1}=14$

(5) $\lim\limits_{x\to 1}\dfrac{x^n-6x+5}{x-1}=5$

12 다음을 만족하는 상수 a, b의 값을 구하여라.

(1) x^3+ax+b가 $(x+1)^2$으로 나누어떨어진다.

(2) $x^4-2ax+b$가 $(x-2)^2$으로 나누어 떨어진다.

(3) $4x^4+ax+b$가 $\left(x-\dfrac{1}{2}\right)^2$으로 나누어떨어진다.

(1) 곡선 $y=f(x)$ 위의 점 $P(a, f(a))$에서의 접선의 방정식

  ① 접선의 기울기 : 곡선 $y=f(x)$ 위의 점 $P(a, f(a))$에서의 접선의 기울기는 $x=a$에서의 미분계수 $f'(a)$와 같다.

  ② 접선의 방정식 : 함수 $f(x)$가 $x=a$에서 미분가능할 때, 곡선 $y=f(x)$ 위의 점 $P(a, f(a))$에서의 접선의 방정식은 $y-f(a)=f'(a)(x-a)$이다.

  예 곡선 $y=x^2$ 위의 점 $(1, 1)$에서의 접선의 방정식은 $y'=\boxed{}$에서 기울기는 $f'(1)=\boxed{}$이므로

     $y-\boxed{}=\boxed{}(x-1)$이다. 즉, $y=\boxed{}$이다.

(2) 곡선 $y=f(x)$에 접하고 기울기가 m인 접선의 방정식

  ① 접점의 좌표를 $(a, f(a))$라고 놓는다.

  ② $f'(a)=m$인 것을 이용하여 a의 값을 구하고 접점의 좌표 $(a, f(a))$를 구한다.

  ③ 접선의 방정식 $y-f(a)=m(x-a)$를 구한다.

  예 곡선 $y=x^2$의 기울기가 4인 접선은 접점의 좌표를 $(a, \boxed{})$이라 놓으면

     $f'(a)=\boxed{}$에서 $2a=4$, $a=\boxed{}$이므로 접점의 좌표는 $(\boxed{}, \boxed{})$이다. 따라서 접선의 방정식은

     $y-\boxed{}=\boxed{}(x-\boxed{})$ 즉, $y=\boxed{}$이다.

(3) 곡선 $y=f(x)$ 밖의 한 점 (x_1, y_1)에서 곡선에 그은 접선의 방정식

  ① 접점의 좌표를 $(a, f(a))$라고 놓는다.

  ② 접선의 방정식 $y-f(a)=f'(a)(x-a)$에 점 (x_1, y_1)의 좌표를 대입하여 a의 값을 구한다.

  ③ 위에서 구한 a의 값을 대입하여 접선의 방정식 $y-f(a)=f'(a)(x-a)$를 구한다.

유형 · 접점이 주어진 접선의 기울기

· 곡선 $y=f(x)$ 위의 점 $(a, f(a))$에서의 접선의 기울기
       └→ 접점

➡ $f'(a)$ ⬅ $x=a$에서의 미분계수

01 다음 곡선 위의 주어진 점에서의 접선의 기울기를 구하여라.

(1) $y=x^2$ $(-1, 1)$

(2) $y=3x^2$ $(2, 12)$

(3) $y=x^3+2x$ $(1, 3)$

(4) $y=-x^2+4x$ $(-1, -5)$

(5) $y=-2x^3$ $(1, -2)$

(6) $y=x^3-1$ $(2, 7)$

(7) $y=2x^3-x^2+3x-1$ $(0, -1)$

- 곡선 $y=f(x)$ 위의 점 $(a, f(a))$에서의
  접선의 기울기 ➡ $y-f(a)=f'(a)(x-a)$

02 다음 곡선위의 주어진 점에서의 접선의 방정식을 구하여라.

(1) $y=x^2$ $(2, 4)$

(2) $y=-x^2$ $(-1, -1)$

(3) $y=2x^2$ $(1, 2)$

(4) $y=x^2-3x+2$ $(1, 0)$

(5) $y=-3x^2+4x$ $(1, 1)$

(6) $y=2x^3$ $(1, 2)$

(7) $y=-x^3-3x+4$ $(1, 0)$

(8) $y=2x^3+x^2-1$ $(1, 2)$

- 곡선 $y=f(x)$ 위의 점 $(a, f(a))$
  를 지나고 이 점에서의 접선에
  수직인 직선의 기울기는 $f'(a)$
- 기울기 ➡ $-\dfrac{1}{f'(a)}$
- 방정식 ➡ $y-f(a)=-\dfrac{1}{f'(a)}(x-a)$

03 다음 곡선 위의 주어진 점을 지나고 주어진 점에서의 접선에 수직인 직선의 방정식을 구하여라.

(1) $y=x^2$ $(1, 1)$

(2) $y=-x^2$ $(-1, -1)$

(3) $y=x^3$ $\left(\dfrac{1}{2}, \dfrac{1}{8}\right)$

(4) $y=-3x^3$ $(-1, 3)$

(5) $y=-3x^2+4x$ $(2, -4)$

유형 · 기울기가 주어진 접선의 방정식

곡선 $y=f(x)$에 접하고 기울기가 m인 접선의

· 접점 : $(a, f(a))$로 놓는다.

· 기울기 : $\underline{m=f'(a)}$ ➡ a의 값을 구한다.
         ↳ a에 대한 방정식의 해를 구한다.

· 방정식 : $y=f'(a)(x-a)+f(a)$

04 다음 곡선에 접하고 기울기가 m인 접선의 방정식을 구하여라.

(1) $y=x^2-x$, $m=1$

(2) $y=x^2$, $m=3$

(3) $y=-\dfrac{1}{2}x^2+3x-1$, $m=-1$

(4) $y=x^3$, $m=3$

(5) $y=x^3-3x^2+2x+2$, $m=-1$

유형 · 한 직선과 평행한 접선의 방정식

곡선 $y=f(x)$에 접하고 직선 $y=mx+n$과 평행한 직선의
        ↳ 기울기가 m

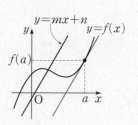

· 접점 : $(a, f(a))$로 놓는다.

· 기울기 : $m=f'(a)$

   ➡ a의 값을 구한다.

· 방정식 : $y=f'(a)(x-a)+f(a)$

05 다음 곡선에 접하고 주어진 직선에 평행한 직선의 방정식을 구하여라.

(1) $y=x^2$, $y=2x+1$

(2) $y=-x^2$, $y=-x+3$

(3) $y=2x^2+1$, $y=4x+4$

(4) $y=2x^3$, $y=6x+1$

(5) $y=\dfrac{1}{3}x^3$, $y=9x+2$

유형 • 곡선 밖의 점에서 그은 접선의 방정식

- 곡선 밖의 한 점 (x_1, y_1)에서 곡선 $y=f(x)$에 그은 접선의 접점을 $(a, f(a))$로 놓는다.
  - ➡ $y=f'(a)(x-a)+f(a)$
    - └➤ 점 (x_1, y_1)을 지나므로 $x=x_1$, $y=y_1$을 대입
  - ➡ a의 값을 $y=f'(a)(x-a)+f(a)$에 대입한다.

06 다음 주어진 점에서 곡선에 그은 접선의 방정식을 구하여라.

(1) $y=x^2$, $(4, 7)$

(2) $y=x^3$, $(2, 0)$

(3) $y=x^3-x$, $(0, -2)$

(4) $y=x^3-1$, $(0, 15)$

유형 • 공통인 접선의 방정식

- 두 곡선 $y=f(x)$, $y=g(x)$가 $x=a$인 점에서 공통인 접선을 가질 때,
  - ➡ $f(a)=g(a)$
  - ➡ $f'(a)=g'(a)$

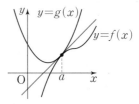

07 다음을 구하여라.

(1) 두 곡선 $f(x)=x^2+a$, $g(x)=x^3+bx$가 $x=1$에서 공통인 접선을 가질 때
  ① 상수 a, b의 값

  ② 공통인 접선의 방정식

(2) 두 곡선 $f(x)=ax^2+3x$, $g(x)=\dfrac{1}{3}x^3+bx$가 $x=3$에서 공통인 접선을 가질 때
  ① 상수 a, b의 값

  ② 공통인 접선의 방정식

도전! 1등급

08 곡선 $y=-x^3+5$ 위의 점 $(1, 4)$에서의 접선과 x축 및 y축으로 둘러싸인 도형의 넓이는?

① 7   ② $\dfrac{43}{6}$ ③ $\dfrac{23}{3}$

④ 8   ⑤ $\dfrac{49}{6}$

롤의 정리와 평균값 정리

2 도함수의 활용

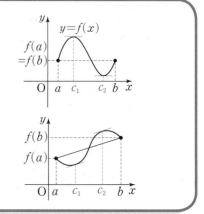

(1) 롤의 정리

함수 $f(x)$가 닫힌 구간 $[a, b]$에서 연속이고 열린 구간 (a, b)에서 미분가능할 때, $f(a)=f(b)$이면 $f'(c)=0$인 c가 열린 구간 (a, b)에 적어도 하나 존재한다.

(2) 평균값 정리

함수 $f(x)$가 닫힌 구간 $[a, b]$에서 연속이고 열린 구간 (a, b)에서 미분가능할 때, $\dfrac{f(b)-f(a)}{b-a}=f'(c)$인 c가 열린 구간 (a, b)에 적어도 하나 존재한다.

유형 • **이차함수에서 롤의 정리를 만족하는 값**

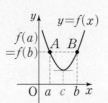

• 이차함수 $f(x)$는 닫힌 구간 $[a, b]$에서 연속이고 열린 구간 (a, b)에서 미분가능하므로 롤의 정리를 만족하는 c의 값은

➡ $f'(c)=0$

➡ c는 꼭짓점의 x좌표

➡ c는 $\overline{AB}$의 중점의 x좌표

01 이차함수 $f(x)$에 대하여 주어진 구간에서 롤의 정리를 만족시키는 실수 c의 값을 구하여라.

(1) $f(x)=x^2+3x+1$　$[-3, 0]$

(2) $f(x)=x^2-4x-2$　$[-1, 5]$

(3) $f(x)=-x^2+x$　$[-2, 3]$

(4) $f(x)=-2x^2+3x+1$　$\left[\dfrac{1}{2}, 1\right]$

유형 • **삼차함수에서 롤의 정리를 만족하는 값**

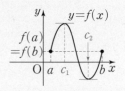

• 삼차함수 $f(x)$는 닫힌 구간 $[a, b]$에서 연속이고 열린 구간 (a, b)에서 미분가능하므로 롤의 정리를 만족하는 c의 값은

➡ $f'(c)=0$

➡ $x=c$에서의 접선의 기울기가 0

➡ c는 x축과 평행한 접선의 접점의 x좌표

02 삼차함수 $f(x)$에 대하여 주어진 구간에서 롤의 정리를 만족시키는 실수 c의 값을 구하여라.

(1) $f(x)=x^3-3x+1$　$[-1, 2]$

(2) $f(x)=x^3-x$　$[0, 1]$

(3) $f(x)=2x^3-3x^2+1$　$\left[0, \dfrac{3}{2}\right]$

유형 ● **평균값 정리를 만족하는 값**

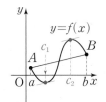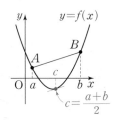

- 닫힌 구간 $[a, b]$에서 연속이고 열린 구간 (a, b)에서 미분가능한 함수 $f(x)$에서 평균값 정리를 만족하는 구간 (a, b)에 속하는 c의 값은

➡ $\dfrac{f(b)-f(a)}{b-a}=f'(c)$

           └▶ $x=c$에서의 접선의 기울기

➡ ($\overline{\mathrm{AB}}$의 기울기)$=f'(c)$ ◀ $\overline{\mathrm{AB}}$와 평행한 접선

➡ $f(x)$가 이차함수이면 $c=\dfrac{a+b}{2}$

           └▶ $\overline{\mathrm{AB}}$의 중점의 x좌표

03 함수 $f(x)$에 대하여 주어진 구간에서 평균값 정리를 만족시키는 실수 c의 값을 구하여라.

(1) $f(x)=x^2$ $[-1, 2]$

(2) $f(x)=x^2+2$ $[-2, 0]$

(3) $f(x)=x^3$ $[0, 3]$

(4) $f(x)=2x^3-x^2+1$ $[-2, 2]$

04 함수 $y=f(x)$의 그래프가 다음과 같을 때, 주어진 닫힌 구간에서 평균값 정리를 만족하는 상수 c의 개수를 구하여라.

(1) $[1, 4]$

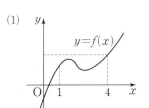

(2) $[-2, 2]$

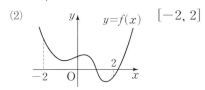

(3) $[-1, 2]$

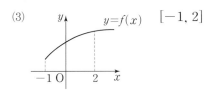

(4) $\left[\dfrac{1}{2}, 2\right]$

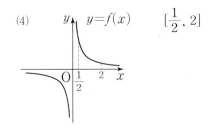

도전! 1등급

05 $\dfrac{f(1)-f(-1)}{2}=f'(c)$인 c가 열린 구간 $(-1, 1)$에서 적어도 1개 존재하는 함수 $f(x)$를 |보기|에서 있는 대로 고른 것은?

[보기]

ㄱ. $f(x)=|x|$ ㄴ. $f(x)=\dfrac{1}{x}$

ㄷ. $f(x)=x^2+1$ ㄹ. $f(x)=\dfrac{x^2+2x}{x}$

ㅁ. $f(x)=\sqrt{x+2}$

① ㄱ, ㄷ   ② ㄴ, ㄹ   ③ ㄷ, ㅁ

④ ㄱ, ㄴ, ㅁ   ⑤ ㄷ, ㄹ, ㅁ

개념 07 함수의 증가와 감소

2 도함수의 활용

(1) 함수의 증가와 감소

함수 $f(x)$가 어떤 구간에 속하는 임의의 두 수 a, b에 대하여

① $a<b$일 때 $f(a)<f(b)$이면 함수 $f(x)$는 이 구간에서 증가한다.

② $a<b$일 때 $f(a)>f(b)$이면 함수 $f(x)$는 이 구간에서 감소한다.

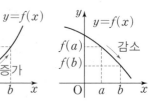

예 $f(x)=2x$는 구간 $(-\infty, \infty)$에 속하는 임의의 두 수 a, b에 대하

여 $a<b$일 때, $f(a)$ □ $f(b)$이므로 $f(x)=2x$는 구간 $(-\infty, \infty)$에서 □ 한다.

(2) 함수의 증가와 감소의 판정

함수 $f(x)$가 어떤 열린 구간에서 미분가능하고 이 구간에 속한 모든 x에 대하여

① $f'(x)>0$이면 함수 $f(x)$는 이 구간에서 증가한다.　　② $f'(x)<0$이면 함수 $f(x)$는 이 구간에서 감소한다.

예 $f(x)=x^2$은 $f'(x)=$ □ 이고 구간 $(0, \infty)$에 속하는 모든 x에 대하여 $f'(x)$ □ 0이므로

$f(x)=x^2$은 구간 $(0, \infty)$에서 □ 한다.

(3) 증가하는 함수와 감소하는 함수의 성질

함수 $f(x)$가 어떤 열린 구간에서 미분가능하고 이 구간에서

① 함수 $f(x)$가 증가하면 $f'(x)\geq0$이다.　　② 함수 $f(x)$가 감소하면 $f'(x)\leq0$이다.

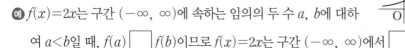

유형 함수의 증가와 감소

함수 $f(x)$가 어떤 구간에 속하는 임의의 두 수 a, b에 대하여 $a<b$일 때

· $f(a)<f(b)$ ➡ $f(x)$는 이 구간에서 증가

· $f(a)>f(b)$ ➡ $f(x)$는 이 구간에서 감소

01 다음은 주어진 구간에서 함수 $f(x)$의 증가와 감소를 조사하는 과정이다. □ 안에 알맞은 것을 써넣어라.

(1) $f(x)=x^2-2x$　$(1, \infty)$

□ 보다 큰 임의의 두 수 a, b에 대하여 $a<b$일 때

$f(a)-f(b)=(\boxed{})-(\boxed{})$

$=(\boxed{})(a+b-2)$

$a-b$ □ 0이고 $a+b-2=(a-1)+(b-1)$ □ 0

이므로 $f(a)-f(b)$ □ 0이고 $f(a)$ □ $f(b)$이다.

따라서 $f(x)$는 구간 $(1, \infty)$에서 □ 한다.

(2) $f(x)=-x^3$　$(-\infty, \infty)$

임의의 두 수 a, b에 대하여 $a<b$일 때

$f(a)-f(b)=(\boxed{})-(\boxed{})$

$=(\boxed{})(a^2+ab+b^2)$

$b-a$ □ 0이고 a^2+ab+b^2 □ 0이므로

$f(a)-f(b)$ □ 0이고 $f(a)$ □ $f(b)$이다.

따라서 $f(x)$는 구간 $(-\infty, \infty)$에서 □ 한다.

(3) $f(x)=\dfrac{1}{x}$　$(0, \infty)$

□ 보다 큰 임의의 두 수 a, b에 대하여 $a<b$일 때

$f(a)-f(b)=\boxed{}-\boxed{}=\dfrac{\boxed{}}{ab}$

$b-a$ □ 0이고 ab □ 0이므로

$f(a)-f(b)$ □ 0이고 $f(a)$ □ $f(b)$이다.

따라서 $f(x)$는 구간 $(0, \infty)$에서 □ 한다.

유형 **함수의 증가와 감소의 판정**

어떤 구간에서 미분가능한 함수 $f(x)$가

- $f'(x) > 0$ ➡ 함수 $f(x)$는 그 구간에서 증가
- $f'(x) < 0$ ➡ 함수 $f(x)$는 그 구간에서 감소

02 주어진 구간에서 함수 $f(x)$의 증가와 감소를 조사하여 증가, 감소를 ( ) 안에 써넣어라.

(1) $f(x) = x^2$　$(0, \infty)$　　　　（　　）

(2) $f(x) = x^2 - 2x + 1$　$(-\infty, 1)$　（　　）

(3) $f(x) = -x^2 + x - 2$　$\left(\dfrac{1}{2}, \infty\right)$　（　　）

(4) $f(x) = -x^3$　$(-\infty, 0)$　　　（　　）

(5) $f(x) = x^3 + 3x^2 + 2$　$(-\infty, -2)$　（　　）

(6) $f(x) = x^3 - 3x^2 + 2$　$(0, 1)$　（　　）

(7) $f(x) = -\dfrac{1}{3}x^3 + 4x + 1$　$(-2, 2)$（　　）

유형 **증가함수일 조건, 감소함수일 조건**

삼차함수 $f(x)$가 구간 $(-\infty, \infty)$에서

- 증가 ➡ 모든 실수 x에 대하여 이차부등식

　　$f'(x) \geq 0$이 항상 성립

　➡ $f'(x) = 0$의 판별식 $D \leq 0$

- 감소 ➡ 모든 실수 x에 대하여 이차부등식

　　$f'(x) \leq 0$이 항상 성립

　➡ $f'(x) = 0$의 판별식 $D \leq 0$

03 함수 $f(x)$가 구간 $(-\infty, \infty)$에서 다음을 만족하도록 하는 상수 a의 값의 범위를 구하여라.

(1) $f(x) = x^3 + ax^2 + 2ax + 1$, 증가함수

(2) $f(x) = 2x^3 - ax^2 + ax - 3$, 증가함수

(3) $f(x) = -\dfrac{1}{3}x^3 + ax^2 + ax + 3$, 감소함수

(4) $f(x) = -x^3 + 3ax^2 - 2ax - 3$, 감소함수

도전! 1등급

04 함수 $f(x) = 2x^3 + x^2 + ax + 3$의 역함수가 존재할 때, 실수 a의 최솟값은?

① $\dfrac{1}{10}$　　　② $\dfrac{1}{8}$　　　③ $\dfrac{1}{6}$

④ $\dfrac{1}{8}$　　　⑤ $\dfrac{1}{2}$

함수의 극대와 극소

(1) 함수의 극대와 극소

함수 $f(x)$가 $x=a$에서 연속일 때, $x=a$의 좌우에서

① 함수 $f(x)$가 증가하다가 감소하면 함수 $f(x)$는 $x=a$에서 극대이다.

② 함수 $f(x)$가 감소하다가 증가하면 함수 $f(x)$는 $x=a$에서 극소이다.

(2) 함수의 극대와 극소의 판정

미분가능한 함수 $f(x)$가 $f'(x)=0$이고 $x=a$의 좌우에서 $f'(x)$의 부호가

① 양에서 음으로 바뀌면 $f(x)$는 $x=a$에서 극대이고 극댓값은 $f(a)$이다.

② 음에서 양으로 바뀌면 $f(x)$는 $x=a$에서 극소이고 극솟값은 $f(a)$이다.

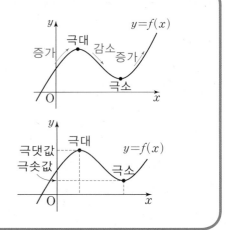

유형 그래프를 보고 극대·극소의 판정

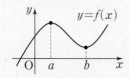

x	$\cdots$	a	$\cdots$	b	$\cdots$
$f'(x)$	$+$	0	$-$	0	$+$
$f(x)$	↗	극대	↘	극소	↗

➡ ↗는 증가함을, ↘는 감소함을 나타낸다.

01 함수 $y=f(x)$의 그래프를 보고 물음에 답하여라.

(1)

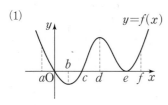

① $f(x)$가 극대가 되는 x의 값을 모두 구하여라.
② $f(x)$가 극소가 되는 x의 값을 모두 구하여라.

(2)

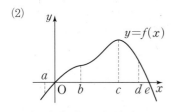

① $f(x)$가 극대가 되는 x의 값을 모두 구하여라.
② $f(x)$가 극소가 되는 x의 값을 모두 구하여라.

02 함수 $y=f(x)$의 그래프를 보고 증감표를 완성하여라.

(1)

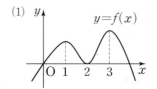

x	$\cdots$	1	$\cdots$	2	$\cdots$	3	$\cdots$
$f'(x)$							
$f(x)$							

(2)

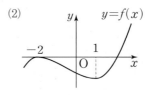

x	$\cdots$	-2	$\cdots$	1	$\cdots$
$f'(x)$					
$f(x)$					

(3)

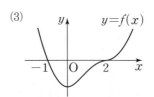

x	$\cdots$	0	$\cdots$	2	$\cdots$
$f'(x)$					
$f(x)$					

- $f(x)$가 $x=a$에서 극대 ➡ 극댓값은 $f(a)$
- $f(x)$가 $x=a$에서 극소 ➡ 극솟값은 $f(a)$

03 함수 $y=f(x)$의 그래프를 보고 증감표를 완성하여라.

(1) $f(x)=x^3-3x^2+2$

x				
$f'(x)$				
$f(x)$				

(2) $f(x)=\dfrac{1}{3}x^3+x^2-2$

x				
$f'(x)$				
$f(x)$				

(3) $f(x)=-x^3+2x^2-x+1$

x				
$f'(x)$				
$f(x)$				

(4) $f(x)=-\dfrac{1}{3}x^3+2x^2-3x$

x				
$f'(x)$				
$f(x)$				

- $f(x)$가 $x=a$에서 극대이고 극댓값이 c
  ➡ $f'(a)=0, f(a)=c$
- $f(x)$가 $x=b$에서 극소이고 극솟값이 d
  ➡ $f'(b)=0, f(b)=d$

04 함수 $f(x)$가 다음을 만족할 때, 상수 a, b의 값을 각각 구하여라.

(1) $f(x)=-x^3+x^2+ax+b$가 $x=0$에서 극댓값 3을 갖는다.

(2) $f(x)=x^3+ax^2+b$가 $x=1$에서 극댓값 0을 갖는다.

(3) $f(x)=ax^3-2x^2+2x-b$가 $x=-1$에서 극솟값 4를 갖는다.

(4) $f(x)=2x^3+ax^2+bx-1$가 $x=2$에서 극솟값 -1을 갖는다.

도전! 1등급

05 함수 $f(x)=x^3+ax^2+bx+2$가 $x=1$, $x=3$에서 극값을 가질 때, $b-a$의 값은?

① 15   ② 14   ③ 13
④ 12   ⑤ 11

09 함수의 그래프와 최대·최소

(1) 함수 $f(x)$의 그래프의 개형은 다음 순서로 그린다.

① $f'(x)$를 구하여 $f'(x)=0$인 x의 값을 구한다.　　② $f(x)$의 증감표를 만든다.

③ $f(x)$의 증가와 감소, 극대와 극소, x축과의 교점, y축과의 교점 등을 구한다.

④ $y=f(x)$의 그래프를 그린다.

(2) 함수의 최댓값과 최솟값

함수 $f(x)$가 닫힌 구간 $[a,\ b]$에서 연속일 때, 주어진 구간 안에서 $f(x)$의 극댓값, 극솟값, $f(a)$, $f(b)$ 중에서

가장 큰 값이 최댓값이고 가장 작은 값이 최솟값이다.

예 함수 $f(x)$가 닫힌 구간 $[0,\ 3]$에서 연속이고 극댓값은 2, 극솟값은 -2, $f(0)=1$, $f(3)=4$이면

$f(x)$의 구간 $[0,\ 3]$에서의 최댓값은 ☐ 이고 최솟값은 ☐ 이다.

유형 삼차함수 $f(x)$의 그래프 그리기

- $f'(x)=0$이 되는 x의 값 구하기

➡ 증감표 만들기, 극댓값, 극솟값 구하기

➡ 극댓점, 극솟점, y축과의 교점 표시하기

➡ 증가·감소에 맞게 곡선 $y=f(x)$ 그리기

➡

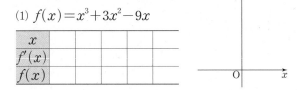

$(x^3$의 계수$)>0$　　　$(x^3$의 계수$)<0$

01 삼차함수 $f(x)$의 증감표를 완성하고 오른쪽 좌표평면에 그래프를 그려라.

(1) $f(x)=x^3+3x^2-9x$

x				
$f'(x)$				
$f(x)$				

(2) $f(x)=2x^3-3x^2+3$

x				
$f'(x)$				
$f(x)$				

(3) $f(x)=\dfrac{1}{3}x^3-x^2-8x+2$

x				
$f'(x)$				
$f(x)$				

(4) $f(x)=-x^3-x^2+x+3$

x				
$f'(x)$				
$f(x)$				

(5) $f(x)=-\dfrac{2}{3}x^3+2x+2$

x				
$f'(x)$				
$f(x)$				

사차함수 $f(x)$의 그래프 그리기

- $f'(x)=0$이 되는 x의 값 구하기

→ 증감표 만들기 → 극댓값, 극솟값 구하기

→ 극댓점, 극솟점, y축과의 교점 표시하기

→ 증가·감소에 맞게 곡선 $y=f(x)$ 그리기

→

(x^4의 계수)>0　　　(x^4의 계수)<0

02 사차함수 $f(x)$의 증감표를 완성하고 오른쪽 좌표평면에 그래프를 그려라.

(1) $f(x)=x^4-2x^2-2$

x					
$f'(x)$					
$f(x)$					

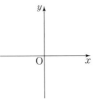

(2) $f(x)=x^4-4x^3+4x^2+1$

x					
$f'(x)$					
$f(x)$					

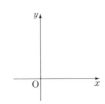

(3) $f(x)=-\dfrac{1}{2}x^4+4x^2-3$

x					
$f'(x)$					
$f(x)$					

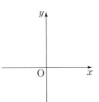

(4) $f(x)=-\dfrac{1}{4}x^4+\dfrac{2}{3}x^3+\dfrac{1}{2}x^2-2x+1$

x					
$f'(x)$					
$f(x)$					

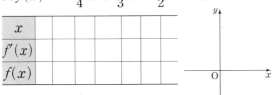

유형 **구간 $[a, b]$에서 함수 $f(x)$의 최대·최소**

- 최댓값 : 극댓값, $f(a)$, $f(b)$ 중에서 가장 큰 값

  └▶ 구간의 양 끝값

  ← 구간 $[a, b]$에 극댓값이 없으면 $f(a)$, $f(b)$ 중에서 가장 큰 값

- 최솟값 : 극솟값, $f(a)$, $f(b)$ 중에서 가장 작은 값

  └▶ 구간의 양 끝값

  ← 구간 $[a, b]$에 극솟값이 없으면 $f(a)$, $f(b)$ 중에서 가장 작은 값

03 삼차함수 $f(x)$의 주어진 구간에서의 최댓값과 최솟값을 차례로 구하여라.

(1) $f(x)=2x^3-3x^2+3$ 　　$[-1, 1]$

(2) $f(x)=x^3-2x^2+3$ 　　$[-1, 1]$

(3) $f(x)=x^3+3x^2-9x+2$ 　　$[-3, 3]$

(4) $f(x)=-3x^3+9x+1$ 　　$[-2, 2]$

(5) $f(x)=-\dfrac{1}{3}x^3-2x^2+5x-1$ 　　$[-6, 1]$

04 사차함수 $f(x)$의 주어진 구간에서의 최댓값과 최솟값을 차례로 구하여라.

(1) $f(x) = x^4 - 8x^2 + 1$ $\quad [-3, 4]$

(2) $f(x) = x^4 + 2x^2 + 1$ $\quad [-1, 3]$

(3) $f(x) = x^4 - 32x + 1$ $\quad [0, 4]$

(4) $f(x) = -x^4 - 2x^2$ $\quad [-1, 1]$

(5) $f(x) = -\dfrac{1}{2}x^4 + x^2 + 5$ $\quad [-3, 1]$

(6) $f(x) = -x^4 - 4x^2 - 2$ $\quad [-2, 0]$

유형 **최대·최소의 활용 $-$ 길이 l**

• 곡선 $y = f(x)$ 위를 움직이는 점 P
 ➡ $\mathrm{P}(t, f(t))$로 놓기

• 두 점 $\mathrm{A}(x_1, y_1)$, $\mathrm{B}(x_2, y_2)$ 사이의 거리 공식
$$\overline{\mathrm{AB}} = \sqrt{(x_2 - x_1)^2 + (y_2 - y_1)^2}$$
을 이용하여 길이 l을 t에 대한 함수로 나타낸다.
 ➡ l^2을 구한다.
 ➡ 도함수를 이용하여 l의 최댓값, 최솟값을 구한다.

05 다음 길이 l의 최솟값을 구하여라.

(1) 곡선 $y = x^2$ 위를 움직이는 점 P와 점 $\mathrm{A}(3, 0)$ 사이의 거리 l

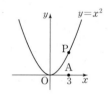

(2) 곡선 $y = -x^2$ 위를 움직이는 점 P와 점 $\mathrm{B}(0, -2)$ 사이의 거리 l

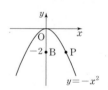

(3) 곡선 $y = x^2 + 1$ 위를 움직이는 점 P와 점 $\mathrm{C}(6, 4)$ 사이의 거리 l

- (직사각형의 넓이) = (가로) × (세로)

  (삼각형의 넓이) = $\frac{1}{2}$ × (밑변) × (높이)

  (사다리꼴의 넓이) = $\frac{1}{2}$ { (아랫변) + (윗변) } × (높이)

  → 넓이를 한 문자에 대한 함수 $S=f(t)$로 나타낸다.

  → 도함수를 이용하여 S의 최댓값, 최솟값을 구한다.

06 다음 넓이 S의 최댓값을 구하여라.

(1) 곡선 $y=-x^2+1$과 x축으로
   둘러싸인 부분에 내접하는
   직사각형의 넓이 S

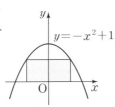

(2) 곡선 $y=-x^2+2x\,(0<x<2)$
   위를 움직이는 점 P에서 x축 위에
   내린 수선의 발을 H라 할 때,
   삼각형 OHP의 넓이 S

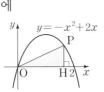

(3) 곡선 $y=-x^2+9$와 x축으로
   둘러싸인 부분에 내접하는
   사다리꼴의 넓이 S

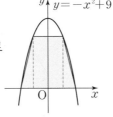

- (직육면체의 부피) = (가로) × (세로) × (높이)

  (원기둥의 부피) = π(밑면의 반지름)^2 × (높이)

  → 부피를 한 문자에 대한 함수 $V=f(t)$로 나타낸다.

  → 도함수를 이용하여 V의 최댓값, 최솟값을 구한다.

07 다음 부피 V의 최댓값을 구하여라.

(1) 한 변의 길이가 6인 정사각형
   모양의 종이의 네 모퉁이에서
   크기가 같은 정사각형을
   잘라내고 남은 부분을 접어서
   만든 뚜껑 없는 직육면체
   모양의 상자의 부피 V

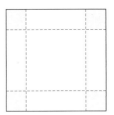

(2) 밑면의 반지름의 길이가 6,
   높이가 12인 원뿔에 내접하는
   원기둥의 부피 V

도전! 1등급

08 구간 $[-3, 2]$에서 함수 $f(x)=x^3-12x+a$의 최댓값과
최솟값의 합이 8일 때, 상수 a의 값은?

① 2　　　　② 3　　　　③ 4

④ 5　　　　⑤ 6

도함수의 그래프와 함수의 그래프

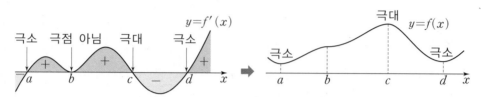

(1) $f'(a)=0$, $f'(d)=0$이고 $x=a$, $x=d$의 좌우에서 $f'(x)$의 부호가 음에서 양으로 바뀌므로 $f(x)$는 $x=a$, $x=d$에서 극소이다.

(2) $f'(b)=0$이지만 $x=b$의 좌우에서 $f'(x)$의 부호가 바뀌지 않으므로 $f(x)$는 $x=b$에서 극대도 극소도 아니다.
  단, 곡선의 오목, 볼록이 바뀐다.

(3) $f'(c)=0$이고 $x=c$의 좌우에서 $f'(x)$의 부호가 양에서 음으로 바뀌므로 $f(x)$는 $x=c$에서 극대이다.

유형 **도함수의 그래프를 이용하여 삼차함수의 그래프 그리기(1)**

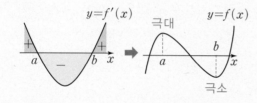

01 다음 주어진 삼차함수 $f(x)$에 대하여 도함수 $y=f'(x)$의 그래프와 극값이 다음과 같을 때, $y=f(x)$의 그래프를 완성하고, ☐ 안에 알맞은 값을 써넣어라.

(1) $f(x)=x^3-3x+c$

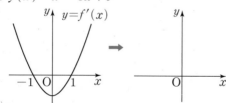

$f(x)$의 극댓값이 3일 때, 극솟값은 ☐ 이다.

(2) $f(x)=x^3-3x^2+c$

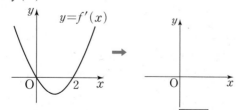

$f(x)$의 극댓값이 2일 때, 극솟값은 ☐ 이다.

유형 **도함수의 그래프를 이용하여 삼차함수의 그래프 그리기(2)**

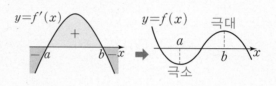

02 다음 주어진 삼차함수 $f(x)$에 대하여 도함수 $y=f'(x)$의 그래프와 극값이 다음과 같을 때, $y=f(x)$의 그래프를 완성하고, ☐ 안에 알맞은 값을 써넣어라.

(1) $f(x)=-x^3-\dfrac{3}{2}x^2+6x+c$

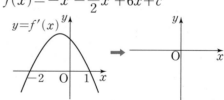

$f(x)$의 극댓값이 0일 때, 극솟값은 ☐ 이다.

(2) $f(x)=-x^3-\dfrac{9}{2}x^2+c$

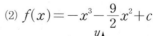

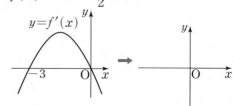

$f(x)$의 극댓값이 5일 때, 극솟값은 ☐ 이다.

유형 도함수의 그래프의 해석

- $f'(x)>0 \to f(x)$는 그 구간에서 증가
- $f'(x)<0 \to f(x)$는 그 구간에서 감소
- $f'(a)=0$이고 $x=a$의 좌우에서
  ① $f'(x)$의 부호가 바뀌면
  ➡ $f(x)$는 $x=a$에서 극대 또는 극소
  ② $f'(x)$의 부호가 바뀌지 않으면
  ➡ $f(x)$는 $x=a$에서 극대도 극소도 아님
  ➡ 곡선 $y=f(x)$의 오목, 볼록이 바뀜

03 함수 $y=f(x)$의 도함수 $y=f'(x)$의 그래프가 다음과 같다.

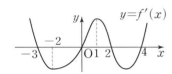

(1) 함수 $f(x)$의 증가, 감소에 대한 설명으로 옳은 것의 ( ) 안에 ○를 써넣어라.

① 구간 $[-3, -2]$에서 감소한다. ( )
② 구간 $[-2, 0]$에서 증가한다. ( )
③ 구간 $[0, 1]$에서 증가한다. ( )
④ 구간 $[1, 2]$에서 감소한다. ( )
⑤ 구간 $[2, 4]$에서 증가한다. ( )
⑥ 구간 $[4, \infty]$에서 증가한다. ( )

(2) 극대가 되는 x의 값을 모두 구하여라.

(3) 극소가 되는 x의 값을 모두 구하여라.

04 함수 $y=f(x)$의 도함수 $y=f'(x)$의 그래프가 다음과 같다. 다음을 구하여라.

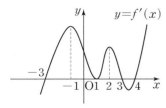

(1) 함수 $f(x)$가 극대가 되는 x의 값

(2) 함수 $f(x)$가 극소가 되는 x의 값

05 함수 $y=f(x)$의 도함수 $y=f'(x)$의 그래프와 그에 맞는 $y=f(x)$의 그래프를 선분으로 연결하여라.

(1) 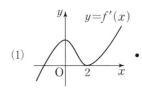 · · ①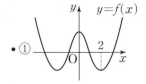

(2)  · · ②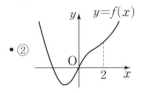

(3) 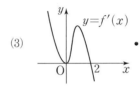 · · ③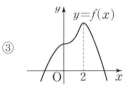

(4) 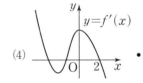 · · ④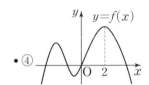

도전! 1등급

06 함수 $y=f(x)$의 도함수 $y=f'(x)$의 그래프가 그림과 같을 때, 구간 $[-3, 3]$에서 함수 $f(x)$가 최소가 되는 x의 값과 최대가 되는 x의 값의 합은? (단, $f(3)=0$)

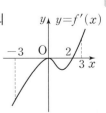

① -3 ② -2 ③ -1
④ 0 ⑤ 1

11 방정식과 부등식에의 활용

(1) 방정식의 실근

① 방정식 $f(x)=0$의 서로 다른 실근의 개수는 함수 $y=f(x)$의 그래프와 x축의 교점의 개수와 같다.

② 방정식 $f(x)=g(x)$의 서로 다른 실근의 개수는 두 함수 $y=f(x)$, $y=g(x)$의 그래프의 교점의 개수와 같다.

(2) 삼차방정식의 근의 판별

삼차함수 $f(x)=ax^3+bx^2+cx+d$가 극값을 가질 때, 삼차방정식 $ax^3+bx^2+cx+d=0$의 근은 극값을 이용하여 다음과 같이 판별할 수 있다.

① (극댓값)×(극솟값)<0 ⇔ 서로 다른 세 실근

② (극댓값)×(극솟값)$=0$ ⇔ 한 실근과 중근 (서로 다른 두 실근)

③ (극댓값)×(극솟값)>0 ⇔ 한 실근과 두 허근

(3) 부등식에의 활용

① 어떤 구간에서 부등식 $f(x)\geq0$이 성립함을 보일 때는 그 구간에서 $(f(x)$의 최솟값)≥0을 보인다.

② 두 함수 $f(x)$, $g(x)$에 대하여 어떤 구간에서 부등식 $f(x)\geq g(x)$가 성립함을 보일 때는 $F(x)=f(x)-g(x)$로 놓고 그 구간에서 $F(x)\geq0$을 보인다.

유형 ## 방정식 $f(x)=0$의 서로 다른 실근의 개수

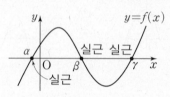

- 방정식 $f(x)=0$의 서로 다른 실근의 개수는

  └→ $y=f(x)$의 그래프와 x축($y=0$)의 교점의 x좌표

➡ 함수 $y=f(x)$의 그래프를 그린다.

➡ x축과의 교점의 개수를 구한다.

01 다음 방정식의 서로 다른 실근의 개수를 구하여라.

(1) $x^3-2=0$

(2) $x^3+x+1=0$

(3) $x^3-3x^2+1=0$

(4) $x^4-4x^3+3=0$

(5) $2x^4-4x^2-3=0$

(6) $x^4-4x^3+4x^2+1=0$

유형 **방정식 $f(x)=k$의 서로 다른 실근의 개수**

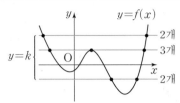

• 방정식 $f(x)=k$의 서로 다른 실근의 개수는
  └→ $y=f(x)$의 그래프와 직선 $y=k$의 교점의 x좌표

➡ 직선 $y=k$를 k의 값에 따라 변화시키면서 그려서 교점의
  개수를 조사한다.

02 함수 $y=f(x)$의 그래프와 실수 k의 값이 다음과 같을 때,
방정식 $f(x)=k$의 서로 다른 실근의 개수를 ( ) 안에
써넣어라.

(1)
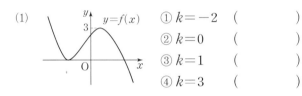

① $k=-2$ ( )
② $k=0$ ( )
③ $k=1$ ( )
④ $k=3$ ( )

(2)
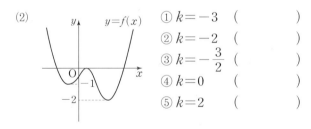

① $k=-3$ ( )
② $k=-2$ ( )
③ $k=-\dfrac{3}{2}$ ( )
④ $k=0$ ( )
⑤ $k=2$ ( )

03 다음 방정식의 서로 다른 실근의 개수를 실수 k의 값의 범
위에 따라 조사하여라.

(1) $x^3-3x=k$

(2) $x^4+2x^2+1=k$

(3) $x^4-2x^2-2=k$

유형 **방정식 $f(x)=g(x)$의 서로 다른 실근의 개수**

• 방정식 $f(x)=0$의 서로 다른 실근의 개수는
  └→ $y=f(x)$와 $y=g(x)$의 그래프의 교점의 x좌표

➡ $f(x)-g(x)=0$으로 변형

➡ $y=f(x)-g(x)$의 그래프와 x축의 교점의 개수를
  구한다.

04 다음 방정식의 서로 다른 실근의 개수를 구하여라.

(1) $x^3=6x^2$

(2) $-x^3+1=-3x$

(3) $x^3-2x^2=x^2-5$

(4) $x^4+1=4x^3-1$

유형 **삼차방정식이 서로 다른 세 실근을 가질 조건**

• (극댓값) × (극솟값) < 0 ⇔ 서로 다른 세 실근

05 다음 방정식이 서로 다른 세 실근을 가질 때, 상수 k의 범위를 구하여라.

(1) $x^3 - 3x^2 + k = 0$

(2) $\frac{1}{3}x^3 - 9x + k = 0$

(3) $2x^3 + 3x^2 - 12x + k = 0$

유형 **삼차방정식이 서로 다른 두 실근을 가질 조건**

• (극댓값) × (극솟값) = 0 ⇔ 한 실근과 중근

06 다음 방정식이 서로 다른 두 실근을 가질 때, 상수 k의 값을 구하여라.

(1) $x^3 + 6x^2 - k = 0$

(2) $x^3 - 3x^2 + 2k = 0$

(3) $2x^3 + 9x^2 + 12x - k = 0$

유형 **삼차방정식이 한 실근을 가질 조건**

• (극댓값) × (극솟값) > 0 ⇔ 한 실근과 두 허근

07 다음 방정식이 오직 한 실근을 가질 때, 상수 k의 값의 범위를 구하여라.

(1) $x^3 - 12x - k = 0$

(2) $4x^3 + 6x^2 + 2k = 0$

(3) $-\frac{1}{3}x^3 + \frac{1}{2}x^2 + 2x + k = 0$

08 두 곡선이 다음 조건을 만족할 때, 상수 k의 값 또는 범위를 구하여라.

(1) 두 곡선 $y = x^3 - 1$, $y = -3x^2 + k$가 서로 다른 세 점에서 만난다.

(2) 두 곡선 $y = -x^3 + 2x^2$, $y = -x^2 + k$가 서로 다른 두 점에서 만난다.

(3) 두 곡선 $y = \frac{1}{3}x^3 + x^2 + 2k$, $y = 3x^2 + 5x - 1$이 한 점에서 만난다.

유형 · 부등식 $f(x) \geq 0$이 항상 성립할 조건

어느 구간에서
- $f(x) \geq 0 \Leftrightarrow (f(x)$의 최솟값$) \geq 0$
- $f(x) > 0 \Leftrightarrow (f(x)$의 최솟값$) > 0$
- $f(x) \leq a \Leftrightarrow (f(x)$의 최댓값$) \leq a$
- $f(x) < a \Leftrightarrow (f(x)$의 최댓값$) < a$

09 다음 부등식을 증명하는 과정의 □ 안에 알맞은 것을 써넣어라.

(1) $x \geq 0$일 때, $2x^3 - 3x^2 + 1 \geq 0$이 항상 성립

> $f(x) = 2x^3 - 3x^2 + 1$이라고 하면
> $f'(x) = \boxed{}$
> $f'(x) = 0$에서 $x = \boxed{}$ 또는 $x = \boxed{}$
> 구간 $\boxed{}$에서 $f(x)$의 최솟값은
> $f(\boxed{}) = \boxed{}$이므로 $x \geq 0$일 때,
> $f(x) \geq \boxed{}$이다.
> 따라서 $x \geq 0$일 때, $2x^3 - 3x^2 + 1 \geq 0$이다.

(2) $x > 0$일 때, $x^3 - 3x^2 + 5 \geq 0$이 항상 성립

> $f(x) = x^3 - 3x^2 + 5$라고 하면
> $f'(x) = \boxed{}$
> $f'(x) = 0$에서 $x = \boxed{}$ 또는 $x = \boxed{}$
> 구간 $\boxed{}$에서 $f(x)$의 최솟값은
> $f(\boxed{}) = \boxed{}$이므로 $x > 0$일 때,
> $f(x) > \boxed{}$이다.
> 따라서 $x > 0$일 때, $x^3 - 3x^2 + 5 > 0$이다.

(3) $x \geq 0$일 때, $-x^3 + 6x^2 - 30 \leq 2$이 항상 성립

> $f(x) = -x^3 + 6x^2 - 30$이라고 하면
> $f'(x) = \boxed{}$
> $f'(x) = 0$에서 $x = \boxed{}$ 또는 $x = \boxed{}$
> 구간 $\boxed{}$에서 $f(x)$의 최댓값은
> $f(\boxed{}) = \boxed{}$이므로 $x \geq 0$일 때,
> $f(x) \leq \boxed{}$이다.
> 따라서 $x \geq 0$일 때, $-x^3 + 6x^2 - 30 \leq 2$이다.

(4) $x < -2$일 때, $-x^4 + 8x^2 - 16 < 0$이 항상 성립

> $f(x) = -4x^4 + 8x^2 - 16$이라고 하면
> $f'(x) = \boxed{}$
> $f'(x) = 0$에서 $x = \boxed{}$ 또는 $x = \boxed{}$
> 구간 $\boxed{}$에서 $f(x)$의 최댓값은
> $f(\boxed{}) = \boxed{}$이므로 $x < -2$일 때,
> $f(x) < \boxed{}$이다.
> 따라서 $x < -2$일 때, $-x^4 + 8x^2 - 16 < 0$이다.

도전! 1등급

10 방정식 $x^3 - 3x = k$가 서로 다른 두 개의 양의 근과 한 개의 음의 근을 가질 때, 실수 k의 값의 범위를 모두 구하면 $\alpha < k < \beta$이다. $\alpha + \beta$의 값은?

① -2 ② -1 ③ 0
④ 1 ⑤ 2

11 부등식 $x^4 - 4a^3x + 3 \geq 0$이 항상 성립할 때, 실수 a의 값의 범위를 모두 구하면 $\alpha \leq a \leq \beta$이다. $\alpha + \beta$의 값은?

① -4 ② -2 ③ 0
④ 2 ⑤ 4

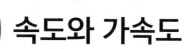

개념 12 속도와 가속도

(1) 속도와 가속도

수직선 위를 움직이는 점 P의 시각 t에서의 위치 x가 $x=f(t)$일 때, 시각 t에서의

① 점 P의 속도는 $v=\dfrac{dx}{dt}=f'(t)$　　　　② 점 P의 가속도는 $a=\dfrac{dv}{dt}$

예 수직선 위를 움직이는 점 P의 시각 t에서의 위치 x가 $x=t^2-5t$일 때, 시각 t에서의 속도 v와 가속도 a는

$$v=\dfrac{dx}{dt}=\boxed{},\ a=\dfrac{dv}{dt}=\boxed{}\ \text{이다.}$$

(2) 여러 가지 변화율

어떤 물체의 시각 t에서의 길이를 l, 넓이를 S, 부피를 V라고 할 때, 시각 t에서의

① 길이의 변화율은 $\dfrac{dl}{dt}$　② 넓이의 변화율은 $\dfrac{dS}{dt}$　③ 부피의 변화율은 $\dfrac{dV}{dt}$

유형 **수직선 위를 움직이는 점의 속도와 가속도**

수직선 위를 움직이는 점 P의 시각 t에서의 위치 x가 $x=f(t)$일 때, 시각 t에서의 점 P의

· 속도는 $v=\dfrac{dx}{dt}=f'(t)$　· 가속도는 $a=\dfrac{dv}{dt}$
　　　↳ 위치의 변화율　　　　　↳ 속도의 변화율

01 원점을 출발하여 수직선 위를 움직이는 점 P의 시각 t에서의 위치 x가 다음과 같을 때, 주어진 시각 t에서의 속도 v와 가속도 a를 구하여라.

(1) $x=2t^3-3t^2+t,\ t=2$

(2) $x=-t^3+t^2-2t,\ t=3$

(3) $x=t^3+4t^2-5t,\ t=1$

(4) $x=4t^3+t,\ t=4$

유형 **속도의 부호**

· $v>0$ ➡ 점 P가 양의 방향(앞쪽)으로 진행
· $v<0$ ➡ 점 P가 음의 방향(뒤쪽)으로 진행

02 원점을 출발하여 수직선 위를 움직이는 점 P의 시각 t에서의 위치 x가 $x=t^3-4t^2+4t$일 때, 다음 물음에 답하여라.

(1) 점 P가 양의 방향으로 움직이는 시각을 모두 구하여라.

㉠ $t=0$	㉡ $t=\dfrac{1}{2}$	㉢ $t=\dfrac{4}{3}$
㉣ $t=2$	㉤ $t=3$	㉥ $t=4$

(2) 점 P가 음의 방향으로 움직이는 시각을 모두 구하여라.

㉠ $t=\dfrac{2}{3}$	㉡ $t=1$	㉢ $t=\dfrac{3}{2}$
㉣ $t=2$	㉤ $t=3$	㉥ $t=\dfrac{7}{2}$

수직선 위를 움직이는 점이 운동 방향을 바꿀 때

수직선 위를 움직이는 점 P의 속도가 v일 때, 점 P의 운동 방향이 바뀔 때는 속도가 0이다.

➡ $v = \dfrac{dx}{dt} = f'(t) = 0$

➡ v의 부호가 $(+) \rightarrow (-)$, $(-) \rightarrow (+)$로 바뀐다.

03 원점을 출발하여 수직선 위를 움직이는 점 P의 시각 t에서의 위치 x가 다음과 같을 때, 출발 후 점 P가 운동방향을 바꿀 때의 시각 t를 구하여라.

(1) $x = t^3 - 12t$

(2) $x = t^3 - 2t^2$

(3) $x = t^3 + 3t^2 - 9t$

(4) $x = t^3 - 4t^2 + 4t$

(5) $x = 2t^3 + 3t^2 - 12t$

(6) $x = t^4 + 4t^3 - 8t^2$

(7) $x = -t^4 + \dfrac{10}{3}t^3 - 4t^2 + 2t$

수직선 위를 움직이는 점의 속도의 그래프

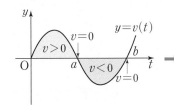

- $0 < t < a$
  : 양의 방향으로 진행
- $t = a, t = b$
  : 운동 방향 바꿈
- $a < t < b$
  : 음의 방향으로 진행

04 원점을 출발하여 수직선 위를 움직이는 점 P의 시각 t에서의 속도 $v(t)$가 다음과 같을 때, 다음을 구하여라.

(1)

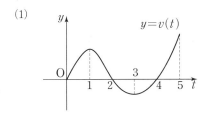

① 점 P가 양의 방향으로 진행하는 시각

② 점 P가 음의 방향으로 진행하는 시각

③ 점 P가 운동방향을 바꾸는 시각

(2)

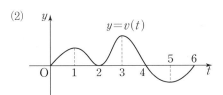

① 점 P가 양의 방향으로 진행하는 시각

② 점 P가 음의 방향으로 진행하는 시각

③ 점 P가 운동방향을 바꾸는 시각

똑바로 위로 던져 올린 물체의 운동

똑바로 위로 던져 올린 물체의 t초
후의 높이를 h라 할 때,

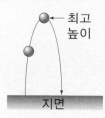
최고
높이

• 물체가 최고 높이에 도달했을 때는
  속도가 0 ➡ $v = \dfrac{dh}{dt} = 0$

• 물체가 다시 지면에 떨어질 때는
  높이가 0 ➡ $h = 0$

지면

05 지면에서 똑바로 위로 던져 올린 공의 t초 후의 높이가
$h = 30t - 5t^2$일 때, 다음을 구하여라.

(1) 공이 최고 높이에 도달하는데 걸리는 시간

(2) 공이 최고 높이에 도달했을 때, 지면으로부터의
공의 높이

(3) 공이 다시 지면에 떨어질 때까지 걸린 시간

(4) 공이 다시 지면에 떨어질 때의 공의 속도

06 높이가 10 m인 건물 옥상에서 똑바로 위로 던져 올린 공의
t초 후의 높이가 $h = 10 + 20t - 5t^2$일 때, 다음을 구하여라.

(1) 공을 던진 지 1초 후의 공의 속도

(2) 공이 최고 높이에 도달하는데 걸리는 시간

(3) 공이 최고 높이에 도달했을 때, 지면으로부터의
공의 높이

(4) 공이 다시 지면에 떨어질 때까지 걸린 시간

그림자의 길이의 변화율

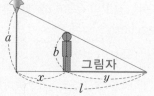

a
b
그림자
x
y
l

$a : b = l : y$ ➡ $a : b = (x + y) : y$ ⬅ 닮음비 이용

• 사람의 그림자의 길이 : y

• 사람의 그림자의 끝이 움직이는 속도 : $\dfrac{dl}{dt}$

• 사람의 그림자의 길이가 늘어나는 속도 : $\dfrac{dy}{dt}$

07 키가 1.6 m인 학생이 지면으로부터
높이가 3.2 m인 가로등 바로 밑에서
출발하여 일직선으로 매초 0.8 m의
속도로 걸어가고 있다. 다음을 구하여라.

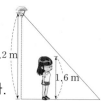
3.2 m
1.6 m

(1) t초 후의 학생의 그림자의 길이 x

(2) t초 후의 가로등으로부터 학생의 그림자 끝까지의
길이 l

(3) 학생의 그림자의 길이가 늘어나는 속도

(4) 학생의 그림자 끝이 움직이는 속도

08 키가 1.6 m인 학생이 지면으로부터
높이가 2.4 m인 가로등 바로 밑에서
출발하여 일직선으로 매초 1 m의 속도로
걸어가고 있다. 다음을 구하여라.

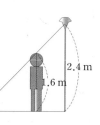
2.4 m
1.6 m

(1) t초 후의 학생의 그림자의 길이 x

(2) t초 후의 가로등으로부터 학생의 그림자 끝까지의
길이 l

(3) 학생의 그림자의 길이가 늘어나는 속도

(4) 학생의 그림자 끝이 움직이는 속도

유형 넓이의 변화율

• 어떤 물체의 시각 t에서의 넓이 S의 변화율 ➡ $\dfrac{dS}{dt}$
  └▶ t초 후의 S를 구한다.

09 한 변의 길이가 10 cm인 정사각형의 한변의 길이가 매초 3 cm의 비율로 늘어날 때, 다음을 구하여라.

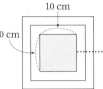

(1) t초 후의 정사각형의 한변의 길이 x

(2) t초 후의 정사각형의 넓이 S

(3) t초 후의 정사각형의 넓이의 변화율

(4) 2초 후의 정사각형의 넓이의 변화율

10 반지름의 길이가 8 cm인 원의 반지름의 길이가 매초 2 cm의 비율로 길어질 때, 다음을 구하여라.

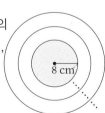

(1) t초 후의 원의 반지름의 길이 x

(2) t초 후의 원의 넓이 S

(3) t초 후의 원의 넓이의 변화율

(4) 4초 후의 원의 넓이의 변화율

유형 부피의 변화율

• 어떤 물체의 시각 t에서의 부피 V의 변화율 ➡ $\dfrac{dV}{dt}$
  └▶ t초 후의 V를 구한다.

11 반지름의 길이가 3 cm인 구의 반지름의 길이가 매초 1 cm의 비율로 길어질 때, 다음을 구하여라.

(1) t초 후의 구의 반지름의 길이 x

(2) t초후의 구의 부피 V

(3) t초 후의 구의 부피의 변화율

(4) 3초 후의 구의 부피의 변화율

도전! 1등급

12 원점을 출발하여 수직선 위를 움직이는 점 P의 시각 t에서의 속도 $v(t)$가 다음과 같을 때, 옳지 <u>않은</u> 것은?

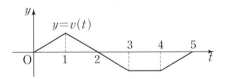

① $t=1$일 때, 점 P는 양의 방향으로 움직인다
② $t=2$일 때, 점 P는 운동방향이 바뀐다.
③ $t=3$일 때, 점 P는 음의 방향으로 움직인다
④ $3 \leq t \leq 4$일 때, 점 P는 정지해 있다.
⑤ $t=5$일 때, 점 P는 정지한다.

13 한 모서리의 길이가 5 cm인 정육면체의 각 모서리의 길이가 매초 1 cm씩 늘어날 때, 3초 후의 정육면체의 부피의 변화율은? (단, 단위는 cm^3/s)

① 181 ② 188 ③ 190

④ 192 ⑤ 200

개념 05

01 다음 곡선위의 주어진 점에서의 접선의 방정식을 구하여라.

(1) $y = -2x^2$ $(-1, -2)$

(2) $y = x^2 + x$ $(1, 2)$

(3) $y = 2x^2 + 3x - 2$ $(0, -2)$

(4) $y = -x^4 - 3x^3 + 4$ $(-2, 12)$

(5) $y = -x^3 + 3x$ $(2, -2)$

개념 06

02 함수 $f(x)$에 대하여 주어진 구간에서 평균값 정리를 만족시키는 실수 c의 값을 구하여라.

(1) $f(x) = x^2$ $[-2, 1]$

(2) $f(x) = x^2 + 2x$ $[-1, 0]$

(3) $f(x) = x^2 + 2x - 3$ $[-3, 1]$

(4) $f(x) = x^3$ $[0, 2]$

(5) $f(x) = 3x^3 + 2$ $[-1, 2]$

03 함수 $f(x)$가 구간 $(-\infty, \infty)$에서 다음을 만족하도록 하는 상수 a의 값의 범위를 구하여라.

(1) $f(x) = x^3 + ax^2 - 2ax + 3$이 증가

(2) $f(x) = 4x^3 - 2ax^2 - ax - 3$이 증가

(3) $f(x) = x^3 + 3ax^2 + ax + 15$이 증가

(4) $f(x) = -\dfrac{1}{3}x^3 + 3ax^2 + ax$이 감소

(5) $f(x) = -x^3 - 6ax^2 - ax - 10$이 감소

04 함수 $f(x)$가 다음을 만족할 때, 상수 a, b의 값을 각각 구하여라.

(1) $f(x) = -2x^3 + x^2 + 2ax + b$가 $x=0$에서 극댓값 1을 갖는다.

(2) $f(x) = 2x^3 + ax^2 + b$가 $x=1$에서 극댓값 2를 갖는다.

(3) $f(x) = -x^3 - 3ax^2 - 9x + b$가 $x=3$에서 극댓값 2를 가진다.

(4) $f(x) = ax^3 - x^2 + x - b + 1$이 $x-2$에서 극솟값 4를 갖는다.

(5) $f(x) = -2x^3 + ax^2 + 12x + b$가 $x=-1$에서 극솟값 -1을 갖는다.

개념 **09**

05 삼차함수 $f(x)$의 주어진 구간에서의 최댓값과 최솟값을 차례로 구하여라.

(1) $f(x) = x^3 - 3x^2$ $[-1, 1]$

(2) $f(x) = x^3 - 3x^2 - 9x + 1$ $[-3, 3]$

(3) $f(x) = -x^3 + 3x - 2$ $[-2, 2]$

(4) $f(x) = -\dfrac{1}{3}x^3 + x^2 + 3x$ $[-2, 1]$

(5) $f(x) = 4x^3 - 6x^2 + 2$ $[-1, 2]$

개념 **10**

06 함수 $y = f(x)$의 도함수 $y = f'(x)$의 그래프가 다음과 같다. 다음을 구하여라.

(1)
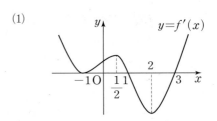

① $f'(x) = 0$이 되는 x의 값

② 함수 $f(x)$가 극대가 되는 x의 값

③ 함수 $f(x)$가 극소가 되는 x의 값

(2)
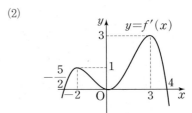

① $f'(x) = 0$이 되는 x의 값

② 함수 $f(x)$가 극대가 되는 x의 값

③ 함수 $f(x)$가 극소가 되는 x의 값

07 다음 방정식이 서로 다른 세 실근을 가질 때, 상수 k의 범위를 구하여라.

(1) $\dfrac{1}{3}x^3 - x^2 + k = 0$

(2) $3x^3 - 18x + k = 0$

(3) $x^3 - 3x^2 - 9x - k = 0$

(4) $2x^3 - 3x^2 + 4 - k = 0$

(5) $-x^3 + x^2 + x + k = 0$

08 원점을 출발하여 수직선 위를 움직이는 점 P의 시각 t에서의 위치 x가 $x = -t^3 + 3t^2 + 9t$일 때, 다음을 구하시오.

(1) 점 P의 속도 v의 t에 관한 식

(2) 점 P의 속도가 0일 때의 시각

(3) 점 P가 출발 후 처음으로 운동 방향을 바꿀 때의 시각

(4) 점 P가 출발 후 처음으로 운동방향을 바꿀 때의 위치

09 지면에서 똑바로 위로 던져 올린 공의 t초 후의 높이가 $h = 25t - 5t^2 \,(\mathrm{m})$일 때, 다음을 구하여라.

(1) 공이 최고 높이에 도달하는데 걸리는 시간

(2) 공이 최고 높이에 도달했을 때, 지면으로부터의 공의 높이

(3) 공이 다시 지면에 떨어질 때까지 걸린 시간

(4) 공이 다시 지면에 떨어질 때의 공의 속도

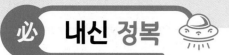
01 다항함수 $f(x)$에 대하여 $\lim\limits_{h \to 0} \dfrac{f(a+4h)-f(a)}{-3h}$의 값을 $f'(a)$를 이용하여 나타낸 것은?

① $-\dfrac{4}{3}f'(a)$ ② $-f'(a)$ ③ $-\dfrac{2}{3}f'(a)$

④ $\dfrac{1}{3}f'(a)$ ⑤ $4f'(a)$

02 함수 $f(x)=(2x^2-1)(x^2+x+a)$에 대하여 $f'(1)=10$일 때, 상수 a의 값은?

① -2 ② $-\dfrac{7}{4}$ ③ $-\dfrac{5}{4}$

④ -1 ⑤ $-\dfrac{1}{4}$

03 함수 $f(x)=x^2+ax+b$에 대하여 x의 값이 0에서 2까지 변할 때의 평균변화율이 3일 때, 상수 a의 값은?

① -2 ② -1 ③ 1

④ 3 ⑤ 5

04 함수 $f(x)=x^2+ax+b$대하여 $f(0)=-3$이고 $\lim\limits_{h \to 0} \dfrac{f(1+h)-f(1)}{h}=1$일 때, $f(1)$의 값은?

① -3 ② -1 ③ 1

④ 3 ⑤ 5

05 $\lim\limits_{x \to 1} \dfrac{x^{10}-5x^4+8x-4}{x-1}$의 값은?

① -2 ② -1 ③ 0

④ 1 ⑤ 2

06 함수 $f(x)=\begin{cases} ax^2 & (x \le 1) \\ x+b & (x>1) \end{cases}$가 $x=1$에서 미분가능할 때, 상수 a, b에 대하여 $a+b$의 값을 구하면?

① -2 ② -1 ③ 0

④ 1 ⑤ 2

07 곡선 $y=x^3+8$위의 점 $(-1, 7)$에서의 접선과 x축 및 y축으로 둘러싸인 도형의 넓이는?

① 16 ② $\dfrac{49}{3}$ ③ $\dfrac{50}{3}$

④ 17 ⑤ $\dfrac{52}{3}$

08 곡선 $y=x^2-3x-1$위의 점 $(3, -1)$에서의 접선의 방정식은?

① $y=-3x+10$ ② $y=-x+5$
③ $y=x+5$ ④ $y=3x-10$
⑤ $y=3x+10$

09 곡선 $y=-x^2+4x$에 접하고 직선 $y=6x-3$에 평행한 직선의 방정식은?

① $y=-\dfrac{1}{6}x+10$ ② $y=-\dfrac{1}{6}x+1$
③ $y=6x+1$ ④ $y=-6x+10$
⑤ $y=6x+10$

10 함수 $f(x)=x^3+3x^2+ax+3$이 실수 전체의 집합에서 증가하기 위한 실수 a의 값의 범위는?

① $a>-3$ ② $a\geq-3$ ③ $a<-3$
④ $a\geq3$ ⑤ $a\leq3$

11 함수 $f(x)=-x^3+kx^2-kx+2$가 구간 $(-\infty, \infty)$에서 감소하기 위한 정수 k의 개수는?

① 1 ② 2 ③ 3
④ 4 ⑤ 5

12 함수 $f(x)=x^3-6x^2+9x-3$의 극댓값을 a, 극솟값을 b라고 할 때, $a+b$의 값을 구하여라.

13 방정식 $x^3-6x^2+9x+a=0$이 서로 다른 세 실근을 갖도록 하는 실수 a의 값의 범위는?

① $1<a<3$ ② $-3<a<-1$ ③ $-4<a<0$
④ $0<a<4$ ⑤ $1<a<4$

14 모든 실수 x에 대하여 $x^4-4x+a-1\geq0$이 성립하도록 하는 실수 a의 값의 범위는?

① $a>-4$ ② $a\geq-4$ ③ $a<-4$
④ $a\geq4$ ⑤ $a\leq4$

15 함수 $y=f(x)$의 도함수 $y=f'(x)$의 그래프가 그림과 같을 때, 구간 $[-2, 2]$에서 함수 $f(x)$가 최소가 되는 x의 값과 최대가 되는 x값의 합을 구하면?

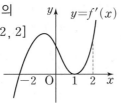

① -3 ② -2 ③ -1

④ 0 ⑤ 1

16 실수 전체의 집합에서 정의된 함수 $f(x)=x^3+2x^2+2kx+3$의 역함수가 존재하기 위한 실수 k의 값의 범위는?

① $k>-2$ ② $k\geq-2$ ③ $k<-\dfrac{2}{3}$

④ $k\geq\dfrac{2}{3}$ ⑤ $k\leq\dfrac{2}{3}$

17 구간 $[-1, 2]$에서 함수 $f(x)=ax^3-6ax^2+b$의 최댓값은 3, 최솟값은 -29일 때, 상수 a, b의 값은? (단, $a>0$)

① $a=2$, $b=-3$ ② $a=2$, $b=3$

③ $a=3$, $b=-3$ ④ $a=3$, $b=-2$

⑤ $a=3$, $b=2$

18 한 모서리의 길이가 3 cm인 정육면체의 각 모서리의 길이가 매초 2 cm씩 늘어날 때, 2초 후의 정육면체의 부피의 변화율은? (단, 단위는 cm^3/s이다.)

① 292   ② 293   ③ 294

④ 295   ⑤ 296

19 수직선 위를 움직이는 점 P의 시각 t에서의 좌표가 $x=t^3-5t^2+t$로 주어질 때, $t=2$에서의 속도와 가속도를 순서대로 적은 것은?.

① -10, -7 ② -10, 2 ③ -7, -10

④ -7, 2 ⑤ 2, -7

20 지면에서 40 m/s의 속력으로 똑바로 위로 던진 물체의 t초 후의 높이를 h m라고 하면 $h=40t-5t^2$인 관계가 성립한다. 이 물체가 최고 지점에 도달했을 때, 지면으로부터의 높이는?

① 60 m   ② 70 m   ③ 80 m

④ 90 m   ⑤ 100 m

Ⅲ
적분

개념 01 부정적분

(1) 부정적분

함수 $F(x)$의 도함수가 $f(x)$일 때, 즉 $F'(x)=f(x)$일 때 $F(x)$를 $f(x)$의 부정적분이라 하고 기호로 $\int f(x)dx$와 같이 나타낸다. 이때 $f(x)$의 한 부정적분을 $F(x)$라 하면 $\int f(x)dx=F(x)+C$이고 C를 적분상수라고 한다.

또한 $f(x)$의 부정적분을 구하는 것을 $f(x)$를 적분한다고 하고 그 계산법을 적분법이라고 한다.

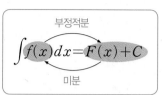

예 $(x^2)'=\boxed{}$이므로 $\int \boxed{}dx=\boxed{}+C$ (단, C는 적분상수)이다.

(2) 부정적분과 미분의 관계

① $\dfrac{d}{dx}\left\{\int f(x)dx\right\}=f(x)$

예 $\dfrac{d}{dx}\int x^2 dx=\boxed{}$

② $\int\left\{\dfrac{d}{dx}f(x)\right\}dx=f(x)+C$(단, C는 적분상수)

예 $\int\left\{\dfrac{d}{dx}x^2\right\}dx=\boxed{}$

유형 · **부정적분 구하기**

• $F'(x)=f(x)$일 때 $f(x)$의 부정적분은 $\int f(x)dx$

$F'(x)=f(x)$인지 확인   적분상수 C까지 구한다.

→ $\int f(x)dx=F(x)+C$(단, C는 적분상수)

$\quad$ $f(x)$의 부정적분

→ $f(x)$의 부정적분은 적분상수 C의 값에 따라서 정해지므로 무수히 많다.

01 다음 중 부정적분을 옳게 구한 것의 ( ) 안에 ◯를 써넣어라. (단, C는 적분상수이다.)

(1) $\int 1dx=x+C$ (   )

(2) $\int xdx=2x+C$ (   )

(3) $\int 2xdx=x^2+C$ (   )

(4) $\int (x+1)dx=x^2+x+C$ (   )

02 다음 등식을 만족시키는 함수 $f(x)$를 구하여라. (단, C는 적분상수이다.)

(1) $\int f(x)dx=-x+C$

(2) $\int f(x)dx=x^2+C$

(3) $\int f(x)dx=2x^2+3x+C$

(4) $\int f(x)dx=\dfrac{1}{2}x^2+2x+C$

(5) $\int f(x)dx=x^3+6x^2+C$

(6) $\int f(x)dx=\dfrac{1}{3}x^3-\dfrac{1}{2}x^2+C$

- $f(x)$의 부정적분의 하나가 $F(x)$ ➡ $f(x)=F'(x)$

03 함수 $f(x)$의 부정적분의 하나가 다음과 같을 때, $f(x)$를 구하여라.

(1) $F(x)=4x-1$

(2) $F(x)=\dfrac{1}{3}x+2$

(3) $F(x)=-3x^2-3x+6$

(4) $F(x)=\dfrac{2}{3}x^3+2x^2-4x$

유형 **부정적분을 미분하기**

- $F'(x)=f(x)$일 때, $\displaystyle\int f(x)dx=F(x)+C$
  (단, C는 적분상수)이므로
  $$\frac{d}{dx}\Big\{\int f(x)dx\Big\}=\frac{d}{dx}\{F(x)+C\}=F'(x)=f(x)$$
  ← $f(x)$의 부정적분을 미분하면 $f(x)$

04 다음을 구하여라.

(1) $\dfrac{d}{dx}\Big\{\displaystyle\int(x+1)dx\Big\}$

(2) $\dfrac{d}{dx}\Big\{\displaystyle\int(x^2+5)dx\Big\}$

(3) $\dfrac{d}{dx}\Big\{\displaystyle\int(-x^2+\dfrac{1}{3}x)dx\Big\}$

(4) $\dfrac{d}{dx}\Big\{\displaystyle\int(x^3+4)dx\Big\}$

유형 **도함수를 적분하기**

- 미분가능한 함수 $f(x)$에 대하여 $F'(x)=f(x)$일 때,
  $$\int\Big\{\frac{d}{dx}f(x)\Big\}dx=\int f'(x)dx=f(x)+C$$
  (단, C는 적분상수)
  ← $f(x)$의 도함수를 적분하면 $f(x)+C$

05 다음을 구하여라. (단, C는 적분상수)

(1) $\displaystyle\int\Big\{\frac{d}{dx}(x^2-x)\Big\}dx$

(2) $\displaystyle\int\Big\{\frac{d}{dx}(-3x^3+4x)dx\Big\}$

(3) $\displaystyle\int\Big\{\frac{d}{dx}\Big(\frac{1}{3}x^3+2x^2\Big)dx\Big\}$

(4) $\displaystyle\int\Big\{\frac{d}{dx}\Big(-x^3+\frac{1}{2}x\Big)\Big\}dx$

(5) $\displaystyle\int\Big\{\frac{d}{dx}(x^4+x^3)\Big\}dx$

도전! 1등급

06 함수 $f(x)=\displaystyle\int\Big\{\frac{d}{dx}(4x^2+3x)\Big\}dx$에 대하여

$\displaystyle\lim_{h\to0}\frac{f(1+2h)-f(1)}{h}$의 값은?

① 11   ② 15   ③ 18

④ 20   ⑤ 22

개념 02 부정적분의 계산

(1) $y=x^n$ (n은 음이 아닌 정수)의 부정적분

n이 음이 아닌 정수일 때, $\int x^n dx = \dfrac{1}{n+1}x^{n+1}+C$ (단, C는 적분상수)

예 $\int x dx = \boxed{} x^{\boxed{}}+C,\ \int x^2 dx = \boxed{} x^{\boxed{}}+C,\ \int x^3 dx = \boxed{} x^{\boxed{}}+C$

(2) 부정적분의 성질

두 함수 $f(x)$, $g(x)$와 실수 k에 대하여

① $\int kf(x)dx = k\int f(x)dx$

예 $\int 2f(x)dx = \boxed{} \int f(x)dx$

② $\int \{f(x)+g(x)\}dx = \int f(x)dx + \int g(x)dx$

예 $\int (x^2+x+1)dx = \int x^2 dx + \boxed{} + \int 1dx$

③ $\int \{f(x)-g(x)\}dx = \int f(x)dx - \int g(x)dx$

예 $\int (x^3-1)dx = \boxed{} - \int 1dx$

유형 · **상수의 부정적분**

· $\int c dx = cx+C$ (단, C는 적분상수)

01 다음 부정적분을 구하여라. (단, C는 적분상수)

(1) $\int \dfrac{2}{3}dx$

(2) $\int 1dx$

(3) $\int (-5)dx$

(4) $\int \pi dx$

(5) $\int \sqrt{2}dx$

(6) $\int (\sqrt{3}-\sqrt{2})dx$

유형 · **x^n의 부정적분**

· $\int x^n dx = \dfrac{1}{n+1}x^{n+1}+C$

(단, $n=0,1,2,\cdots$ 이고 C는 적분상수)

02 다음 부정적분을 구하여라. (단, C는 적분상수)

(1) $\int x^4 dx$

(2) $\int x^5 dx$

(3) $\int x^6 dx$

(4) $\int x^7 dx$

(5) $\int x^8 dx$

$\cdot \displaystyle\int kf(x)dx = k\int f(x)dx$ (단, k는 실수)

$\longleftarrow \displaystyle\int f(x)dx = F(x)+C$일 때,

$\displaystyle\int kf(x)dx = k\int f(x)dx = k\{F(x)+C\}$
$\qquad\qquad\qquad = kF(x)+kC = kF(x)+C$

에서 적분상수는 kC이지만 간단히 C로 나타낸다.

03 다음 부정적분을 구하여라.

(1) $\displaystyle\int 3x\,dx$

(2) $\displaystyle\int \frac{2}{5}x\,dx$

(3) $\displaystyle\int (-x^2)\,dx$

(4) $\displaystyle\int 4x^3\,dx$

(5) $\displaystyle\int 8x^3\,dx$

(6) $\displaystyle\int 5x^4\,dx$

(7) $\displaystyle\int 6x^5\,dx$

$\cdot \displaystyle\int \{f(x)\pm g(x)\}dx = \int f(x)dx \pm \int g(x)dx$

(복부호 동순)

$\longrightarrow$ 3개, 4개, $\cdots$의 함수에 대해서도 성립

$\longleftarrow$ 적분하는 함수를 각각 적분하여 합, 차를 구하고, 각각의 적분상수는 모두 묶어서 하나의 적분상수 C로 나타낸다.

04 다음 부정적분을 구하여라.

(1) $\displaystyle\int (x+10)\,dx$

(2) $\displaystyle\int (3-5x)\,dx$

(3) $\displaystyle\int \left(3x-\frac{1}{2}\right)dx$

(4) $\displaystyle\int (x^2+x+1)\,dx$

(5) $\displaystyle\int (3x^2-2x-6)\,dx$

(6) $\displaystyle\int (2x^2+3x+4)\,dx$

(7) $\displaystyle\int (x^3+3x^2-2x+4)\,dx$

• $f(x)g(x)$ 처럼 곱의 꼴의 함수의 부정적분
➡ 곱셈 공식을 이용하여 전개한 후 합, 차의 꼴의 함수를 만들어 적분
← $(x+a)(x+b)=x^2+(a+b)x+ab$
$(ax+b)(cx+d)=acx^2+(ad+bc)x+bd$
$(x+a)(x-a)=x^2-a^2$
$(x+a)(x^2-ax+a^2)=x^3+a^3$
$(x-a)(x^2+ax+a^2)=x^3-a^3$
$(x^2+ax+a^2)(x^2-ax+a^2)=x^4+a^2x^2+a^4$

05 다음 부정적분을 구하여라.

(1) $\int x(2x+1)dx$

(2) $\int x^2(x-1)dx$

(3) $\int (x+2)(x-2)dx$

(4) $\int (x+1)(x-5)dx$

(5) $\int (3x+1)(2x-3)dx$

(6) $\int (x+1)(x^2-x+1)dx$

(7) $\int (2x-1)(4x^2+2x+1)dx$

06 다음 부정적분을 구하여라.

(1) $\int (x^2+x+1)(x^2-x+1)dx$

(2) $\int (4x^2+2x+1)(4x^2-2x+1)dx$

(3) $\int (x^2+3x+9)(x^2-3x+9)dx$

유형 ▶ **거듭제곱식의 부정적분**

• $(ax+b)^n$ 처럼 거듭제곱식의 함수의 부정적분
➡ 곱셈 공식을 이용하여 전개한 후 합, 차의 꼴의 함수를 만들어 적분
← $(a+b)^2=a^2+2ab+b^2$, $(a-b)^2=a^2-2ab+b^2$
$(a+b)^3=a^3+3a^2b+3ab^2+b^3$,
$(a-b)^3=a^3-3a^2b+3ab^2-b^3$

07 다음 부정적분을 구하여라.

(1) $\int (x+1)^2dx$

(2) $\int (3x-2)^2dx$

(3) $\int (x+1)^3dx$

(4) $\int (2x-1)^3dx$

유형 **몫의 부정적분**

- $\dfrac{f(x)}{g(x)}$ 처럼 몫의 꼴의 함수의 부정적분

  → $f(x),\,g(x)$를 인수분해하여 약분한 후 합, 차의 꼴의 함수를 만들어 적분

08 다음 부정적분을 구하여라.

(1) $\displaystyle\int \dfrac{x^2-1}{x-1}dx$

(2) $\displaystyle\int \dfrac{x^2-4}{x+2}dx$

(3) $\displaystyle\int \dfrac{9x^2-1}{3x-1}dx$

(4) $\displaystyle\int \dfrac{4x^2-9}{2x+3}dx$

09 다음 부정적분을 구하여라.

(1) $\displaystyle\int \dfrac{x^3-1}{x-1}dx$

(2) $\displaystyle\int \dfrac{x^3+1}{x+1}dx$

(3) $\displaystyle\int \dfrac{x^3-8}{x-2}dx$

(4) $\displaystyle\int \dfrac{x^3+8}{x+2}dx$

10 다음 부정적분을 구하여라.

(1) $\displaystyle\int \dfrac{x^4+x^2+1}{x^2+x+1}dx$

(2) $\displaystyle\int \dfrac{x^4+x^2+1}{x^2-x+1}dx$

(3) $\displaystyle\int \dfrac{16x^4+4x^2+1}{4x^2+2x+1}dx$

(4) $\displaystyle\int \dfrac{16x^4+4x^2+1}{4x^2-2x+1}dx$

도전! 1등급

11 함수 $f(x)=\displaystyle\int (10x^9-9x^8+8x^7-\cdots+2x-1)dx$에 대하여 $f(1)=0$일 때, $f(-1)$의 값은?

① -10 ② -5 ③ 0

④ 5 ⑤ 10

12 함수 $f(x)=\displaystyle\int \dfrac{x^2+3x-10}{x-2}dx$에 대하여 $f(0)=1$일 때, $f(2)$의 값은?

① 13 ② 12 ③ 11

④ 10 ⑤ 9

03 정적분의 정의, 정적분과 미분의 관계

(1) 정적분의 기본 정의

함수 $f(x)$가 닫힌 구간 $[a, b]$에서 연속이고 $f(x)$의 한 부정적분을 $F(x)$라 하면

$\int_a^b f(x)dx = F(b) - F(a)$를 기호로 $\left[F(x) \right]_a^b$로 나타낸다.

예 $\int_0^1 tdt = \left[\boxed{} \right]_0^1 = \boxed{} - \boxed{} = \boxed{}$, $\int_1^2 t^2 dt \left[\boxed{} \right]_1^2 = \boxed{} - \boxed{} = \boxed{}$

① $\int_a^a f(x)dx = 0$

예 $\int_1^1 x^2 dx = \boxed{}$, $\int_2^2 x^2 dx = \boxed{}$

② $\int_b^a f(x)dx = -\int_a^b f(x)dx$

예 $\int_2^1 x^2 dx = -\boxed{} = -\dfrac{7}{3}$

(2) 정적분과 미분의 관계

함수 $f(x)$가 닫힌 구간 $[a, b]$에서 연속일 때, $\dfrac{d}{dx}\int_a^x f(t)dt = f(x)$ (단, $a \le x \le b$)가 성립한다.

예 $\dfrac{d}{dx}\int_a^x tdt = \boxed{}$, $\dfrac{d}{dx}\int_1^x t^2 dt = \boxed{}$

유형 ### 정적분의 기본 정의(1)

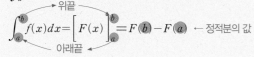

- $f(x)$의 한 부정적분이 $F(x)$일 때, 즉
$\int_a^x f(x)dx = F(x) + C$일 때, 정적분의 값은

위끝
$\int_a^b f(x)dx = \left[F(x) \right]_a^b = F(\boxed{b}) - F(\boxed{a})$ ← 정적분의 값
아래끝

01 다음 정적분의 값을 구하여라.

(1) $\int_0^1 1dx$

(2) $\int_0^2 xdx$

(3) $\int_0^3 x^2 dx$

(4) $\int_0^4 x^3 dx$

02 다음 정적분의 값을 구하여라.

(1) $\int_1^3 4dx$

(2) $\int_{10}^{12} xdx$

(3) $\int_{-3}^3 x^2 dx$

(4) $\int_{-2}^2 x^3 dx$

03 다음 정적분의 값을 구하여라.

(1) $\int_1^2 (2x-1)dx$

(2) $\int_{-1}^0 (3x^2-2)dx$

(3) $\int_{-1}^5 (5+2x-x^2)dx$

(4) $\int_0^2 (x^3+x-1)dx$

유형 **정적분의 기본 정의(2)**

· $\int_a^a f(x)dx=0$ ← (아래끝)=(위끝)이면 (정적분)=0

· $\int_b^a f(x)dx=-\int_a^b f(x)dx$ ← 위끝, 아래끝이 바뀌면 정적분의 값의 부호가 반대로

04 다음 정적분의 값을 구하여라.

(1) $\int_1^1 10dx$

(2) $\int_5^5 (2x+7)dx$

(3) $\int_{-2}^{-2} \left(x^2+\frac{1}{3}x+4\right)dx$

(4) $\int_1^3 f(x)dx=10$일 때, $\int_3^1 f(x)dx$

(5) $\int_0^2 f(x)dx=-2$일 때, $\int_2^0 f(x)dx$

유형 **정적분과 미분의 관계**

· $\dfrac{d}{dx}\int_a^x f(t)dt=f(x)$ (단, $a\le x\le b$)

x에 대하여 미분

$F'(x)-0=f(x)$

$F(x)-F(a)$

05 다음을 x에 관하여 미분하여라.

(1) $\int_1^x (t-1)dt$

(2) $\int_{-1}^x (2t^2+3t-1)dt$

(3) $\int_3^x (t^3-2)dt$

(4) $\int_1^x (t^3-4t+5)dt$

(5) $\int_1^x (t-1)(t+2)dt$

도전! 1등급

06 임의의 실수 x에 대하여 $\int_a^x f(t)dt=x^2+2x-3$을 만족하는 상수 a의 값과 함수 $f(x)$를 옳게 구하는 것을 모두 고르면?

① $a=-3$ ② $a=1$ ③ $a=5$

④ $f(x)=2x+2$ ⑤ $f(x)=x^2+2x-3$

개념 04 정적분의 성질

(1) 정적분의 성질

두 함수 $f(x)$, $g(x)$가 세 실수 a, b, c가 포함된 닫힌 구간에서 연속일 때,

① $\int_a^b kf(x)dx = k\int_a^b f(x)dx$ (단, k는 실수)

  예 $\int_0^1 2f(x)dx = \boxed{}\int_0^1 f(x)dx$, $\int_0^1 \{-f(x)\}dx = -\int_0^1 f(x)dx$

② $\int_a^b \{f(x)+g(x)\}dx = \int_a^b f(x)dx + \int_a^b g(x)dx$ 　　예 $\int_0^1 (x^3+1)dx = \int_0^1 \boxed{}dx + \int_0^1 1dx$

③ $\int_a^b \{f(x)-g(x)\}dx = \int_a^b f(x)dx - \int_a^b g(x)dx$ 　　예 $\int_1^2 (x^3-x)dx = \int_1^2 \boxed{}dx - \int_1^2 \boxed{}dx$

④ $\int_a^b f(x)dx + \int_b^c f(x)dx = \int_a^c f(x)dx$ 　　예 $\int_{-1}^0 f(x)dx + \int_0^1 f(x)dx = \boxed{}$

(2) 우함수와 기함수의 정적분

함수 $f(x)$가 닫힌 구간 $[-a, a]$에서 연속일 때,

① $f(x)$가 우함수이면, 즉 구간 $[-a, a]$의 모든 x에 대하여 $f(-x)=f(x)$이면 $\int_{-a}^a f(x)dx = 2\int_0^a f(x)dx$

  예 $f(x)$가 우함수이면 $\int_{-1}^1 f(x)dx = \boxed{}\int_0^{\boxed{}} f(x)dx$이다.

② $f(x)$가 기함수이면, 즉 구간 $[-a, a]$의 모든 x에 대하여 $f(-x)=-f(x)$이면 $\int_{-a}^a f(x)dx = 0$

  예 $f(x)$가 기함수이면 $\int_{-1}^1 f(x)dx = \boxed{}$이다.

유형 · $\int_a^b kf(x)dx$ (단, k는 실수)의 계산

· $\int_a^b kf(x)dx = k\int_a^b f(x)dx$

01 다음 정적분의 값을 구하여라.

(1) $\int_0^1 3(2x+1)dx$

(2) $\int_{-3}^0 6(x^2-4x)dx$

(3) $\int_1^2 -2(3x^2-2x-4)dx$

유형 · $\int_a^b \{f(x) \pm g(x)\}$ (단, k는 실수)의 계산

· $\int_a^b \{f(x)+g(x)\}dx = \int_a^b f(x)dx + \int_a^b g(x)dx$

· $\int_a^b \{f(x)-g(x)\}dx = \int_a^b f(x)dx - \int_a^b g(x)dx$

← 적분하는 구간이 같아야 힘에 주의

02 다음 정적분의 값을 구하여라

(1) $\int_0^1 (x+1)dx + \int_0^1 (3x-2)dx$

(2) $\int_1^3 (2x+1)^2 dx + \int_1^3 (2x-1)^2 dx$

(3) $\int_0^2 (x^3+2x)\,dx + \int_0^2 (-x^3+2x)\,dx$

(4) $\int_{-2}^0 (4x^2+1)\,dx + \int_{-2}^0 (-x^2+3x)\,dx$

03 다음 정적분의 값을 구하여라

(1) $\int_0^2 (x^2+2x-1)\,dx - \int_0^2 (1-2x^2)\,dx$

(2) $\int_{-2}^1 (x+1)^3\,dx - \int_{-2}^1 (x-1)^3\,dx$

(3) $\int_0^{\frac{1}{2}} (4+x)^2\,dx - \int_0^{\frac{1}{2}} (4-x)^2\,dx$

(4) $\int_0^2 (3x^2-2x)\,dx - \int_0^2 (x-2x^2)\,dx$

유형 • **적분하는 구간의 합**

• $\int_a^c f(x)\,dx + \int_c^b f(x)\,dx = \int_a^b f(x)\,dx$

← 적분하는 함수 $f(x)$가 같아야 함에 주의한다.

← a, b, c의 대소 관계에 상관없이 두 정적분의 적분하는 구간에 공통인 c의 값이 있으면 성립한다.

04 다음 정적분의 값을 구하여라.

(1) $\int_0^1 (3x-7)\,dx + \int_1^2 (3x-7)\,dx$

(2) $\int_{-2}^0 \left(x+\dfrac{1}{2}\right)dx + \int_0^2 \left(x+\dfrac{1}{2}\right)dx$

(3) $\int_0^3 (x^2+x)\,dx + \int_3^1 (x^2+x)\,dx$

(4) $\int_{-2}^{-5} (4x^3-2)\,dx + \int_{-5}^1 (4x^3-2)\,dx$

- 구간에 따라 정의된 함수의 정적분은 적분 구간을 나누어

$$\int_a^b f(x)dx = \int_a^c g(x)dx + \int_c^b h(x)dx$$

임을 이용하여 푼다.

05 다음을 구하여라.

(1) 함수 $f(x) = \begin{cases} -x+2 & (x \geq 0) \\ \dfrac{1}{2}x+2 & (x \leq 0) \end{cases}$ 에 대하여

정적분 $\displaystyle\int_{-2}^2 f(x)dx$ 값

(2) 함수 $f(x) = \begin{cases} x-3 & (x \geq 1) \\ 3x-5 & (x \leq 1) \end{cases}$ 에 대하여

정적분 $\displaystyle\int_0^3 f(x)dx$ 값

(3) 함수 $f(x) = \begin{cases} 2x^2-1 & (x \geq 1) \\ 1 & (x \leq 1) \end{cases}$ 에 대하여

정적분 $\displaystyle\int_{-1}^2 f(x)dx$ 값

(4) 함수 $f(x) = \begin{cases} 2(x+1)^2 & (x \leq 0) \\ -2(x-1) & (x \geq 0) \end{cases}$ 에 대하여

정적분 $\displaystyle\int_{-1}^1 f(x)dx$ 값

- 절댓값 기호를 함수의 정적분을 절댓값 기호 안의 식의 값이 0이 되는 x의 값을 경계 구간을 나누어

$$\int_a^b |f(x)|dx = \int_a^c f(x)dx + \int_c^b \{-f(x)\}dx$$

임을 이용하여 푼다.

06 다음 정적분의 값을 구하여라.

(1) $\displaystyle\int_{-2}^1 |x|dx$

(2) $\displaystyle\int_{-2}^2 |1-x|dx$

(3) $\displaystyle\int_0^2 |x^2-1|dx$

(4) $\displaystyle\int_0^3 |x^2-2x|dx$

07 다음을 만족하는 상수 a의 값을 구하여라.

(1) $\displaystyle\int_0^a (2x+1)\,dx = 12$일 때, 상수 a의 값 (단, $a>0$)

(2) 함수 $f(x)\begin{cases} -x^2+1 & (x\le 1) \\ x-1 & (x\ge 1)\end{cases}$일 때, $\displaystyle\int_0^a (x) = \dfrac{7}{6}$을 만족하는 a의 값 (단, $a>1$)

(3) 등식 $\displaystyle\int_1^a |3x^2-6x|\,dx = 6$을 만족시키는 상수 a의 값 (단, $a>2$)

유형 · **우함수와 기함수의 정적분**

- $f(x)$가 우함수 $\longrightarrow$ $y=f(x)$의 그래프는 y축 대칭

$f(x)=($상수$),\ |x|,\ x^2,$
$\qquad x^4,\cdots$ $\longrightarrow$ $\displaystyle\int_{-a}^a f(x)\,dx = 2\int_0^a f(x)\,dx$

← 짝수 차수의 다항함수

- $f(x)$가 기함수 $\longrightarrow$ $y=f(x)$의 그래프는 원점 대칭

$f(x)=x,\ x^3,\ x^5\cdots$ $\longrightarrow$ $\displaystyle\int_{-a}^a f(x)\,dx = 0$

← 홀수 차수의 다항함수

← $\displaystyle\int_{-a}^a (x^4+\cancel{x^3}+x^2+\cancel{x}+1)\,dx = 2\int_{-a}^a (x^4+x^2+1)\,dx$

← 적분하는 구간이 $[-a,\ a]$ 꼴이면 기함수는 지운다.

08 다음 정적분의 값을 구하여라.

(1) $\displaystyle\int_{-2}^2 (x^2+1)\,dx$

(2) $\displaystyle\int_{-1}^1 (x^3+x)\,dx$

(3) $\displaystyle\int_{-1}^1 (x^4+x^2+1)\,dx$

(4) $\displaystyle\int_{-3}^3 (5x^4-4x^3+3x^2+4x-2)\,dx$

도전! 1등급

09 정적분 $\displaystyle\int_0^1 x^2\,dx + \int_1^2 x^2\,dx + \cdots + \int_9^{10} x^2\,dx$의 값은?

① $\dfrac{10}{3}$ ② $\dfrac{100}{3}$ ③ $\dfrac{1000}{3}$

④ 10 ⑤ 100

개념 05 정적분으로 정의된 함수의 미분

(1) $\dfrac{d}{dx}\displaystyle\int_a^x f(t)dt=f(x)$ (단, a는 실수) 　예 $\dfrac{d}{dx}\displaystyle\int_0^x (t+1)dt=$ 　

[증명] $f(x)$의 한 부정적분을 $F(x)$라 하면 $\dfrac{d}{dx}\displaystyle\int_0^x f(t)dt=\dfrac{d}{dx}\{F(x)-F(a)\}=F'(x)=f(x)$

(2) $\dfrac{d}{dx}\displaystyle\int_x^{x+a} f(t)dt=f(x+a)-f(x)$ (단, a는 실수) 　예 $\dfrac{d}{dx}\displaystyle\int_x^{x+a}(2t-1)dt=$ 　

[증명] $f(x)$의 한 부정적분을 $F(x)$라 하면

$$\dfrac{d}{dx}\displaystyle\int_x^{x+a} f(t)dt=\dfrac{d}{dx}\{F(x+a)-F(x)\}=F'(x+a)-F'(x)=f(x+a)-f(x)$$

참고 정적분으로 정의된 함수의 극한

① $\displaystyle\lim_{x\to 0}\dfrac{1}{x}\displaystyle\int_a^{x+a} f(t)dt=f(a)$ 　예 $\displaystyle\lim_{x\to 0}\dfrac{1}{x}\displaystyle\int_1^{x+1} f(t)dt=f(1)$, $\displaystyle\lim_{x\to 0}\dfrac{1}{x}\displaystyle\int_1^{x+1}(3t+2)dt=5$

[증명] $f(x)$의 한 부정적분을 $F(x)$라 하면 $\displaystyle\lim_{x\to 0}\dfrac{1}{x}\displaystyle\int_a^{x+a} f(t)dt=\displaystyle\lim_{x\to 0}\dfrac{F(x+a)-F(a)}{x}=F'(a)=f(a)$

② $\displaystyle\lim_{x\to a}\dfrac{1}{x-a}\displaystyle\int_a^x f(t)dt=f(a)$ 　예 $\displaystyle\lim_{x\to 2}\dfrac{1}{x-2}\displaystyle\int_2^x f(t)dt=f(2)$, $\displaystyle\lim_{x\to 2}\dfrac{1}{x-2}\displaystyle\int_2^x (t^2-1)dt=3$

[증명] $f(x)$의 한 부정적분을 $F(x)$라 하면 $\displaystyle\lim_{x\to a}\dfrac{1}{x-a}\displaystyle\int_a^x f(t)dt=\displaystyle\lim_{x\to a}\dfrac{F(x)-F(a)}{x-a}=F'(a)=f(a)$

유형 정적분으로 정의된 함수의 미분

a, b가 모두 실수일 때

· $\dfrac{d}{dx}\displaystyle\int_a^b f(t)dt=0$ ← 위끝과 아래끝이 모두 상수

· $\dfrac{d}{dx}\displaystyle\int_a^x f(t)dt=f(x)$ ← 위끝은 x, 아래끝은 상수

· $\dfrac{d}{dx}\displaystyle\int_x^a f(t)dt=-f(x)$ ← 위끝은 상수, 아래끝은 x

01 다음을 구하여라.

(1) $\dfrac{d}{dx}\displaystyle\int_0^2 (3t-4)dt$

(2) $\dfrac{d}{dx}\displaystyle\int_1^3 (t^2+t+4)dt$

(3) $\dfrac{d}{dx}\displaystyle\int_{-4}^{-1} (2t-t+t^3)dt$

(4) $\dfrac{d}{dx}\displaystyle\int_0^3 (2t^3-t^2+4t-2)dt$

02 다음을 구하여라.

(1) $\dfrac{d}{dx}\displaystyle\int_0^x (3t+7)dt$

(2) $\dfrac{d}{dx}\displaystyle\int_{-1}^x (t^2+2t+3)dt$

(3) $\dfrac{d}{dx}\displaystyle\int_2^x (t^3+2)dt$

(4) $\dfrac{d}{dx}\displaystyle\int_x^0 (t-5)dt$

(5) $\dfrac{d}{dx}\displaystyle\int_{x}^{3}(t^2-5t+9)dt$

(6) $\dfrac{d}{dx}\displaystyle\int_{x}^{-5}(9-2t^2-t^3)dt$

03 다음을 만족시키는 다항함수 $f(x)$를 구하여라.

(1) $\displaystyle\int_{0}^{x}f(t)dt=-x^2+1$

(2) $\displaystyle\int_{1}^{x}f(t)dt=3x^2+2x+1$

(3) $\displaystyle\int_{0}^{x}f(t)dt=2x^3+3x^2-2x-1$

(4) $\displaystyle\int_{-1}^{x}2f(t)dt=\dfrac{1}{2}x^3-x-3$

(5) $\displaystyle\int_{-3}^{x}3f(t)dt=3x^2-3x+5$

(6) $\displaystyle\int_{1}^{x}2f(t)dt=x^4-2x^3-x^2+4x+1$

04 실수 전체의 집합에서 미분가능한 함수 $f(x)$가 다음과 같을 때, 물음에 답하여라.

(1) $\displaystyle\int_{a}^{x}f(t)dt=3x^2-2x$를 만족시킬 때, $\displaystyle\int_{1}^{2}f(x)dx$의 값

(2) $\displaystyle\int_{a}^{x}f(t)dt=-x^3+x^2$를 만족시킬 때, $\displaystyle\int_{-1}^{2}f(x)dx$의 값

(3) $\displaystyle\int_{a}^{x}f(t)dt=\dfrac{1}{2}x^2+4x$를 만족시킬 때, $\displaystyle\int_{-2}^{0}f(x)dx$의 값

a, b가 모두 실수일 때

· $f(x)=g(x)+\displaystyle\int_a^b f(t)dt$ 상수 a로 놓기

➡ $f(x)=g(x)+a$

➡ $\displaystyle\int_a^b f(t)dt=\int_a^b \{g(t)+a\}=a$에서 a의 값 구하기

05 다음을 만족하는 다항함수 $f(x)$를 구하여라.

(1) $f(x)=2x+\displaystyle\int_0^2 f(t)dt$

(2) $f(x)=x^2+\displaystyle\int_{-1}^1 f(t)dt$

(3) $f(x)=x-\displaystyle\int_1^2 f(t)dt$

(4) $f(x)=3x^2-4x-\displaystyle\int_0^1 f(t)dt$

a가 실수일 때

· $f(x)=\displaystyle\int_a^x g(t)dt$의 양변을 x에 대하여 미분

➡ $f'(x)=g(x)$ ➡ $f(x)=\displaystyle\int g(x)dx$

➡ 등식의 양변에 $x=a$를 대입하여

$f(a)=\displaystyle\int_a^a g(t)dt=0$을 이용하기

06 다음을 만족하는 다항함수 $f(x)$를 구하여라.

(1) $f(x)=\displaystyle\int_0^x (6t+1)dt$

(2) $f(x)=\displaystyle\int_1^x (-3t^2+4t)dt$

(3) $f(x)=\displaystyle\int_2^x (t+3)dt$

(4) $f(x)=\displaystyle\int_3^x (-3t^2+2t-1)dt$

유형 $x \to 0$일 때 정적분으로 정의된 함수의 극한

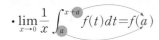

$$\cdot \lim_{x \to 0} \frac{1}{x} \int_a^{x+a} f(t)dt = f(a)$$

07 다음 극한값을 구하여라.

(1) $\displaystyle\lim_{x \to 0} \frac{1}{x} \int_1^{x+1} t\,dt$

(2) $\displaystyle\lim_{x \to 0} \frac{1}{x} \int_{-1}^{x-1} (3t-2)\,dt$

(3) $\displaystyle\lim_{x \to 0} \frac{1}{x} \int_2^{x+2} t^2\,dt$

(4) $\displaystyle\lim_{x \to 0} \frac{1}{x} \int_3^{x+3} (t^2-2t-1)\,dt$

(5) $\displaystyle\lim_{x \to 0} \frac{1}{x} \int_{-1}^{x-1} (t^3-t^2+2x-2)\,dt$

유형 $x \to a$일 때 정적분으로 정의된 함수의 극한

$$\cdot \lim_{x \to a} \frac{1}{x-a} \int_a^x f(t)dt = f(a)$$

08 다음 극한값을 구하여라.

(1) $\displaystyle\lim_{x \to 1} \frac{1}{x-1} \int_1^x 4t\,dt$

(2) $\displaystyle\lim_{x \to -1} \frac{1}{x+1} \int_{-1}^x (2t+3)\,dt$

(3) $\displaystyle\lim_{x \to 2} \frac{1}{x-2} \int_2^x (t^2+2t)\,dt$

(4) $\displaystyle\lim_{x \to -2} \frac{1}{x+2} \int_{-2}^x (t^3+2t)\,dt$

도전! 1등급

09 함수 $f(x) = \displaystyle\int_0^x (3t^3+t+2)\,dt$에 대하여

$$\lim_{h \to 0} \frac{f(1+2h)-f(1)}{h}$$의 값은?

① 12   ② 13   ③ 14

④ 15   ⑤ 16

개념 01

01 다음 등식을 만족시키는 함수 $f(x)$를 구하여라.

(1) $\int f(x)dx = -3x + C$

(2) $\int f(x)dx = 2x^2 + C$

(3) $\int f(x)dx = -4x^2 + 5x + C$

(4) $\int f(x)dx = x^3 + x + C$

(5) $\int f(x)dx = \dfrac{1}{4}x^3 + \dfrac{3}{2}x^2 - 2x + C$

개념 01

02 다음을 구하여라.

(1) $\dfrac{d}{dx}\left\{\int (3x^2 + 4x - 5)dx\right\}$

(2) $\dfrac{d}{dx}\left\{\int (-x^3 + x)dx\right\}$

(3) $\dfrac{d}{dx}\left\{\int (x^3 + 4x^2 - 7x + 1)dx\right\}$

(4) $\int \left\{\dfrac{d}{dx}(-3x^2 + 4x)\right\}dx$

(5) $\int \left\{\dfrac{d}{dx}(x^4 + 4x^2 - 2x)\right\}dx$

개념 02

03 다음 부정적분을 구하여라.

(1) $\int 4x\,dx$

(2) $\int 9x^2\,dx$

(3) $\int \left(\dfrac{1}{2}x - 3\right)dx$

(4) $\int (3x^2 - 4x - 1)dx$

(5) $\int x(6 - x)dx$

(6) $\int (2x + 1)(2x - 3)dx$

(7) $\int (2x + 1)(4x^2 - 2x + 1)dx$

(8) $\int (x^2 + 2x + 4)(x^2 - 2x + 4)$

04 다음 부정적분을 구하여라.

(1) $\int (x+3)^2 dx$

(2) $\int (4x-3)^2 dx$

(3) $\int (2x+1)^3 dx$

(4) $\int (x-3)^3 dx$

05 다음 부정적분을 구하여라.

(1) $\int \dfrac{x^3-1}{x^2+x+1} dx$

(2) $\int \dfrac{x^3+8}{x^2-2x+4} dx$

(3) $\int \dfrac{x^4-16}{x^2+4} dx$

06 다음 정적분의 값을 구하여라.

(1) $\int_0^0 (2x^2-x+1) dx$

(2) $\int_3^3 (x^3-4x+1) dx$

(3) $\int_{-5}^{-5} \left(\dfrac{1}{3} x^3 + \dfrac{1}{2} x^2 + \dfrac{1}{5} \right) dx$

(4) $\int_2^{10} f(x) dx = -6$일 때, $\int_{10}^2 f(x) dx$

(5) $\int_0^3 f(x) dx = \dfrac{1}{2}$일 때, $\int_3^0 f(x) dx$

(6) $\int_{-2}^1 f(x) dx = 3$일 때, $\int_1^{-2} f(x) dx$

07 다음을 구하여라.

(1) $\dfrac{d}{dx} \int_0^x (3t+5) dt$

(2) $\dfrac{d}{dx} \int_{-1}^x (t^2-3t+5) dt$

(3) $\dfrac{d}{dx} \int_2^x (t^3-2t) dt$

(4) $\dfrac{d}{dx} \int_x^0 (t^2-2) dt$

(5) $\dfrac{d}{dx} \int_x^{-2} (t^2-2t-3) dt$

개념 04

08 다음 정적분의 값을 구하여라.

(1) $\displaystyle\int_0^1 (3x-2)dx + \int_1^2 (3x-2)dx$

(2) $\displaystyle\int_{-2}^0 \left(\frac{1}{3}x+2\right)dx + \int_0^2 \left(\frac{1}{3}x+2\right)dx$

(3) $\displaystyle\int_0^1 (3x^2-1)dx + \int_1^2 (3x^2-1)dx$

(4) $\displaystyle\int_{-1}^{-3} (x^2-3x)dx + \int_{-3}^2 (x^2-3x)dx$

(5) $\displaystyle\int_0^2 (x^3-x^2)dx + \int_2^1 (x^3-x^2)dx$

(6) $\displaystyle\int_{-3}^0 (x+3)dx + \int_0^2 (x+3)dx - \int_{-3}^1 (x+3)dx$

개념 04

09 다음 정적분의 값을 구하여라.

(1) $\displaystyle\int_{-1}^1 (6x^2+2)dx$

(2) $\displaystyle\int_{-3}^3 (x^3+4x)dx$

(3) $\displaystyle\int_{-2}^2 (x^7-4x^3+x)dx$

(4) $\displaystyle\int_{-1}^1 (x^7-x^5+x^3-x)dx$

(5) $\displaystyle\int_{-2}^2 (x^2-4x+1)dx$

(6) $\displaystyle\int_{-1}^1 (3x^9-4x^5+2x^3-x^2)dx$

10 다음을 만족하는 다항함수 $f(x)$를 구하여라.

(1) $f(x) = \int_0^x (t^2 - 2t - 3) dt$

(2) $f(x) = \int_0^x (-3t^2 - 5t) dt$

(3) $f(x) = \int_2^x (-4x^3 - 2t) dt$

(4) $f(x) = \int_{-1}^x (6t - 3) dt$

11 다음 극한값을 구하여라.

(1) $\displaystyle\lim_{x \to 0} \frac{1}{x} \int_2^{x+2} 4t \, dt$

(2) $\displaystyle\lim_{x \to 0} \frac{1}{x} \int_1^{x+1} (-t + 3) dt$

(3) $\displaystyle\lim_{x \to 0} \frac{1}{x} \int_{-1}^{x-1} (t^2 + 3t - 5) dt$

(4) $\displaystyle\lim_{x \to 0} \frac{1}{x} \int_{\frac{1}{2}}^{x+\frac{1}{2}} (2t^2 + 3t - 4) dt$

12 다음 극한값을 구하여라.

(1) $\displaystyle\lim_{x \to 1} \frac{1}{x-1} \int_1^x 3t \, dt$

(2) $\displaystyle\lim_{x \to 2} \frac{1}{x-2} \int_2^x (t^2 - 2) dt$

(3) $\displaystyle\lim_{x \to -1} \frac{1}{x+1} \int_{-1}^x (t^2 + 3t - 1) dt$

(4) $\displaystyle\lim_{x \to -2} \frac{1}{x+2} \int_{-2}^x (2t^2 + 3t - 4) dt$

(1) 곡선과 x축 사이의 넓이

함수 $y=f(x)$가 구간 $[a, b]$에서 연속일 때, 곡선 $y=f(x)$와 x축 및 두 직선 $x=a$와 $x=b$로 둘러싸인 도형의 넓이 S는 $S=\int_a^b |f(x)| dx$

예 곡선 $y=x^2$과 x축 및 두 직선 $x=1$, $x=2$로 둘러싸인 도형의 넓이 S는

$S=\int_1^2 |\boxed{}| dx = \int_1^2 \boxed{} dx = \left[\boxed{}\right]_1^2 = \boxed{}$

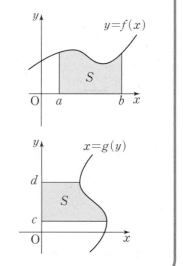

(2) 곡선과 y축 사이의 넓이

함수 $x=g(y)$가 구간 $[c, d]$에서 연속일 때, 곡선 $x=g(y)$와 y축 및 두 직선 $y=c$와 $y=d$로 둘러싸인 도형의 넓이 S는 $S=\int_c^d |g(y)| dy$

예 곡선 $x=y^2$과 y축 및 두 직선 $y=2$, $y=3$으로 둘러싸인 도형의 넓이 S는

$S=\int_2^3 |\boxed{}| dy = \int_2^3 \boxed{} dy = \left[\boxed{}\right]_2^3 = \boxed{}$

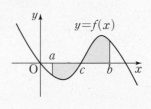

유형 곡선과 x축 사이의 넓이 (1)

• 구간 $[a, b]$에서 곡선 $y=f(x)$와 x축 및 두 직선 $x=a$, $x=b$로 둘러싸인 도형의 넓이 S는

• $f(x) \geq 0$이면 $S=\int_a^b f(x) dx$ ← 곡선이 x축 위에

• $f(x) < 0$이면 $S=\int_a^b \{-f(x)\} dx$ ← 곡선이 x축 아래에

01 다음 곡선과 두 직선 및 x축으로 둘러싸인 도형의 넓이 S를 구하여라.

(1) $y=x^2+1$, $x=1$, $x=3$

(2) $y=2x^2$, $x=-1$, $x=2$

(3) $y=-x^2+1$, $x=1$, $x=2$

유형 곡선과 x축 사이의 넓이 (2)

• 구간 $[a, b]$에서 $f(x) \geq 0$인 구간과 $f(x) < 0$인 구간이 모두 있으면 적분하는 구간을 나누어 넓이를 구한다.

02 다음 곡선과 두 직선 및 x축으로 둘러싸인 도형의 넓이 S를 구하여라.

(1) $y=x^2-2x$, $x=1$, $x=3$

(2) $y=x^2-3x$, $x=-1$, $x=3$

(3) $y=x^3$, $x=-2$, $x=4$

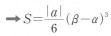

유형 **포물선과 x축으로 둘러싸인 도형의 넓이**

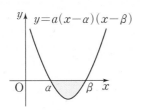

- 포물선 $y=a(x-\alpha)(x-\beta)$ (단, $\alpha<\beta$)와 x축으로 둘러싸인 도형의 넓이 S

➡ $S=\dfrac{|a|}{6}(\beta-\alpha)^3$

03 다음 포물선과 x축으로 둘러싸인 부분의 넓이 S를 구하여라.

(1) $y=x^2-1$

(2) $y=2x^2-8$

(3) $y=x^2-2x-3$

04 다음 포물선과 x축으로 둘러싸인 부분의 넓이 S를 구하여라.

(1) $y=-x^2+9$

(2) $y=-3x^2+7x-2$

(3) $y=-\dfrac{1}{2}x^2+\dfrac{1}{2}x+1$

유형 **곡선과 y축 사이의 넓이**

구간 $[c, d]$에서 곡선 $x=g(y)$와 y축 및 두 직선 $y=c$, $y=d$로 둘러싸인 도형의 넓이 S는

- $g(y)\geq 0$이면 $S=\displaystyle\int_a^b g(y)dy$ ← 곡선이 y축 오른쪽에

- $g(y)<0$이면 $S=\displaystyle\int_a^b \{-g(y)\}dy$

← 곡선이 y축 왼쪽에

05 다음 곡선과 두 직선 및 y축으로 둘러싸인 도형의 넓이 S를 구하여라.

(1) $y=\sqrt{x}$, $y=1$, $y=2$

(2) $y=\sqrt{x}-2$, $y=0$, $y=3$

(3) $y=\sqrt{2x+4}$, $y=0$, $y=2$

(4) $y=\sqrt{1-x}$, $y=0$, $y=3$

도전! 1등급

06 다음과 같이 곡선 $y=2(x-1)(x-a)$와 x축으로 둘러싸인 도형의 넓이가 $\dfrac{8}{3}$일 때, 실수 a의 값은? (단 $a>1$)

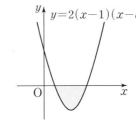

① 2 ② $\dfrac{5}{2}$ ③ 3

④ $\dfrac{17}{2}$ ⑤ 4

07 두 곡선 사이의 넓이

2 정적분의 활용

(1) 두 함수 $y=f(x)$와 $y=g(x)$가 구간 $[a, b]$에서 연속일 때, 두 곡선 $y=f(x)$와 $y=g(x)$ 및 두 직선 $x=a$와 $x=b$로 둘러싸인 도형의 넓이 S는

$$S=\int_a^b |f(x)-g(x)|\,dx$$

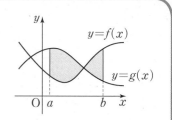

(2) 두 함수 $x=f(y)$, $x=g(y)$가 구간 $[c, d]$에서 연속일 때, 두 곡선 $x=f(y)$와 $x=g(y)$ 및 두 직선 $y=c$와 $y=d$로 둘러싸인 도형의 넓이 S는

$$S=\int_c^d |f(y)-g(y)|\,dy$$

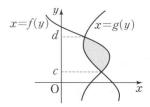

유형 · **곡선과 직선으로 둘러싸인 도형의 넓이**

· 교점의 x좌표를 구한다.
  → 곡선과 직선을 그려서 위치 관계를 파악한다.
  → $S=\int_a^b \{(\text{위쪽의 식})$
     $-(\text{아래쪽의 식})\}dx$

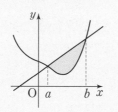

01 다음 곡선과 직선으로 둘러싸인 도형의 넓이 S를 구하여라.

(1) $y=x^2$, $y=x+2$

(2) $y=-x^2+3$, $y=x+1$

(3) $y=x^3$, $y=4x$

(4) $y=-x^3$, $y=-x$

유형 · **두 곡선으로 둘러싸인 도형의 넓이**

· 두 곡선의 교점의 x좌표를 구한다.
  → 두 곡선을 그려서 위치 관계를 파악한다.
  → $S=\int_a^b \{(\text{위쪽의 식})$
     $-(\text{아래쪽의 식})\}dx$

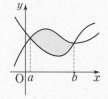

02 다음 두 곡선으로 둘러싸인 도형의 넓이 S를 구하여라.

(1) $y=x^2$, $y=-x^2+2$

(2) $y=x^2-1$, $y=-2x^2+5$

(3) $y=x^2$, $y=-x^2+4x$

(4) $y=x^2-4$, $y=-x^2+2x$

유형 **곡선과 접선으로 둘러싸인 도형의 넓이**

- 접선의 방정식을 구한다.
  - ← 곡선 $y=f(x)$ 위의 점 $(a, f(a))$에서의 접선 $y-f(a)=f'(a)(x-a)$
  - → 곡선과 접선의 교점의 x좌표를 구한다.
  - ← 접점의 x좌표 a는 항상 포함된다.
  - → 곡선과 접선을 그려서 위치 관계를 파악한다.
  - → $S=\int_{a}^{a}\{(\text{위쪽의 식})-(\text{아래쪽의 식})\}dx$

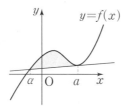

03 다음 곡선과 곡선위의 주어진 점에서의 접선으로 둘러싸인 도형의 넓이 S를 구하여라.

(1) $y=x^3$ $(1, 1)$

(2) $y=x^3$ $(2, 8)$

(3) $y=x^3+3x^2$ $(-2, 4)$

유형 **함수와 역함수의 그래프로 둘러싸인 도형의 넓이**

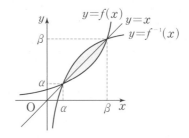

- 함수 $y=f(x)$와 역함수 $y=f^{-1}(x)$의 그래프의 교점의 x좌표가 α, β
  - → 두 그래프는 직선 $y=x$에 대하여 대칭
  - → $S=\int_{\alpha}^{\beta}|f(x)-f^{-1}(x)|dx=2\int_{\alpha}^{\beta}|x-f(x)|dx$
  - ← 역함수 $y=f^{-1}(x)$를 구하지 않고 구할 수 있다.

04 다음 함수 $y=f(x)$와 그 역함수 $y=g(x)$의 그래프로 둘러싸인 부분의 넓이 S를 구하여라.

(1) $f(x)=x^2 (x\geq 0)$

(2) $f(x)=x^3 (x\geq 0)$

(3) $f(x)=\dfrac{1}{4}x^3 (x\geq 0)$

도전! 1등급

05 두 곡선 $y=ax^3$, $y=-ax^3$과 직선 $x=1$로 둘러싸인 도형의 넓이가 4일 때, a의 값은? (단 $a>0$)

① 5   ② 6   ③ 7

④ 8   ⑤ 9

속도와 거리

직선 위를 움직이는 점 P의 시각 t에서의 속도가 $v(t)$이고 시각 $t=a$에서의 위치가 x_0일 때,

(1) 시각 t에서의 점 P의 **위치** : $x=x_0+\displaystyle\int_a^t v(t)dt$

(2) 시각 $t=a$에서 시각 $t=b$까지 점 P의 **위치의 변화량** : $\displaystyle\int_a^b v(t)dt$

(3) 시각 $t=a$에서 시각 $t=b$까지 점 P가 **움직인 거리** : $\displaystyle\int_a^b |v(t)|dt$

유형 · **수직선 위를 움직이는 점의 위치와 거리**

• 원점을 출발하여 수직선 위를 움직이는 점 P의 시각 t에서의 속도가 $v(t)$일 때, 시각 t에서의 점 P의 위치 x

➡ $x=\displaystyle\int_0^t v(t)dt$ ⬅ $t=0$에서의 위치가 0이므로

01 원점을 출발하여 수직선 위를 움직이는 점 P의 시각 t에서의 속도가 $v(t)=t^2-2t$일 때, 시각 t에서의 점 P에 대하여 다음을 구하여라.

(1) 시각 t에서의 위치 x

① $t=1$

② $t=4$

(2) 다음 시간 동안 위치의 변화량

① $t=1$에서 $t=2$까지

② $t=2$에서 $t=4$까지

(3) 다음 시간동안 움직인 거리

① $t=1$에서 $t=2$까지

② $t=2$에서 $t=4$까지

유형 · **수직 방향으로 위로 던진 물체의 높이**

• v_0 m/s의 속도로 똑바로 위로 던진 물체의 시각 t에서의 속도가 $v(t)$일 때, 시각 t에서의 점 P의 높이 h

➡ $h=\displaystyle\int_0^t v(t)dt$ ⬅ 지면에서 던질 때

➡ $h=h_0+\displaystyle\int_0^t v(t)dt$ ⬅ 지상 h_0 m의 높이에서 던질 때

➡ 최고 높이 : $v(t)=0$이 되는 시각 t에서의 높이

➡ 다시 지면에 떨어지는 시각 :
$h=\displaystyle\int_0^t v(t)dt=0$이 되는 시각 t

02 지면에서 20 m/s의 속도로 똑바로 위로 던진 물체의 시각 t에서의 속도가 $v(t)=20-10t$이고 높이가 h일 때, 다음을 구하여라.

(1) $t=1$에서의 높이

(2) $t=3$에서의 높이

(3) 최고 높이

(4) 물체가 다시 지면에 떨어질 때까지 움직인 거리

유형 · 속도의 그래프에서의 위치와 움직인 거리

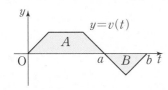

수직선 위를 움직이는 점 P의 시각 t에서의 속도 $v(t)$의 그래프에서 시각 $t=0$에서 시각 $t=b$까지

· 점 P의 위치의 변화량 : $\int_a^b v(t)dt = A - B$

· 점 P가 움직인 거리 : $\int_a^b |v(t)|dt = A + B$

⟵ 진행 방향을 바꾸는 시각 : $v(t)=0$이 되면서
$v(t)$의 부호가 바뀌는 시각 $t=a, t=b$

03 원점을 출발하여 수직선 위를 움직이는 점 P의 시각 t에서의 속도 $v(t)$의 그래프를 보고 다음을 구하여라.

(1)
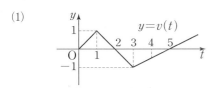

① 출발한 후 $t=1$까지 위치의 변화량

② 출발한 후 $t=3$까지 위치의 변화량

③ 출발한 후 $t=3$까지 움직인 거리

④ 출발한 후 $t=5$까지 움직인 거리

⑤ 진행을 바꾸는 시각

(2)
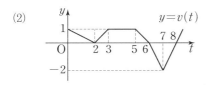

① 출발한 후 $t=3$까지 위치의 변화량

② 출발한 후 $t=6$까지 움직인 거리

③ 출발한 후 $t=8$까지 위치의 변화량

④ 출발한 후 $t=8$까지 움직인 거리

⑤ 진행을 바꾸는 시각

유형 · 물의 속도와 흘러나온 물의 양

· 단면의 넓이가 S cm^2 인 수도관으로부터 흘러나오는 물의 시각 t에서의 속도가 $v(t)$ cm/s일 때,
시각 t가 될 때까지 흘러나온 물의 양 V cm^3

➔ $V = S \times \int_0^t v(t)dt$

⟵ 물이 멈추는 시각 : $v(t)=0$이 되는 시각 t

04 단면의 넓이가 3 cm^{2}인 수도관으로부터 흘러나오는 시각 t에서의 속도가 $v(t)=4t-t^2$(cm/s)일 때, 다음을 구하여라.

(1) 주어진 시각이 될 때까지 흘러나온 물의 양 V

① $t=1$

② $t=2$

③ $t=3$

(2) 물이 흐르기 시작한 후 멈출 때의 시각

(3) 흘러 나온 물의 총 양

05 어떤 자동차가 40 m/s의 속도로 달리다가 브레이크를 밟은 지 t초 후의 속도는 $v(t)=40-4t$(cm/s)다. 자동차가 브레이크를 밟고 멈출 때까지 달린 거리는 ?

① 100 m ② 140 m ③ 172 m

④ 200 m ⑤ 216 m

01 다음 곡선과 두 직선 및 x축으로 둘러싸인 도형의 넓이 S를 구하여라.

(1) $y = x^2 - 1$, $x = 1$, $x = 3$

(2) $y = 3x^2$, $x = -2$, $x = 2$

(3) $y = -x^2 + 4$, $x = 2$, $x = 3$

(4) $y = x^2 + 2$, $x = -1$, $x = 1$

(5) $y = -3x^2 + 3$, $x = 0$, $x = 1$

(6) $y = x^2 - 3x$, $x = 1$, $x = 3$

02 다음 포물선과 x축으로 둘러싸인 부분의 넓이 S를 구하여라.

(1) $y = x^2 - 5$

(2) $y = 2x^2 - 2$

(3) $y = x^2 - 2x - 15$

(4) $y = x^2 - x - 6$

(5) $y = 2x^2 - 6x$

(6) $y = 2x^2 - 7x + 5$

03 다음 곡선과 두 직선 및 y축으로 둘러싸인 도형의 넓이 S를 구하여라.

(1) $y=\sqrt{x}$, $y=1$, $y=3$

(2) $y=\sqrt{x}-3$, $y=2$, $y=3$

(3) $y=\sqrt{3x+6}$, $y=0$, $y=2$

(4) $y=\sqrt{4-x}$, $y=0$, $y=3$

04 다음 곡선과 직선으로 둘러싸인 도형의 넓이 S를 구하여라.

(1) $y=x^2$, $y=x+6$

(2) $y=x^2+2x-3$, $y=-x+7$

(3) $y=-x^2+2x+5$, $y=2x-4$

(4) $y=-x^2$, $y=-2x-8$

(5) $y=x^3$, $y=3x-2$

05 다음 두 곡선으로 둘러싸인 도형의 넓이 S를 구하여라.

(1) $y=x^2$, $y=-x^2+8$

(2) $y=2x^2+1$, $y=-2x^2+5$

(3) $y=x^2+2x$, $y=-x^2+4x$

(4) $y=x^2-3x+3$, $y=-3x^2+5x+3$

(5) $y=x^2+x-8$, $y=-x^2+3x+4$

(6) $y=x^2+2x-7$, $y=-x^2+5x-2$

06 다음 곡선과 곡선 위의 주어진 점에서의 접선으로 둘러싸인 도형의 넓이 S를 구하여라.

(1) $y = x^3$, $(-1, -1)$

(2) $y = -2x^3$, $(1, -2)$

(3) $y = -x^3 + 1$, $(-1, 2)$

(4) $y = x^3$, $(-2, -8)$

(5) $y = 2x^3 + x$, $(-1, -3)$

07 다음 함수 $y = f(x)$와 그 역함수 $y = g(x)$의 그래프로 둘러싸인 부분의 넓이 S를 구하여라.

(1) $f(x) = \dfrac{1}{4}x^2 (x \geq 0)$

(2) $f(x) = \dfrac{1}{2}x^2 (x \geq 0)$

(3) $f(x) = \dfrac{1}{2}x^3 (x \geq 0)$

(4) $f(x) = x^3 (x \geq 0)$

(5) $f(x) = \dfrac{1}{3}x^3 (x \geq 0)$

08 원점을 출발하여 수직선 위를 움직이는 점 P의 시각 t에서의 속도가 $v(t)=t^2-6t$일 때, 점 P에 대하여 다음을 구하여라.

(1) 시각 t에서의 위치 x

① $t=1$

② $t=10$

(2) 다음 시간 동안 위치의 변화량

① $t=1$에서 $t=6$까지

② $t=6$에서 $t=10$까지

(3) 다음 시간동안 움직인 거리

① $t=1$에서 $t=6$까지

② $t=6$에서 $t=10$까지

09 지면에서 36 m/s의 속도로 똑바로 위로 던진 물체의 시각 t에서의 속도가 $v(t)=36-9t^2$이고 높이가 h일 때, 다음을 구하여라.

(1) $t=1$에서의 높이

(2) 최고 높이

(3) 물체가 다시 지면에 떨어질 때까지 움직인 거리

10 단면의 넓이가 5 cm²인 수도관으로부터 흘러나오는 물의 시각 t에서의 속도가 $v(t)=6t-t^2$(cm/s)일 때. 다음을 구하여라.

(1) 주어진 시각이 될 때까지 흘러나온 물의 양 V

① $t=1$

② $t=3$

(2) 물이 흐르기 시작한 후 멈출 때의 시각

(3) 흘러 나온 물의 총 양

11 원점을 출발하여 수직선 위를 움직이는 점 P의 시각 t에서의 속도 $v(t)$의 그래프를 보고 다음을 구하여라.

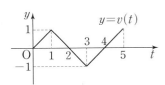

(1) 출발한 후 $t=1$까지 위치의 변화량

(2) 출발한 후 $t=2$까지 위치의 변화량

(3) 출발한 후 $t=3$까지 위치의 변화량

(4) 출발한 후 $t=4$까지 위치의 변화량

(5) 출발한 후 $t=5$까지 위치의 변화량

(6) 출발한 후 $t=3$까지 움직인 거리

(7) 출발한 후 $t=5$까지 움직인 거리

(8) 진행방향을 바꾸는 시각

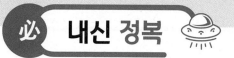
01 부정적분에 관한 다음 설명 중 옳은 것은?

① $\int 0\,dx = 0$

② $\int 1\,dx = C$ (C는 적분상수)

③ $\int f(x)\,dx = \int f(y)\,dy$

④ $\int f(x)\,dx = \int g(x)\,dx$이면 $f(x) = g(x)$이다.

⑤ $\int \left(\dfrac{d}{dx}f(x)\right)dx = \dfrac{d}{dx}\left(\int f(x)\,dx\right)$

02 함수 $f(x) = \int (10x^9 + 9x^8 + 8x^7 + \cdots + 2x + 1)\,dx$에 대하여 $f(1) = 0$일 때, $f(-1)$의 값은?

① -10 ② -5 ③ 0

④ 5 ⑤ 10

03 점 $(2,\ 1)$을 지나는 곡선이 있다. 이 곡선 위의 점$(x,\ f(x))$에서의 접선의 기울기가 $3x^2 - 4x$일 때, 이 곡선의 방정식의 상수항은?

① -2 ② -1 ③ 0

④ 1 ⑤ 2

04 함수 $f(x) = \int \left\{ \dfrac{d}{dx}(x^2 + 3x) \right\}dx$에 대하여

$\displaystyle\lim_{h \to 0} \dfrac{f(2+3h) - f(2)}{h}$의 값은?

① 11 ② 15 ③ 16

④ 21 ⑤ 22

05 다음 조건을 만족하는 함수 $f(x)$를 구하면?

$$f'(x) = 3x^2 - 6x \quad f(0) = 1$$

① $f(x) = x^3 - 2x^2$

② $f(x) = x^3 - 3x^2 + 1$

③ $f(x) = 6x - 4$

④ $f(x) = x^3 - 4x^2 + 1$

⑤ $f(x) = 3x^3 - 6x^2 + 1$

06 정적분 $\displaystyle\int_0^3 |x-1|\,dx$의 값은?

① 1 ② $\dfrac{3}{2}$ ③ 2

④ $\dfrac{5}{2}$ ⑤ 3

07 임의의 실수 x에 대하여 $\displaystyle\int_a^x f(t)dt = 2x^2 - x - 3$을 만족하는 함수 $f(x)$와 상수 a의 값을 옳게 구한 것을 모두 고르면?

① $a=-1$ ② $a=1$

③ $a=\dfrac{3}{2}$ ④ $f(x)=4x-1$

⑤ $f(x)=2x^2-x-3$

08 $f(x)=x^2-2x+\dfrac{3}{4}\displaystyle\int_0^1 f(t)dt$을 만족하는 함수 $f(x)$에서 $f(0)$을 구하면?

① -2 ② -1 ③ 0

④ 1 ⑤ 2

09 다음 함수 $f(x)=\displaystyle\int_{-3}^x (3t^2-6t-9)dt$의 극댓값을 M, 극솟값을 m이라 할 때, M$+m$의 값은?

① 30 ② 27 ③ 32

④ 54 ⑤ 25

10 정적분

$$\int_{-3}^0 (2x^3+x)dx + \int_0^2 (2x^3+x)dx - \int_{-3}^2 (2x^3+x)dx$$

를 구하면?

① 0 ② 3 ③ 6

④ 9 ⑤ 27

11 $\displaystyle\lim_{x\to 1}\dfrac{1}{x-1}\int_1^x (t^4-3t^3+2t^2+3)dt$의 값을 구하면?

① 1 ② 3 ③ 9

④ 10 ⑤ 21

12 정적분 $\displaystyle\int_0^1 x^3 dx + \int_1^2 x^3 dx + \cdots + \int_9^{10} x^3 dx$의 값은?

① 2500 ② 3000 ③ 3500

④ 4000 ⑤ 4500

13 등식 $\int_0^a |2x-3|\,dx = \dfrac{5}{2}$ 을 만족시키는 실수 a의 값을 구하면? $\left(\text{단, } a > \dfrac{3}{2}\right)$

① 2   ② 3   ③ 4

④ 5   ⑤ 6

14 곡선 $f(x) = x^2 - 3x$와 직선 $y = 2x - 4$로 둘러싸인 도형의 넓이 S는?

① $\dfrac{7}{2}$ ② $\dfrac{9}{2}$ ③ $\dfrac{11}{2}$

④ $\dfrac{13}{2}$ ⑤ $\dfrac{15}{2}$

15 원점을 출발하여 수직선 위를 운동하는 점 P의 t초 후의 속도 v가 $v(t) = -t^2 + 2t + 3$일 때, 4초 후의 위치는?

① $-\dfrac{21}{2}$ ② $-\dfrac{20}{3}$ ③ 0

④ $\dfrac{20}{3}$ ⑤ $\dfrac{21}{2}$

16 지상 10 m의 높이에서 초속 49 m/s로 똑바로 위로 쏘아 올린 물체의 t초 후의 속도는 $v(t) = 49 - 9.8t\,(\text{m/s})$라고 한다. 이때, 물체가 최고점에 도달하였을 때의 물체의 지상으로부터의 높이는?

① 131.5 m   ② 132.5 m   ③ 134.5 m

④ 136.5 m   ⑤ 138.5 m

17 두 곡선 $y = ax^2$, $y = -ax^2$과 직선 $x = 2$로 둘러싸인 도형의 넓이가 16일 때, a의 값은? (단 $a > 0$)

① 3   ② 4   ③ 5

④ 7   ⑤ 8

18 어떤 자동차가 30 m/s의 속도로 달리다가 브레이크를 밟은 지 t초 후의 속도는 $v(t) = 30 - 6t\,(\text{m/s})$이다. 자동차가 브레이크를 밟고 멈출 때까지 달린 거리는?

① 65 m   ② 70 m   ③ 75 m

④ 85 m   ⑤ 90 m

MEMO

MEMO

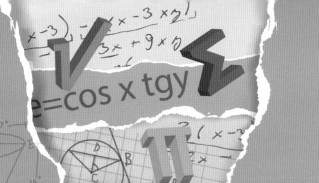

 제10회 대한민국 브랜드 대상
국무총리상 수상!

선행학습 · 보충학습의 강자!

자신감

정답 및 해설

제10회 대한민국 브랜드 대상
국무총리상 수상!

고등수학 II

www.왕수학.com

선행학습 · 보충학습의 강자!

자신감

정답 및 해설

고등수학 Ⅱ

1 함수의 극한

Ⅰ 함수의 극한과 연속

개념 1 함수의 극한

6쪽

예 1 / 2 / 1 / 2

01 (1) 4　　　　(2) 3　　　　(3) 4
　　(4) -7　　(5) $\dfrac{1}{2}$　　(6) 3

02 (1) ∞　　(2) 0　　(3) 0

03 (1) ∞　　(2) ∞　　(3) $-\infty$
　　(4) ∞　　(5) 0

04 (1) 2　　(2) -2　　(3) -8
　　(4) 6

도전! 1등급 **05** ①

---

01 (1) $y=4$ 그래프는 x가 무슨 값이든 오로지 4이다.

(2) x에 1을 직접 대입하면 $1+2=3$

(3) x에 -2를 직접 대입하면 $(-2)^2=4$

(4) x에 2를 직접 대입하면 $(-2)\times 2^2+1=-7$

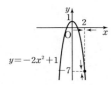

(5) x에 1을 직접 대입하면 $\dfrac{1}{5-3}=\dfrac{1}{2}$

(6) x에 -2를 직접 대입하면 $\sqrt{-2+11}=\sqrt{9}=3$

---

02 (1) x가 0의 양쪽에서 0을 향해 다가가면 그래프는 끝 없이 위로 올라간다.

(2) x가 ∞를 향해 다가가면 함숫값은 0에 다가간다.

(3) x가 $-\infty$를 향해 다가가면 함숫값은 0에 다가간다.

03 (1) x가 ∞를 향해 다가가면 함숫값은 $\infty+2=\infty$에 다가간다.

(2) x가 ∞를 향해 다가가면 함숫값은 $\infty^2-7=\infty$에 다가간다.

(3) x가 $-\infty$를 향해 다가가면 함숫값은 $(-\infty)^3=-\infty$에 다가간다.

(4) x가 ∞를 향해 다가가면 함숫값은 $\sqrt{2\times\infty-3}+4=\infty$로 간다.

(5) x가 $-\infty$를 향해 다가가면 함숫값은 $\dfrac{-1}{-\infty}=0$에 다가간다.

04 (1) x가 1을 향해 다가가면 극한값은
$$\lim_{x\to 1}\frac{(x-1)(x+1)}{x-1}=2$$

(2) x가 -1을 향해 다가가면 극한값은
$$\lim_{x\to -1}\frac{(x-1)(x+1)}{x+1}=-2$$

(3) x가 -4를 향해 다가가면 극한값은
$$\lim_{x\to -4}\frac{(x-4)(x+4)}{x+4}=-8$$

(4) x가 3을 향해 다가가면 극한값은 $\displaystyle\lim_{x\to 3}\frac{(x-3)(x+3)}{x-3}=6$

05 ㄱ. $\displaystyle\lim_{x\to 1}\frac{x^2+2x+3}{x+2}$에서 분모가 0이 아니므로 분자, 분모에 $x=1$을 대입하면 $\dfrac{1+2+3}{1+2}=2$

ㄴ. $\displaystyle\lim_{x\to 2}(\sqrt{x^2-3})+4$에서 2를 대입하면 $\sqrt{4-3}+4=5$

ㄷ. $\displaystyle\lim_{x\to\infty}\frac{5}{x+3}=\frac{5}{\infty}=0$ (×)

ㄹ. $\displaystyle\lim_{x\to\frac{1}{2}}[x]=\left[\dfrac{1}{2}\right]=0$ (×)

개념 02 함수의 극한의 존재

8쪽

예 1 / 1 / 1 / 1

01 (1) 1, 1　　(2) -1, -1　　(3) 1, -1
　　(4) 0, -1　　(5) ∞, $-\infty$　　(6) -3, 3

02 (1) 0, 0, 0　　(2) 3, 3, 3　　(3) 2, 2, 2
　　(4) 4, 4, 4

03 (1) ×　　(2) ○　　(3) ○
　　(4) ×

도전! 1등급 **04** ③

01 (1) 우극한이든 좌극한이든 $x=0$을 대입하면 $2\times0+1=1$

(2) $f(x)=\dfrac{x^2-x}{x}=\dfrac{x(x-1)}{x}=x-1$

따라서 $\lim\limits_{x\to0}(x-1)=-1$

(3) 우극한은 $\lim\limits_{x\to0+}\dfrac{x}{x}=1$, 좌극한은 $\lim\limits_{x\to0-}\dfrac{-x}{x}=-1$

(4) $[x]$는 x보다 작거나 같은 정수를 의미한다.

우극한 : $x\to0+$이므로 $[x]=0$,

좌극한 : $x\to0-$이므로 $[x]=-1$

(5) 우극한은 $x\to0+$이므로 $\dfrac{1}{x}=\infty$

좌극한은 $x\to0-$이므로 $\dfrac{1}{x}=-\infty$

(6) 우극한은 $x\to0+$이므로 $0-3=-3$

좌극한은 $x\to0-$이므로 $0+3=3$

02 (1) $\lim\limits_{x\to2+}f(x)=|2.0000001-2|\fallingdotseq0$

$\lim\limits_{x\to2-}f(x)=|1.999999-2|\fallingdotseq0$

$\lim\limits_{x\to2}f(x)=0$

(2) $\lim\limits_{x\to0+}f(x)=|0.00001-3|\fallingdotseq3$

$\lim\limits_{x\to0-}f(x)=|-0.00001-3|\fallingdotseq3$

$\lim\limits_{x\to0}f(x)=3$

(3) $\lim\limits_{x\to\sqrt5+}f(x)=[\sqrt5+0.0000001]\fallingdotseq[\sqrt5]=2$

$\lim\limits_{x\to\sqrt5-}f(x)=[\sqrt5-0.0000001]\fallingdotseq[\sqrt5]=2$

$\lim\limits_{x\to\sqrt5}f(x)=2$

04 우극한 : $2a+1$

좌극한 : $-2+3=1$

$\therefore 2a+1=1,\ a=0$

개념 **03** 함수의 극한에 대한 성질

10쪽

예 $\lim\limits_{x\to1}2x$, $\lim\limits_{x\to1}1$, $2,\ 1,\ 3$

예 $\lim\limits_{x\to2}x^2$, $\lim\limits_{x\to2}3x$, $4,\ 6,\ -2$

예 $3,\ 3,\ 1,\ 3$

예 $\lim\limits_{x\to2}(x^2+1)$, $\lim\limits_{x\to2}(2x-1)$, $5,\ 3,\ 15$

예 $\dfrac{\lim\limits_{x\to0}\sqrt{x+3}}{\lim\limits_{x\to0}(x^2+2)}$, $\dfrac{\sqrt3}{2}$

01 (1) 7   (2) -1 (3) 15

(4) 12   (5) $\dfrac{3}{4}$ (6) 9

---

02 (1) 11   (2) 23   (3) -3

(4) 144   (5) -1 (6) $-\dfrac{7}{25}$

(7) 3

03 (1) 0   (2) -3 (3) 2

도전! 1등급 **04** ⑤

01 (1) $\lim\limits_{x\to1}\{f(x)+g(x)\}=\lim\limits_{x\to1}f(x)+\lim\limits_{x\to1}g(x)=3+4=7$

(2) $\lim\limits_{x\to1}\{f(x)-g(x)\}=\lim\limits_{x\to1}f(x)-\lim\limits_{x\to1}g(x)=3-4=-1$

(3) $\lim\limits_{x\to1}5f(x)=5\lim\limits_{x\to1}f(x)=5\times3=15$

(4) $\lim\limits_{x\to1}f(x)g(x)=\lim\limits_{x\to1}f(x)\lim\limits_{x\to1}g(x)=3\times4=12$

(5) $\lim\limits_{x\to1}\dfrac{f(x)}{g(x)}=\dfrac{\lim\limits_{x\to1}f(x)}{\lim\limits_{x\to1}g(x)}=\dfrac{3}{4}$

(6) $\lim\limits_{x\to1}\{f(x)\}^2=\{\lim\limits_{x\to1}f(x)\}^2=3^2=9$

02 (1) $\lim\limits_{x\to0}\{2f(x)+3g(x)\}=2\lim\limits_{x\to0}f(x)+3\lim\limits_{x\to0}g(x)$

$\qquad=2\times(-2)+3\times5=11$

(2) $\lim\limits_{x\to0}\{3-2f(x)g(x)\}=\lim\limits_{x\to0}3-2\lim\limits_{x\to0}f(x)g(x)$

$\qquad=3-2\times(-2)\times5=23$

(3) $\lim\limits_{x\to0}\{1-f(x)\}\{2f(x)+3\}=\{1-(-2)\}\{2\times(-2)+3\}$

$\qquad=3\times(-1)=-3$

(4) $\lim\limits_{x\to0}\{f(x)-2g(x)\}^2=(-2-2\times5)^2=(-12)^2=144$

(5) $\lim\limits_{x\to0}\dfrac{f(x)g(x)-3}{2g(x)+3}=\dfrac{(-2)\times5-3}{2\times5+3}=\dfrac{-13}{13}=-1$

(6) $\lim\limits_{x\to0}\dfrac{\{f(x)\}^5-3}{\{g(x)\}^3}=\dfrac{-32-3}{125}=\dfrac{-35}{125}=-\dfrac{7}{25}$

(7) $\lim\limits_{x\to0}[\{f(x)\}^2+2f(x)+3]=4-4+3=3$

03 (1) $\lim\limits_{x\to0}\{3f(x)-2g(x)\}=3\lim\limits_{x\to0}f(x)-2\lim\limits_{x\to0}g(x)=3$

$\qquad\therefore 3\times1-2\lim\limits_{x\to0}g(x)=3$

$\qquad\therefore \lim\limits_{x\to0}g(x)=0$

(2) $\lim\limits_{x\to1}\{2f(x)+4g(x)\}=2\lim\limits_{x\to1}f(x)+4\lim\limits_{x\to1}g(x)=2$

$\qquad\therefore 2\lim\limits_{x\to1}f(x)+4\times2=2$

$\qquad\therefore \lim\limits_{x\to1}f(x)=-3$

(3) $\lim\limits_{x\to2}\{f(x)+3g(x)\}=\lim\limits_{x\to2}f(x)+3\lim\limits_{x\to2}g(x)=4$

$\qquad\therefore -2+3\lim\limits_{x\to2}g(x)=4$

$\qquad\therefore \lim\limits_{x\to2}g(x)=2$

04 $\lim\limits_{x\to0}\dfrac{f(x)-2g(x)}{f(x)g(x)+1}=\dfrac{1-2a}{a+1}=-1$

$\therefore 1-2a=-a-1$

$\therefore a=2$

개념 04 함수의 극한값의 계산 (1)

12쪽

예 $x(x+1)$ / $x+1$ / 1

예 $\sqrt{x}+1$, $\sqrt{x}+1$ / $\sqrt{x}+1$, $x-1$ / $\sqrt{x}+1$ / 2

예 x, x, x, x / $\dfrac{2+\dfrac{1}{x}}{1+\dfrac{2}{x}}$ / 2

01 (1) 3　　　(2) 1　　　(3) $\dfrac{1}{2}$

(4) 6　　　(5) $\dfrac{3}{2}$　　　(6) $\dfrac{1}{12}$

(7) 3　　　(8) 3　　　(9) 0

(10) $-\dfrac{1}{2}$

02 (1) $\dfrac{1}{2}$　　　　　　(2) 4

(3) $\dfrac{1}{2}$　　　　　　(4) $\dfrac{1}{2}$

(5) 2

03 (1) -3　　　　　　(2) 0

(3) ∞　　　　　　(4) $\dfrac{1}{2}$

(5) 0

도전! 1등급 **04** ⑤

01 (1) $\displaystyle\lim_{x\to 0}\dfrac{x(x+3)}{x}=\lim_{x\to 0}(x+3)=3$

(2) $\displaystyle\lim_{x\to 1}\dfrac{x(x-1)}{x-1}=\lim_{x\to 1}x=1$

(3) $\displaystyle\lim_{x\to 2}\dfrac{(x-1)(x-2)}{x(x-2)}=\lim_{x\to 2}\dfrac{x-1}{x}=\dfrac{1}{2}$

(4) $\displaystyle\lim_{x\to 2}\dfrac{(x-2)(x^2+2x+4)}{x(x-2)}=\lim_{x\to 2}\dfrac{x^2+2x+4}{x}=6$

(5) $\displaystyle\lim_{x\to -1}\dfrac{(x-2)(x+1)}{(x-1)(x+1)}=\lim_{x\to -1}\dfrac{x-2}{x-1}=\dfrac{3}{2}$

(6) $\displaystyle\lim_{x\to -2}\dfrac{x+2}{x^3+8}=\lim_{x\to -2}\dfrac{x+2}{(x+2)(x^2-2x+4)}=\dfrac{1}{12}$

(7) $\displaystyle\lim_{x\to 1}\dfrac{(x-1)(x^2+x+1)}{x-1}=3$

(8) $\displaystyle\lim_{x\to -1}\dfrac{(x+1)(x^2-x+1)}{x+1}=3$

(9) $\displaystyle\lim_{x\to 1}\dfrac{(x-1)(x-1)(x+2)}{x-1}=0$

(10) $\displaystyle\lim_{x\to \frac{1}{2}}\dfrac{(2x-1)(x-1)}{2x-1}=-\dfrac{1}{2}$

02 (1) $\displaystyle\lim_{x\to 1}\dfrac{(\sqrt{x}-1)(\sqrt{x}+1)}{(x-1)(\sqrt{x}+1)}=\lim_{x\to 1}\dfrac{x-1}{(x-1)(\sqrt{x}+1)}=\dfrac{1}{2}$

(2) $\displaystyle\lim_{x\to 4}\dfrac{(x-4)(\sqrt{x}+2)}{(\sqrt{x}-2)(\sqrt{x}+2)}=\lim_{x\to 4}\dfrac{(x-4)(\sqrt{x}+2)}{x-4}=4$

(3) $\displaystyle\lim_{x\to -1}\dfrac{\sqrt{x+2}-1}{x+1}=\lim_{x\to -1}\dfrac{(\sqrt{x+2}-1)(\sqrt{x+2}+1)}{(x+1)(\sqrt{x+2}+1)}$

$=\displaystyle\lim_{x\to -1}\dfrac{x+1}{(x+1)(\sqrt{x+2}+1)}=\dfrac{1}{2}$

(4) $\displaystyle\lim_{x\to 0}\dfrac{\sqrt{x+1}-1}{x}=\lim_{x\to 0}\dfrac{(\sqrt{x+1}-1)(\sqrt{x+1}+1)}{x(\sqrt{x+1}+1)}$

$=\displaystyle\lim_{x\to 0}\dfrac{x}{x(\sqrt{x+1}+1)}=\dfrac{1}{2}$

(5) $\displaystyle\lim_{x\to 0}\dfrac{x^2}{1-\sqrt{1-x^2}}=\lim_{x\to 0}\dfrac{x^2(1+\sqrt{1-x^2})}{(1-\sqrt{1-x^2})(1+\sqrt{1-x^2})}$

$=\displaystyle\lim_{x\to 0}\dfrac{x^2(1+\sqrt{1-x^2})}{x^2}=2$

04 (주어진 식) $=\displaystyle\lim_{x\to 8}\dfrac{(\sqrt[3]{x}-2)(\sqrt[3]{x^2}+2\sqrt[3]{x}+4)}{\sqrt[3]{x}-2}=4+4+4=12$

개념 05 함수의 극한값의 계산 (2)

14쪽

예 x^2, $1-\dfrac{1}{x}+\dfrac{1}{x^2}$ / ∞

예 $\sqrt{x+1}+\sqrt{x}$, $\sqrt{x+1}+\sqrt{x}$ / $\dfrac{1}{\sqrt{x+1}+\sqrt{x}}$ / 0

01 (1) ∞　　　(2) $-\infty$　　　(3) 0

(4) 2　　　(5) $\dfrac{3}{2}$

02 (1) -1　　　(2) 2　　　(3) $-\dfrac{1}{2019}$

(4) -1

03 (1) -3　　　(2) -3　　　(3) $-\dfrac{1}{16}$

(4) $\dfrac{1}{9}$　　　(5) $\dfrac{1}{2}$

04 (1) 1　　　(2) -1　　　(3) 1

(4) -1　　　(5) -2　　　(6) 0

도전! 1등급 **05** ⑤

01 (1) $\displaystyle\lim_{x\to \infty}(x^3-2x+1)=\infty$ 최고차항인 x^3의 부호가 $+$이다.

(2) $\displaystyle\lim_{x\to \infty}(x-2x^2-3)=\infty$ 최고차항인 $-2x^2$의 부호가 $-$이다.

(3) $\displaystyle\lim_{x\to \infty}(\sqrt{x+2}-\sqrt{x-1})$

$=\displaystyle\lim_{x\to \infty}\dfrac{(\sqrt{x+2}-\sqrt{x-1})(\sqrt{x+2}+\sqrt{x-1})}{\sqrt{x+2}+\sqrt{x-1}}$

$=\displaystyle\lim_{x\to \infty}\dfrac{3}{\sqrt{x+2}+\sqrt{x-1}}=0$

(4) (준 식) $=\displaystyle\lim_{x\to \infty}\dfrac{(x^2+2x+2)-(x^2-2x-2)}{\sqrt{x^2+2x+2}+\sqrt{x^2-2x-2}}$

$=\displaystyle\lim_{x\to \infty}\dfrac{4+\dfrac{4}{x}}{\sqrt{1+\dfrac{2}{x}+\dfrac{2}{x^2}}+\sqrt{1-\dfrac{2}{x}-\dfrac{2}{x^2}}}=2$

(5) (준 식) $=\displaystyle\lim_{x\to \infty}\dfrac{x^2+3x-x^2}{\sqrt{x^2+3x}+x}=\lim_{x\to \infty}\dfrac{3}{\sqrt{1+\dfrac{3}{x}}+1}=\dfrac{3}{2}$

02 (1) $x=-t$로 치환하면 $\displaystyle\lim_{t\to\infty}\frac{-t}{\sqrt{(-t)^2+1}+1}=-1$

(2) $x=-t$로 치환하면

$$\lim_{t\to\infty}\{\sqrt{(-t)^2-4(-t)}+(-t)\}=\lim_{t\to\infty}(\sqrt{t^2+4t}-t)$$

$$\lim_{t\to\infty}\frac{4t}{\sqrt{t^2+4t}+t}=\lim_{t\to\infty}\frac{4}{\sqrt{1+\dfrac{4}{t}}+1}=2$$

(3) $x=-t$로 치환하면

$$\lim_{t\to\infty}\frac{\sqrt{(-t)^2+2019}-2019}{2019\cdot(-t)+2019}$$

$$=\lim_{t\to\infty}\frac{\sqrt{t^2+2019}-2019}{-2019t+2019}=\lim_{t\to\infty}\frac{\sqrt{1+\dfrac{2019}{t^2}}-\dfrac{2019}{t}}{-2019+\dfrac{2019}{t}}$$

$$=-\frac{1}{2019}$$

(4) $x=-t$로 치환하면

$$\lim_{t\to\infty}\frac{\sqrt{4(-t)^2+3}-4}{2\cdot(-t)}=\lim_{t\to\infty}\frac{\sqrt{4t^2+3}-4}{-2t}$$

$$=\lim_{t\to\infty}\frac{\sqrt{4+\dfrac{3}{t^2}}-\dfrac{4}{t}}{-2}=-1$$

03 (1) $\displaystyle\lim_{x\to0}\frac{1}{x}\left(\frac{3}{x-1}+3\right)=\lim_{x\to0}\frac{1}{x}\left\{\frac{3+3(x-1)}{x-1}\right\}$

$$=\lim_{x\to0}\frac{1}{x}\left(\frac{3x}{x-1}\right)=-3$$

(2) $\displaystyle\lim_{x\to\infty}x\left(3-\frac{3x}{x-1}\right)=\lim_{x\to\infty}x\left\{\frac{3(x-1)-3x}{x-1}\right\}$

$$=\lim_{x\to\infty}\left(\frac{-3x}{x-1}\right)=-3$$

(3) $\displaystyle\lim_{x\to0}\frac{1}{x}\left(\frac{1}{\sqrt{x+4}}-\frac{1}{2}\right)=\lim_{x\to0}\frac{1}{x}\left(\frac{2-\sqrt{x+4}}{2\sqrt{x+4}}\right)$

$$=\lim_{x\to0}\frac{1}{x}\left\{\frac{(2-\sqrt{x+4})(2+\sqrt{x+4})}{2\sqrt{x+4}(2+\sqrt{x+4})}\right\}$$

$$=\lim_{x\to0}\left\{\frac{1}{x}\times\frac{-x}{2\sqrt{x+4}(2+\sqrt{x+4})}\right\}=-\frac{1}{16}$$

(4) $\displaystyle\lim_{x\to1}\frac{1}{x-1}\left(\frac{1}{3}-\frac{1}{x+2}\right)=\lim_{x\to1}\left\{\frac{1}{x-1}\times\frac{x-1}{3(x+2)}\right\}$

$$=\lim_{x\to1}\frac{1}{3(x+2)}=\frac{1}{9}$$

(5) $\displaystyle\lim_{x\to0}\frac{1}{x}\left(1-\frac{2}{x+2}\right)=\lim_{x\to0}\left(\frac{1}{x}\times\frac{x}{x+2}\right)=\lim_{x\to0}\frac{1}{x+2}=\frac{1}{2}$

04 (1) $\displaystyle\lim_{x\to0+}\frac{|x|}{x}=\lim_{x\to0+}\frac{x}{x}=1$

(2) $\displaystyle\lim_{x\to0-}\frac{|x|}{x}=\lim_{x\to0-}\frac{-x}{x}=-1$

(3) $\displaystyle\lim_{x\to1+}\frac{|x-1|}{x-1}=\lim_{x\to1+}\frac{x-1}{x-1}=1$

(4) $\displaystyle\lim_{x\to1-}\frac{|x-1|}{x-1}=\lim_{x\to1-}\frac{-(x-1)}{x-1}=-1$

(5) $x=2.1$을 대입하면 $[-1.1]=-2$

(6) $\displaystyle\lim_{x\to0-}\frac{x}{[x]}=\lim_{x\to0-}\frac{0}{-1}=0$

05 $\displaystyle\lim_{x\to\infty}\frac{x^2-2f(x)}{x^2+\{f(x)\}^2}$의 분모와 분자를 각각 x^2으로 나누면

$$\lim_{x\to\infty}\frac{1-\dfrac{2f(x)}{x^2}}{1+\left\{\dfrac{f(x)}{x}\right\}^2}=\lim_{x\to\infty}\frac{1-0}{1+1}=\frac{1}{2}$$

개념 06 함수의 극한의 대소관계와 미정계수의 결정

16쪽

예 $<$ / 0 / 0 / $\leq$

예 수렴 / 0 / $a+2$ / 0 / -2

예 0 / 수렴 / 0 / $-3+a$ / 0 / 3

01 (1) 1 (2) 1 (3) 5

(4) 4 (5) -3

02 (1) -2 (2) 4 (3) 2

03 (1) $a=2$, $b=0$ (2) $a=4$, $b=-5$

(3) $a=6$, $b=5$ (4) $a=-6$, $b=8$

04 (1) $a=\dfrac{1}{2}$, $b=0$ (2) $a=0$, $b=-1$

(3) $a=-5$, $b=6$ (4) $a=3$, $b=2$

05 (1) $a=0$, $b=0$ (2) $a=0$, $b=0$

(3) $a=0$, $b=0$ (4) $a=0$, $b=0$

(5) $a=0$, $b=0$

06 (1) $a=0$, $b=2$ (2) $a=0$, $b=1$

(3) $a=0$, $b=3$ (4) $a=0$, $b=-4$

07 (1) x^2-x (2) $4x^2+10x+6$

도전! 1등급 **08** ④ **09** ②

01 (1) $\displaystyle\lim_{x\to1}(2x-1)=1$, $\displaystyle\lim_{x\to1}x^2=1$ $\therefore\displaystyle\lim_{x\to1}f(x)=1$

(2) $\displaystyle\lim_{x\to\frac{1}{2}}(4x-1)=1$, $\displaystyle\lim_{x\to\frac{1}{2}}4x^2=1$ $\therefore\displaystyle\lim_{x\to\frac{1}{2}}f(x)=1$

(3) $\displaystyle\lim_{x\to1}(4x+1)=5$ $\displaystyle\lim_{x\to1}(x^2+4)=5$ $\therefore\displaystyle\lim_{x\to1}f(x)=5$

(4) $\displaystyle\lim_{x\to-1}(x^2+3)=4$, $\displaystyle\lim_{x\to-1}(x^3+5)=4$ $\therefore\displaystyle\lim_{x\to-1}f(x)=4$

(5) $\displaystyle\lim_{x\to0}(3x^3-3)=-3$, $\displaystyle\lim_{x\to0}(4x^3-3)=-3$

$\therefore\displaystyle\lim_{x\to0}f(x)=-3$

02 (1) $\displaystyle\lim_{x\to-1}\frac{x^2-1}{x+1}=\lim_{x\to-1}(x-1)=-2$

$$\lim_{x\to-1}\frac{2x^2+2x}{x+1}=\lim_{x\to-1}2x=-2이므로$$

$$\lim_{x\to-1}\frac{f(x)}{x+1}=-2$$

(2) $\lim\limits_{x\to\infty}\dfrac{(2x+1)^2}{x^2+1}=4$, $\lim\limits_{x\to\infty}\dfrac{(2x+5)^2}{x^2+1}=4$이므로

$$\lim_{x\to\infty}\dfrac{\{f(x)\}^2}{x^2+1}=4$$

(3) $\lim\limits_{x\to1}\dfrac{x^2-1}{x-1}=\lim\limits_{x\to1}(x+1)=2$

$\lim\limits_{x\to1}\dfrac{2x^2-2x}{x-1}=\lim\limits_{x\to1}2x=2$이므로

$$\lim_{x\to1}\dfrac{f(x)}{x-1}=2$$

03 (1) $\lim\limits_{x\to0}\dfrac{x^2+ax+b}{x}=2$에서 분모에 $x=0$을 대입하면 분모가

0이고 $\dfrac{0}{0}$꼴이므로 분자에 $x=0$을 대입하면 0이 된다.

$\therefore b=0$

$\lim\limits_{x\to0}\dfrac{x^2+ax}{x}=\lim\limits_{x\to0}\dfrac{x(x+a)}{x}=\lim\limits_{x\to0}(x+a)=2$ $\therefore a=2$

(2) $\lim\limits_{x\to1}\dfrac{x^2+ax+b}{x-1}=6$에서 분모에 $x=1$을 대입하면 분모가

0이고 $\dfrac{0}{0}$꼴이므로 분자에 $x=1$을 대입하면 0이 된다.

$\therefore 1+a+b=0$

$\lim\limits_{x\to1}\dfrac{x^2+ax-(a+1)}{x-1}=\lim\limits_{x\to1}\dfrac{(x-1)(x+a+1)}{x-1}$

$\qquad\qquad=\lim\limits_{x\to1}(x+a+1)=a+2=6$

$\therefore a=4$ $\therefore b=-5$

(3) $\lim\limits_{x\to-1}\dfrac{x^2+ax+b}{x+1}=4$에서 분모에 $x=-1$을 대입하면

분모가 0이고 $\dfrac{0}{0}$꼴이므로 분자에 $x=-1$을 대입하면

0이 된다.

$\therefore 1-a+b=0$

$\lim\limits_{x\to-1}\dfrac{x^2+ax+(a-1)}{x+1}=\lim\limits_{x\to-1}\dfrac{(x+1)(x+a-1)}{x+1}$

$\qquad\qquad=\lim\limits_{x\to-1}(x+a-1)=a-2=4$

$\therefore a=6,\ b=5$

(4) $\lim\limits_{x\to2}\dfrac{x^2+ax+b}{x-2}=-2$에서 분모에 $x=2$를 대입하면

분모가 0이고 $\dfrac{0}{0}$꼴이므로 분자에 $x=2$을 대입하면 0이

된다.

$\therefore 4+2a+b=0$

$\lim\limits_{x\to2}\dfrac{x^2+ax-2(a+2)}{x-2}=\lim\limits_{x\to2}\dfrac{(x-2)(x+a+2)}{x-2}$

$\qquad=\lim\limits_{x\to2}(x+a+2)=a+4=-2$

$\therefore a=-6$ $\therefore b=8$

04 (1) $\lim\limits_{x\to0}\dfrac{x}{x^2+ax+b}=2$에서 분자에 $x=0$을 대입하면

분자가 0이고 $\dfrac{0}{0}$꼴이므로 분모에 $x=0$을 대입하면

분모가 0이 된다. $\therefore b=0$

$\lim\limits_{x\to0}\dfrac{x}{x^2+ax}=\lim\limits_{x\to0}\dfrac{x}{x(x+a)}=\dfrac{1}{a}=2$ $\therefore a=\dfrac{1}{2}$

(2) $\lim\limits_{x\to1}\dfrac{x-1}{x^2+ax+b}=\dfrac{1}{2}$에서 분자에 $x=1$을 대입하면 분자가

0이고 $\dfrac{0}{0}$꼴이므로 분모에 $x=1$을 대입하면 분모가 0이 된다.

$\therefore 1+a+b=0$

$\lim\limits_{x\to1}\dfrac{x-1}{x^2+ax-(a+1)}=\lim\limits_{x\to1}\dfrac{x-1}{(x-1)(x+a+1)}$

$\qquad\qquad=\dfrac{1}{a+2}=\dfrac{1}{2}$ $\therefore a=0,\ b=-1$

(3) $\lim\limits_{x\to3}\dfrac{x-3}{x^2+ax+b}=1$에서 분자에 $x=3$을 대입하면 분자가

0이고 $\dfrac{0}{0}$꼴이므로 분모에 $x=3$을 대입하면 분모가 0이 된다.

$\therefore 9+3a+b=0$

$\lim\limits_{x\to3}\dfrac{x-3}{x^2+ax-3(a+3)}=\lim\limits_{x\to3}\dfrac{x-3}{(x-3)(x+a+3)}$

$\qquad=\dfrac{1}{a+6}=1$ $\therefore a=-5,\ b=6$

(4) $\lim\limits_{x\to-1}\dfrac{x+1}{x^2+ax+b}=1$에서 분자에 $x=-1$을 대입하면

분자가 0이고 $\dfrac{0}{0}$꼴이므로 분모에 $x=-1$을 대입하면

분모가 0이 된다. $\therefore 1-a+b=0$

$\lim\limits_{x\to-1}\dfrac{x+1}{x^2+ax+(a-1)}=\lim\limits_{x\to-1}\dfrac{x+1}{(x+1)(x+a-1)}$

$\qquad\qquad=\dfrac{1}{a-2}=1$ $\therefore a=3,\ b=2$

05 (1) $\dfrac{\infty}{\infty}$꼴은 (분모의 차수) > (분자의 차수)인 경우 극한값이

0이 된다.

06 (1) $\dfrac{\infty}{\infty}$꼴은 (분모의 차수) = (분자의 차수)인 경우 극한값이

0이 아닌 상수가 된다.

07 (1) $\lim\limits_{x\to\infty}\dfrac{f(x)}{x^2}=1$에서 $f(x)$는 2차식이므로 $f(x)=x^2+ax+b$

$\lim\limits_{x\to1}\dfrac{f(x)}{x-1}=\lim\limits_{x\to1}\dfrac{x^2+ax+b}{x-1}$에서 분자는 $1+a+b=0$

$\lim\limits_{x\to1}\dfrac{f(x)}{x-1}=\lim\limits_{x\to1}\dfrac{x^2+ax+b}{x-1}=\lim\limits_{x\to1}\dfrac{x^2+ax-(a+1)}{x-1}$

$\qquad=\lim\limits_{x\to1}\dfrac{(x-1)(x+a+1)}{x-1}=a+2=1$

$\therefore a=-1,\ b=0$

(2) $\lim\limits_{x\to\infty}\dfrac{f(x)}{2x^2+x}=2$에서 $f(x)$는 2차식이므로

$f(x)=4x^2+ax+b$

$\lim\limits_{x\to-1}\dfrac{f(x)}{x+1}=\lim\limits_{x\to-1}\dfrac{4x^2+ax+b}{x+1}$에서 분자는 $4-a+b=0$

$\lim\limits_{x\to-1}\dfrac{f(x)}{x+1}=\lim\limits_{x\to-1}\dfrac{4x^2+ax+b}{x+1}=\lim\limits_{x\to-1}\dfrac{4x^2+ax+(a-4)}{x+1}$

$\qquad=\lim\limits_{x\to-1}\dfrac{(x+1)(4x+a-4)}{x+1}=a-8=2$ $\therefore a=10,\ b=6$

08 $\lim\limits_{x\to\infty}\dfrac{x-3}{x}=1$, $\lim\limits_{x\to\infty}\dfrac{x+3}{x}=1$ $\therefore \lim\limits_{x\to\infty}\dfrac{f(x)}{x}=1$

09 (가) $\lim\limits_{x\to\infty}\dfrac{f(x)-x^3}{x^2}=1$에서 $f(x)=x^3+x^2+ax+b$

(나) $\lim\limits_{x \to 1} \dfrac{f(x)}{x-1} = \lim\limits_{x \to 1} \dfrac{x^3+x^2+ax+b}{x-1} = 2$에서

분모에 $x=1$을 대입하면 0이므로 분자에 $x=1$을
대입해도 $2+a+b=0$이고

$\lim\limits_{x \to 1} \dfrac{x^3+x^2+ax-(a+2)}{x-1} = 2$

$\lim\limits_{x \to 1} \dfrac{(x-1)\{x^2+2x+(a+2)\}}{x-1} = a+5 = 2$

$\therefore a=-3, \ b=1$

따라서 $f(x)=x^3+x^2-3x+1$ 이므로 $f(2)=7$

20~23쪽

必 개념 정복

01 (1) -1　　　(2) 14　　　(3) 1

(4) $\dfrac{2}{3}$　　　(5) $\dfrac{1}{5}$　　　(6) 4

(7) 1　　　(8) 2

02 (1) 2　　　(2) -1　　　(3) 4

(4) 27　　　(5) 12　　　(6) 6

(7) -1

03 (1) 1, 1　　　(2) 1, 0　　　(3) 4, 4

(4) $-2, \ -1$

04 (1) 1　　　(2) -4　　　(3) 0

(4) 4

05 (1) 2, 2, 2　　　(2) 0, 0, 0　　　(3) 0, 0, 0

(4) $-1, \ -1, \ -1$

06 (1) 11　　　(2) $-\dfrac{5}{3}$　　　(3) -56

(4) -33

07 (1) $-\dfrac{1}{2}$　　　(2) 0　　　(3) $\dfrac{1}{2}$

(4) $\dfrac{7}{4}$　　　(5) $\dfrac{1}{3}$

08 (1) ∞　　　(2) $-\infty$　　　(3) $-\dfrac{1}{9}$

(4) $\dfrac{\sqrt{2}}{8}$

09 (1) 4　　　(2) -1　　　(3) 2

10 (1) ∞　　　(2) 0　　　(3) $\dfrac{1}{2}$

(4) $-\infty$

11 (1) $a=4, \ b=0$　　　(2) $a=-3, \ b=0$

(3) $a=\dfrac{1}{2}, \ b=0$　　　(4) $a=-2, \ b=0$

(5) $a=1, \ b=\dfrac{1}{2}$

12 (1) x^3+x^2+3x　　　(2) $2x^2-6x+4$

(3) x^2-x-2

02 (1) $\lim\limits_{x \to 0} \dfrac{x(x+2)}{x} = 2$

(2) $\lim\limits_{x \to 0} \dfrac{x(3x-1)}{x} = -1$

(3) $\lim\limits_{x \to 2} \dfrac{(x-2)(x+2)}{x-2} = 4$

(4) $\lim\limits_{x \to 3} \dfrac{(x-3)(x^2+3x+9)}{x-3} = 27$

(5) $\lim\limits_{x \to -2} \dfrac{(x+2)(x^2-2x+4)}{x+2} = 12$

(6) $\lim\limits_{x \to -1} \dfrac{(x+1)(x-1)(x-2)}{x+1} = 6$

(7) $\lim\limits_{x \to 1} \dfrac{(x-1)^2(x-2)}{(x-1)^2} = -1$

03 (1) $\lim\limits_{x \to 1+} = \dfrac{x(x-1)}{x-1} = \lim\limits_{x \to 1+} x = 1$

$\lim\limits_{x \to 1-} \dfrac{x(x-1)}{x-1} = \lim\limits_{x \to 1-} x = 1$

(2) $\lim\limits_{x \to 1+} [x] = 1, \ \lim\limits_{x \to 1-} [x] = 0$

(3) $\lim\limits_{x \to 1+} (x+3) = 4, \ \lim\limits_{x \to 1-} = (2x+2) = 4$

(4) $\lim\limits_{x \to 1+} (x^2-3x) = -2, \ \lim\limits_{x \to 1-} -x^2 = -1$

04 (1) $x=1$을 대입하면 $a+3=4$ $\therefore a=1$

(2) $x=2$를 대입하면 $-2a+3=11$ $\therefore a=-4$

(3) $x=-1$을 대입하면 $4+1=-a+5$ $\therefore a=0$

(4) $x=0$을 대입하면 $4=a$

05 (1)

(2)

(3)

(4)

06 (1) $3-2 \times (-4) = 11$

(2) $\dfrac{3+2}{-4+1} = \dfrac{5}{-3}$

(3) $(2 \times 3 + 1)(-4-4) = 7 \times (-8) = -56$

(4) $\left(-\dfrac{3}{4}-2\right)(8+4) = \left(-\dfrac{11}{4}\right) \times 12 = -33$

07 (1) $\lim\limits_{x\to 0}\dfrac{x(x-1)}{2x}=-\dfrac{1}{2}$

(2) $\lim\limits_{x\to -1}\dfrac{(x+1)^2}{x+1}=\lim\limits_{x\to -1}(x+1)=0$

(3) $\lim\limits_{x\to -3}\dfrac{x^2+4x+3}{x^2+2x-3}=\lim\limits_{x\to -3}\dfrac{(x+1)(x+3)}{(x-1)(x+3)}$

$\lim\limits_{x\to -3}\dfrac{x+1}{x-1}=\dfrac{-2}{-4}=\dfrac{1}{2}$

(4) $\lim\limits_{x\to \frac{1}{2}}\dfrac{2x^2+5x-3}{4x^2-1}=\lim\limits_{x\to \frac{1}{2}}\dfrac{(2x-1)(x+3)}{(2x-1)(2x+1)}$

$\lim\limits_{x\to \frac{1}{2}}\dfrac{x+3}{2x+1}=\dfrac{\frac{7}{2}}{2}=\dfrac{7}{4}$

(5) $\lim\limits_{x\to -1}\dfrac{x+1}{x^3+1}=\lim\limits_{x\to -1}\dfrac{x+1}{(x+1)(x^2-x+1)}=\dfrac{1}{3}$

08 (1) $\lim\limits_{x\to \infty}x^3\left(1-\dfrac{4}{x}+\dfrac{6}{x^2}-\dfrac{3}{x^3}\right)=\infty$

(2) $\lim\limits_{x\to \infty}x^3\left(-4+\dfrac{1}{x}+\dfrac{1}{x^2}+\dfrac{1}{x^3}\right)=-\infty$

(3) $\lim\limits_{x\to 2}\dfrac{1}{x-2}\left\{\dfrac{3-x-1}{3(x+1)}\right\}=\lim\limits_{x\to 2}\dfrac{1}{x-2}\times\dfrac{-(x-2)}{3(x+1)}=-\dfrac{1}{9}$

(4) $\lim\limits_{x\to 2}\dfrac{1}{x-2}\left(\dfrac{\sqrt{x}-\sqrt{2}}{\sqrt{2x}}\right)=\lim\limits_{x\to 2}\dfrac{1}{\sqrt{x}+\sqrt{2}}\times\dfrac{1}{\sqrt{2x}}=\dfrac{1}{4\sqrt{2}}=\dfrac{\sqrt{2}}{8}$

09 (1) $\lim\limits_{x\to 2}(4x-4)=4,\ \lim\limits_{x\to 2}(x^2-2x+4)=4$

$\therefore \lim\limits_{x\to 2}f(x)=4$

(2) $\lim\limits_{x\to 1}(4x-5)=-1,\ \lim\limits_{x\to 1}(x^2-2)=-1$

$\therefore \lim\limits_{x\to 1}f(x)=-1$

(3) $\lim\limits_{x\to \frac{1}{3}}(6x)=2,\ \lim\limits_{x\to \frac{1}{3}}(9x^2+1)=2$

$\therefore \lim\limits_{x\to \frac{1}{3}}f(x)=2$

10 (1) (분자의 차수) > (분모의 차수)

(2) (분자의 차수) < (분모의 차수)

(3) (분자의 차수) = (분모의 차수)이므로 최고차항의 계수 $\dfrac{1}{2}$

(4) (분자의 차수) > (분모의 차수)이지만 x가 $-\infty$로 가고 있다.

11 (1) 분모가 $x=0$을 대입하면 0이 되므로

분자 $\lim\limits_{x\to 0}(2x^2+ax+b)=0$에서 $\therefore b=0$

$\lim\limits_{x\to 0}\dfrac{x(2x+a)}{x}=4\ \therefore a=4$

(2) 분모가 $x=1$을 대입하면 0이 되므로

분자 $\lim\limits_{x\to 1}(3x^2+ax+b)=3+a+b=0$에서

$b=-a-3\cdots\ominus$

$\lim\limits_{x\to 1}\dfrac{3x^2+ax-(a+3)}{x-1}=\lim\limits_{x\to 1}\dfrac{(x-1)(3x+a+3)}{x-1}=3$

$a+6=3\ \therefore a=-3$

$\ominus$에 의하여 $\therefore b=0$

(3) 분모가 $x=-1$을 대입하면 0이 되므로

분자 $\lim\limits_{x\to -1}(x^2+2ax+b)=1-2a+b=0$에서

$b=2a-1\cdots\ominus$

$\lim\limits_{x\to -1}\dfrac{x^2+2ax+(2a-1)}{x+1}=\lim\limits_{x\to -1}\dfrac{(x+1)(x+2a-1)}{x+1}=-1$

$-1+2a-1=-1\ \therefore a=\dfrac{1}{2}$

$\ominus$에 의하여 $\therefore b=0$

(4) 분모가 $x=2$을 대입하면 0이 되므로

분자 $\lim\limits_{x\to 2}(x^2+ax-b)=4+2a-b=0$에서

$b=2a+4\cdots\ominus$

$\lim\limits_{x\to 2}\dfrac{x^2+ax-2(a+2)}{x-2}=\lim\limits_{x\to 2}\dfrac{(x-2)(x+a+2)}{x-2}$

$a+4=2\ \therefore a=-2$

$\ominus$에 의하여 $\therefore b=0$

(5) 분모가 $x=1$을 대입하면 0이 되므로

분자 $\lim\limits_{x\to 1}(2x^2-3x+a)=2-3+a=0\ \therefore a=1$

$\lim\limits_{x\to 1}\dfrac{2x^2-3x+1}{x^2-1}=\lim\limits_{x\to 1}\dfrac{(2x-1)(x-1)}{(x+1)(x-1)}=\dfrac{1}{2}$

$\therefore b=\dfrac{1}{2}$

12 (1) $f(x)=x^3+x^2+ax+b$이므로

$\lim\limits_{x\to 0}\dfrac{x^3+x^2+ax+b}{x}=3$에서 분모가 0이므로

분자도 $x=0$을 대입하면 0이 되므로 $b=0$이고

$\lim\limits_{x\to 0}\dfrac{x(x^2+x+a)}{x}=3\ \therefore a=3$

$\therefore f(x)=x^3+x^2+3x$

(2) $f(x)=2x^2+ax+b$이므로

$\lim\limits_{x\to 1}\dfrac{2x^2+ax+b}{x^2-1}=-1$에서 분모가 0 이므로

분자도 $x=1$을 대입하면 0이 되므로

$2+a+b=0,\ b=-a-2\cdots\ominus$

$\lim\limits_{x\to 1}\dfrac{2x^2+ax-(a+2)}{x^2-1}=\lim\limits_{x\to 1}\dfrac{(x-1)(2x+a+2)}{(x-1)(x+1)}$

$=\dfrac{a+4}{2}=-1\ \therefore a=-6$

$\ominus$에 의하여 $\therefore b=4$

$\therefore f(x)=2x^2-6x+4$

(3) $f(x)=x^2+ax+b$이므로

$\lim\limits_{x\to 2}\dfrac{x^2+ax+b}{x-2}=3$에서 분모가 0 이므로

분자도 $x=2$를 대입하면 0이 되므로

$4+2a+b=0,\ b=-2a-4\cdots\ominus$

$\lim\limits_{x\to 2}\dfrac{x^2+ax-2(a+2)}{x-2}=\lim\limits_{x\to 2}\dfrac{(x-2)(x+a+2)}{x-2}$

$=a+4=3,\ \therefore a=-1$

$\ominus$에 의하여 $\therefore b=-2$

$\therefore f(x)=x^2-x-2$

2 함수의 연속

 07 함수의 연속과 불연속

24쪽

예 정의되어 있고 / 존재하고 / 2 / 2 / =

예 정의되어 있지 않고 / 존재하지 않으므로 / 불연속

01 (1) 연속　　　　(2) 불연속　　　　(3) 불연속
　　(4) 연속　　　　(5) 불연속　　　　(6) 불연속

02 (1) 연속　　　　(2) 불연속(2)　　　(3) 연속
　　(4) 연속　　　　(5) 불연속(2)　　　(6) 불연속(1)
　　(7) 불연속(2)　　(8) 불연속(3)

도전! 1등급 **03** ③

01 (2) 극한값은 좌극한과 우극한이 같아서 존재하지만 함숫값은 존재하지 않는다. 즉 $\lim_{x \to a} f(x) \ne f(a)$

(5) $\lim_{x \to 1-} f(x) = 2$, $\lim_{x \to 1+} f(x) = 1$, $f(1) = 1$
우극한과 좌극한이 다르므로 극한값이 존재하지 않는다.

(6) $\lim_{x \to 1-} f(x) = -\infty$, $\lim_{x \to 1+} f(x) = +\infty$
우극한과 좌극한이 다르므로 극한값이 존재하지 않는다.

02 (2)

$\lim_{x \to 0-} f(x) = -\infty$, $\lim_{x \to 0+} f(x) = +\infty$
우극한과 좌극한이 다르므로 극한값이 존재하지 않는다.

(5)

$\lim_{x \to 0-} f(x) = -1$, $\lim_{x \to 0+} f(x) = 0$
우극한과 좌극한이 다르므로 극한값이 존재하지 않는다.

(6)

극한값 $\lim_{x \to 0} f(x)$는 존재하지만 $x = 0$에서 함숫값이 정의되지 않는다.

(7) $\lim_{x \to 0-} f(x) = 1$, $\lim_{x \to 0+} f(x) = 0$
우극한과 좌극한이 다르므로 극한값이 존재하지 않는다.

(8) 극한값은 좌극한과 우극한이 같아서 존재하지만 함숫값과 같지 않다. 즉 $\lim_{x \to 0} f(x) = 2 \ne f(0) = 0$

03 ㉠ $x \to 0+$일 때, 함수 $f(x) = \dfrac{1}{x}$의 값은 ∞로 발산한다.

즉 $\lim_{x \to 0+} \dfrac{1}{x} = \infty$

㉡ $x < 0$일 때, $|x| = -x$이므로 $\lim_{x \to 0-} \dfrac{|x|}{x} = \lim_{x \to 0-} \dfrac{-x}{x} = -1$

㉢ $\lim_{x \to 1} \dfrac{x^2 - 1}{x - 1} = \lim_{x \to 1} \dfrac{(x+1)(x-1)}{x-1} = \lim_{x \to 1} (x+1) = 2$

㉣ $\lim_{x \to 2+} \dfrac{[x]}{x} = \lim_{x \to 2+} \dfrac{2}{x} = 1$, $\lim_{x \to 2-} \dfrac{[x]}{x} = \lim_{x \to 2-} \dfrac{1}{x} = \dfrac{1}{2}$

즉 $\lim_{x \to 2+} \dfrac{[x]}{x} \ne \lim_{x \to 2-} \dfrac{[x]}{x}$이므로 극한값은 존재하지 않는다.

08 함수의 연속성에 대한 여러 가지문제

26쪽

01 (1) 1　　　　(2) 4　　　　(3) 3

02 (1) 2　　　　(2) -7　　　(3) -4
　　(4) 3　　　　(5) -6

03 (1) -1　　　(2) 3　　　　(3) 2
　　(4) 4　　　　(5) $\dfrac{1}{12}$

04 (1) ⅰ) 0, $\dfrac{1}{2}$ ⅱ) 1, $\dfrac{2}{3}$ ⅲ) x^n, $\dfrac{1 + \dfrac{1}{x^n}}{1 + \dfrac{2}{x^n}}$, 1

　　　/ -1, 1

　(2) ⅰ) 0, $2x$ ⅱ) 1, $\dfrac{3}{2}$ ⅲ) x^n, $\dfrac{x + \dfrac{2}{x^{n-1}}}{1 + \dfrac{1}{x^n}}$, x

　　　/ -1, 1

도전! 1등급 **05** ④

01 (1) $\lim_{x \to 1} f(x) = \lim_{x \to 1} \dfrac{x(x-1)}{x-1} = 1 = f(1)$

(2) $\lim_{x \to 2} f(x) = \lim_{x \to 2} \dfrac{(x+2)(x-2)}{x-2}$
$= \lim_{x \to 2} (x+2) = 4 = f(2)$

(3) $\lim_{x \to -1} f(x) = \lim_{x \to -1} \dfrac{(x+1)(x^2 - x + 1)}{x+1}$
$= \lim_{x \to -1} (x^2 - x + 1) = 3 = f(-1)$

02 (1) $\lim_{x \to 3-} f(x) = a$, $\lim_{x \to 3+} f(x) = 2$
∴ $a = 2$

(2) $\lim_{x \to 2-} f(x) = 8 + a$, $\lim_{x \to 2+} f(x) = 1$
∴ $a = -7$

(3) $\lim_{x \to 1-} f(x) = -a - 2$, $\lim_{x \to 1+} f(x) = 2$
∴ $-a - 2 = 2$

$\therefore a=-4$

(4) $\displaystyle\lim_{x\to-1-}f(x)=-2+a$, $\displaystyle\lim_{x\to-1+}f(x)=1$

$\therefore -2+a=1$

$\therefore a=3$

(5) $\displaystyle\lim_{x\to-2-}f(x)=4+a$, $\displaystyle\lim_{x\to-2+}f(x)=-2$

$\therefore a+4=-2$

$\therefore a=-6$

03 (1) $\displaystyle\lim_{x\to0}(x^2-1)=-1$, $f(0)=a=-1$

(2) $\displaystyle\lim_{x\to1}\sqrt{x^2+8}=3$, $f(1)=a=3$

(3) $\displaystyle\lim_{x\to-1}\frac{(x+1)(x+3)}{x+1}=\lim_{x\to-1}(x+3)=2$, $f(-1)=a=2$

(4) $\displaystyle\lim_{x\to4}\frac{(\sqrt{x}+2)(\sqrt{x}-2)}{\sqrt{x}-2}=\lim_{x\to4}(\sqrt{x}+2)=4$, $f(4)=a=4$

(5) $\displaystyle\lim_{x\to-2}\frac{x+2}{x^3+8}=\lim_{x\to-2}\frac{1}{x^2-2x+4}=\frac{1}{12}$, $f(-2)=a=\frac{1}{12}$

05 i) $x=1$에서 $\displaystyle\lim_{x\to1-}g(x)=\lim_{x\to1-}xf(x)=1\times2=2$

$\displaystyle\lim_{x\to1+}g(x)=\lim_{x\to1+}xf(x)=1\times2=2$

$g(1)=1\times f(1)=1$

$\displaystyle\lim_{x\to1-}g(x)\neq g(1)$ 불연속

ii) $x=3$에서 $\displaystyle\lim_{x\to3-}g(x)=\lim_{x\to3-}xf(x)=3\times0=0$

$\displaystyle\lim_{x\to3+}g(x)=\lim_{x\to3+}xf(x)=3\times0=0$

$g(3)=3\times f(3)=3\times1=3$

$\displaystyle\lim_{x\to3}g(x)\neq g(3)$ 불연속

개념 09 연속함수의 성질

28쪽

예 연속 / 연속 / 연속 / -1 / 0

01 (1) $[-3, 5]$ (2) $[-2, 10)$

(3) $(-3\sqrt{3}, \sqrt{3})$ (4) $\left(\frac{1}{3}, \infty\right)$

(5) $(-\infty, 100]$

02 (1) $[2, \infty)$ (2) $(-\infty, \infty)$

(3) $(-\infty, -1)\cup(-1, \infty)$

(4) $(-\infty, 3)\cup(3, \infty)$ (5) $[-2, 2]$

03 (1) $(-\infty, \infty)$ (2) $(-\infty, \infty)$

(3) $(-\infty, \infty)$ (4) $(-\infty, \infty)$

(5) $(-\infty, -1)\cup(-1, 3)\cup(3, \infty)$

(6) $(-\infty, -2)\cup(-2, \infty)$

(7) $[-2, \infty)$

(8) $(-\infty, -1]\cup[3, \infty)$

04 (1) ○   (2) ×   (3) ○

(4) ×   (5) ×   (6) ○

도전! 1등급 **05** ②

02 (1) $x-2\geq0$이므로 $\{x\mid x\geq2\}$

(3) $x\neq-1$이므로 $\{x\mid x<-1$ 또는 $x>-1\}$

(4) $f(x)=\frac{x(x-3)}{x-3}=x(x\neq3)$이므로 $\{x\mid x<3$ 또는 $x>3\}$

(5) $4-x^2\geq0 \Leftrightarrow (x+2)(x-2)\leq0$이므로 $\{x\mid-2\leq x\leq2\}$

03 (5) $\frac{x+2}{x^2-2x-3}=\frac{x+2}{(x+1)(x-3)}$는 $x\neq-1$, $x\neq3$인 모든 실수 x에서 연속

(6) $\frac{x^2-2x-3}{x+2}=\frac{(x+1)(x-3)}{x+2}$는 $x\neq-2$인 모든 실수 x에서 연속

(7) $x+2\geq0$이어야 하므로 $\therefore x\geq-2$

(8) $(x+1)(x-3)\geq0$이어야 하므로 $\therefore x\leq-1$ 또는 $x\geq3$

04 (2) $f(x)=x$, $g(x)=\frac{1}{x}$인 경우 $f(x)g(x)=1$이 되어 연속이지만 $g(x)$는 $x=0$에서 불연속이다.

(4) $f(x)=3x$, $g(x)=x$인 경우 연속이지만 $\frac{1}{f(x)-g(x)}=\frac{1}{2x}$이 되어 $x=0$에서 불연속이다.

(5) $f(x)=3x$, $g(x)=x^2$인 경우 연속이지만 $\frac{f(x)}{g(x)}=\frac{3}{x}$이 되어 $x=0$에서 불연속이다.

05 ① $f(x)+g(x)=\frac{1}{x}+x^2+1$은 $x=0$에서 불연속

② $(f\circ g)(x)=\frac{1}{g(x)}=\frac{1}{x^2+1}$은 모든 실수에서 연속

③ $\frac{f(x)}{g(x)}=\frac{1}{x(x^2+1)}$은 $x=0$에서 불연속

④ $(g\circ f)(x)=\frac{1}{x^2}+1$은 $x=0$에서 불연속

⑤ $f(x)g(x)=\frac{x^2+1}{x}$은 $x=0$에서 불연속

개념 10 연속함수의 성질

30쪽

예 1 / 0

예 0 / 1 / $\neq$ / $(0, 1)$

예 $<$ / $(-1, 1)$

01 (1) ○   (2) ○   (3) ×

(4) ×

02 (1) ○   (2) ×   (3) ○

(4) ○

03 (1) ~ (4) 풀이 참조

04 (1) ×   (2) ×   (3) ○

(4) ×

도전! 1등급 **05** ①

---

02 (1) 연속, 최댓값 : 4, 최솟값 : -2

(2) 불연속, 최댓값 : 2, 최솟값 : 0

(3) 연속, 최댓값 : 7, 최솟값 : 3

(4) 연속, 최댓값 : 2, 최솟값 : $\sqrt{2}$

03 (1) $f(x)$는 구간 $[-2, 2]$에서 연속이고

$f(-2)=-7$, $f(2)=9$이므로 $f(-2)\neq f(2)$

따라서 $-7<1<9$이므로 $f(c)=1$을 만족하는 c가

$(-2, 2)$에 반드시 존재한다.

(2) $f(x)$는 구간 $[1, 2]$에서 연속이고

$f(1)=1$, $f(2)=\dfrac{1}{2}$이므로 $f(1)\neq f(2)$

따라서 $\dfrac{1}{2}<\dfrac{3}{4}<1$이므로 $f(c)=\dfrac{3}{4}$을 만족하는 c가

$(1, 2)$에 반드시 존재한다.

(3) $f(x)$는 구간 $[-1, 2]$에서 연속이고

$f(-1)=-2$, $f(2)=7$이므로 $f(-1)\neq f(2)$

따라서 $-2<0<7$이므로 $f(c)=0$을 만족하는 c가

$(-1, 2)$에 반드시 존재한다.

(4) $f(x)$는 구간 $[0, 8]$에서 연속이고

$f(0)=-1$, $f(8)=1$이므로 $f(0)\neq f(8)$

따라서 $-1<0<1$이므로 $f(c)=0$을 만족하는 c가

$(0, 8)$에 반드시 존재한다.

04 (1) $f(-1)=-1-1-2-3=-7$

$f(0)=-3$

$\therefore f(-1)f(0)>0$

(2) $f(1)=1-1+2-3=-1$

$\therefore f(0)f(1)>0$

(3) $f(2)=8-4+4-3=5$

$\therefore f(1)f(2)<0$

(4) $f(3)=27-8+6-3=22$

$\therefore f(2)f(3)>0$

05 $f(0)=a$, $f(1)=a+2$

$a(a+2)<0$ $\therefore -2<a<0$

$\therefore -2+0=-2$

必 개념 정복   32~35쪽

01 (1) 연속   (2) 불연속(1), (2)   (3) 연속

(4) 연속   (5) 불연속(1)   (6) 불연속(2)

02 (1) 1   (2) -2 (3) 3

(4) 2   (5) 0

03 (1) 1   (2) -2 (3) -2

(4) -3 (5) 9

04 (1) -5 (2) 3   (3) 6

(4) 2   (5) 4

05 (1) ① $-2x$ ② 1   ③ -1

④ -1, 1, 불연속

(2) ① $3x+1$ ② x ③ $\dfrac{5}{2}$

④ -1, 1, 불연속

(3) ① $-\dfrac{1}{2}$ ② 1   ③ -2

④ -1, 1, 불연속

06 (1) $(-\infty, \infty)$

(2) $(-\infty, \infty)$

(3) $(-\infty, \infty)$

(4) $(-\infty, \infty)$

(5) $(-\infty, \infty)$

(6) $(-\infty, 1)\cup(1, \infty)$

(7) $(-\infty, 1)\cup(1, 2)\cup(2, \infty)$

(8) $[1, \infty)$

(9) $(-\infty, 1]\cup[2, \infty)$

07 (1) ○   (2) ×   (3) ×

(4) ○   (5) ○

08 (1) ×   (2) ×   (3) ×

(4) ○   (5) ○

09 (1) $-4<a<0$

(2) $-7<a<3$

(3) $0<a<1$

(4) $-18<a<0$

01 (1)

(2)

(3)

(4)

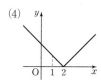

(5)

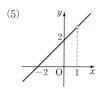

$$f(x)=\frac{x^2+x-2}{x-1}=\frac{(x-1)(x+2)}{x-1}=x+2\,(x\neq 1)$$

(6)

$$\lim_{x\to 1-}f(x)=-1+2=1$$
$$\lim_{x\to 1+}f(x)=1+2=3$$

02 (1) $f(x)$는 $x=2$에서 연속이므로 $f(2)=\lim\limits_{x\to 2}f(x)$이다.

$$\therefore f(2)=\lim_{x\to 2}\frac{x^2-3x+2}{x-2}=\lim_{x\to 2}\frac{(x-1)(x-2)}{x-2}$$
$$=\lim_{x\to 2}(x-1)=1$$

(2) $f(x)$는 $x=1$에서 연속이므로 $f(1)=\lim\limits_{x\to 1}f(x)$이다.

$$\therefore f(1)=\lim_{x\to 1}\frac{x^3-2x^2-x+2}{x-1}$$
$$=\lim_{x\to 1}\frac{(x+1)(x-1)(x-2)}{x-1}$$
$$=\lim_{x\to 1}(x+1)(x-2)=-2$$

(3) $f(x)$는 $x=-1$에서 연속이므로 $f(-1)=\lim\limits_{x\to -1}f(x)$이다.

$$\therefore f(-1)=\lim_{x\to -1}\frac{x^3+1}{x+1}=\lim_{x\to -1}\frac{(x+1)(x^2-x+1)}{x+1}$$
$$=\lim_{x\to -1}(x^2-x+1)=3$$

(4) $f(x)$는 $x=1$에서 연속이므로 $f(1)=\lim\limits_{x\to 1}f(x)$이다.

$$\therefore f(1)=\lim_{x\to 1}\frac{x^3-6x^2+11x-6}{x-1}$$
$$=\lim_{x\to 1}\frac{(x-1)(x-2)(x-3)}{x-1}$$
$$=\lim_{x\to 1}(x-2)(x-3)=2$$

(5) $\therefore f(-2)=\lim\limits_{x\to -2}\dfrac{x^2+4x+4}{x+2}=\lim\limits_{x\to -2}\dfrac{(x+2)^2}{x+2}=0$

03 (1) $\lim\limits_{x\to 1-}f(x)=a$

$$\lim_{x\to 1+}f(x)=\lim_{x\to 1+}\sqrt{2x-1}=1$$
$$\therefore a=1$$

(2) $\lim\limits_{x\to 0-}f(x)=\lim\limits_{x\to 0-}(2x^3-a)=-a$

$$\lim_{x\to 0+}f(x)=\lim_{x\to 0+}2=2$$
$$\therefore -a=2\quad\therefore a=-2$$

(3) $\lim\limits_{x\to -1-}f(x)=\lim\limits_{x\to -1-}(-x+2)=3$

$$\lim_{x\to -1+}f(x)=\lim_{x\to -1+}(ax+1)=-a+1$$
$$\therefore -a+1=3\quad\therefore a=-2$$

(4) $\lim\limits_{x\to 2-}f(x)=\lim\limits_{x\to 2-}(x^2+ax+4)=4+2a+4$

$$\lim_{x\to 2+}f(x)=\lim_{x\to 2+}[x]=2$$
$$\therefore 2a+8=2\quad\therefore a=-3$$

(5) $\lim\limits_{x\to 1-}f(x)=\lim\limits_{x\to 1-}(ax-2)=a-2$

$$\lim_{x\to 1+}f(x)=\lim_{x\to 1+}(2x+5)=7$$
$$\therefore a-2=7\quad\therefore a=9$$

04 (1) $\lim\limits_{x\to 2}(x^2-9)=-5,\ f(2)=a$

$$\therefore a=-5$$

(2) $\lim\limits_{x\to 1}\sqrt{x^2+3x+5}=3,\ f(1)=a$

$$\therefore a=3$$

(3) $\lim\limits_{x\to 9}\dfrac{(\sqrt{x}+3)(\sqrt{x}-3)}{\sqrt{x}-3}=\lim\limits_{x\to 9}(\sqrt{x}+3)=6$

$$\therefore f(9)=a=6$$

(4) $\lim\limits_{x\to 1}\dfrac{(x-1)^2(x+2)}{(x-1)^2}=\lim\limits_{x\to 1}(x+2)=3$

$$f(1)=a+1=3\quad\therefore a=2$$

(5) $\lim\limits_{x\to 2}\dfrac{(x-1)(x+1)(x-2)}{(x-2)}=\lim\limits_{x\to 2}(x-1)(x+1)=3$

$$\therefore f(2)=a-1=3\quad\therefore a=4$$

05 (1) ① $\lim\limits_{n\to\infty}x^n=0$이므로 $f(x)=\dfrac{-4x}{2}=-2x$

② $\lim\limits_{n\to\infty}x^n=\infty$이므로 $f(x)=1$

③ $\lim\limits_{n\to\infty}x^n=1$이므로 $f(x)=\dfrac{1-4}{1+2}=-1$

(2) ① $\lim\limits_{n\to\infty}x^n=0$이므로 $f(x)=\dfrac{3x+1}{1}=3x+1$

② $\lim\limits_{n\to\infty}x^n=\infty$이므로 최고차항만 비교하면 $f(x)=\dfrac{x^n\cdot x}{x^n}=x$

③ $\lim\limits_{n\to\infty}x^n=1$이므로 $f(x)=\dfrac{1+3+1}{1+1}=\dfrac{5}{2}$

(3) ① $\lim\limits_{n\to\infty}x^n=0$이므로 $f(x)=\dfrac{+1}{-2}=-\dfrac{1}{2}$

② $\lim\limits_{n\to\infty}x^n=\infty$이므로 최고차항만 비교하면 $f(x)=\dfrac{x^{2n}}{x^{2n}}=1$

③ $f(x)=1$이면, $\lim_{n \to \infty} x^n = 1$이므로 $f(x) = \dfrac{1+1}{1-2} = -2$

$f(x)=-1$이면, $\lim_{n \to \infty} x^{2n} = 1$이므로

$f(x) = \dfrac{1+1}{1-2} = -2$

06 (6) $\dfrac{g(x)}{f(x)} = \dfrac{x^2 - 3x + 2}{x-1}$ 이므로 분모가 0이 되는 $x=1$에서 불연속이다.

(7) $\dfrac{f(x)}{g(x)} = \dfrac{x-1}{(x-1)(x-2)}$ 이므로 분모가 0이 되는 $x=1$, $x=2$에서 불연속이다.

(8) $\sqrt{x-1}$ 에서 $x-1 \geq 0$이므로 $x \geq 1$에서 연속한다.

(9) $\sqrt{(x-1)(x-2)}$ 에서 $(x-1)(x-2) \geq 0$이므로 $x \leq 1$ 또는 $x \geq 2$에서 연속한다.

08 (1) $f(-1) = -1 - 2 - 1 - 5 = -9$

$f(0) = -5$

$\therefore f(-1)f(0) > 0$

(2) $f(1) = 1 - 2 + 1 - 5 = -5$

$\therefore f(0)f(1) > 0$

(3) $f(2) = 8 - 8 + 2 - 5 = -3$

$\therefore f(1)f(2) > 0$

(4) $f(3) = 27 - 18 + 3 - 5 = 7$

$f(2) \cdot f(3) < 0$

(5) $f(4) = 64 - 32 + 4 - 5 = 31$

$f(2) \cdot f(4) < 0$

09 (1) $f(x) = x^2 - 3x + a$에 대해

$f(-1) = 1 + 3 + a = a + 4$, $f(0) = a$이므로

$f(-1)f(0) < 0 \Rightarrow a(a+4) < 0$

$\therefore -4 < a < 0$

(2) $f(x) = 2x^2 - 5x + a$에 대해

$f(-1) = 2 + 5 + a = a + 7$,

$f(1) = 2 - 5 + a = a - 3$이므로

$f(-1)f(1) < 0 \Rightarrow (a+7)(a-3) < 0$

$\therefore -7 < a < 3$

(3) $f(x) = x^2 + x - 2a$에 대해

$f(0) = -2a$, $f(1) = 2 - 2a$이므로

$f(0)f(1) < 0 \Rightarrow 2a(2a-2) < 0$

$\therefore 0 < a < 1$

(4) $f(x) = x^3 + 3x^2 - x + a$에 대해

$f(0) = a$, $f(2) = 8 + 12 - 2 + a = a + 18$이므로

$f(0)f(2) < 0 \Rightarrow a(a+18) < 0$

$\therefore -18 < a < 0$

必 **내신 정복**

01 ⑤	**02** ⑤
03 ⑤	**04** ③
05 ③	**06** ②
07 ⑤	**08** ③
09 ③	**10** 32
11 ③	**12** ④
13 ②	**14** ⑤
15 ⑤	**16** ②
17 ④	

01 $\lim_{x \to 1+} f(x) = a - 1$

$\lim_{x \to 1-} f(x) = -1 + 2 = 1$

$\therefore a = 2$

02 $\lim_{x \to 0} \dfrac{f(x) + g(x)}{2 - f(x)g(x)} = \lim_{x \to 0} \dfrac{-1 + a}{2 - (-a)} = -2$

$\therefore -1 + a = -4 - 2a$

$\therefore 3a = -3$ $\therefore a = -1$

03 $\lim_{x \to 1} f(x) = \lim_{x \to 1} \dfrac{x^2 - ax - 2}{x-1} = f(1) = b$이어야 한다.

분모의 극한값 $\lim_{x \to 1} (x-1) = 0$이므로

분자의 극한값 $\lim_{x \to 1} (x^2 - ax - 2) = 0$이어야 한다.

따라서 $a = -1$이고,

$\lim_{x \to 1} \dfrac{x^2 - ax - 2}{x-1} = \lim_{x \to 1} \dfrac{(x+2)(x-1)}{x-1} = 3 = b$

$\therefore a + b = 2$

04 $x \to 2$이면 (분모)$\to 0$이므로 (분자)$\to 0$이어야 한다.

따라서 $1 + a = 0$에서 $a = -1$

$\lim_{x \to 2} \dfrac{\sqrt{x-1} - 1}{x-2} = \lim_{x \to 2} \dfrac{x-2}{(x-2)(\sqrt{x-1}+1)} = \dfrac{1}{2} = b$

$\therefore a + b = -\dfrac{1}{2}$

05 $\lim_{x \to -1} f(x) + \lim_{x \to 1+} f(x) = 1 + (-1) = 0$

06 $\lim_{x \to \infty} \dfrac{2x^2 + xf(x) + 1}{x^2 - \{f(x)\}^2}$ 에서 분자, 분모를 x^2으로 나누면

$\lim_{x \to \infty} \dfrac{2 + \dfrac{f(x)}{x} + \dfrac{1}{x^2}}{1 - \left\{ \dfrac{f(x)}{x} \right\}^2} = \lim_{x \to \infty} \dfrac{2+2}{1-4} = -\dfrac{4}{3}$

07 $\lim_{x \to 2} \dfrac{f(x) - 3}{x-2} = 5$에서 분모 $\lim_{x \to 2} (x-2) = 0$이므로 분자

$\lim_{x \to 2} (f(x) - 3) = 0$이어야 하므로 $\lim_{x \to 2} f(x) = 3$이다.

$\lim_{x \to 2} \dfrac{x-2}{\{f(x)-3\}\{f(x)+3\}} = \lim_{x \to 2} \dfrac{1}{\dfrac{\{f(x)-3\}}{x-2} \times \{f(x)+3\}}$

$$=\frac{1}{5\cdot(3+3)}=\frac{1}{30}$$

08 (가)에서 $\frac{\infty}{\infty}$꼴이므로 $f(x)=x^3+2x^2+ax+b$이고
(나)에서 분모에 $x=2$를 대입하면 0이므로 분자에서
$f(2)=8+8+2a+b=0$
$2a+b=-16$, $b=-2a-16$
$$\lim_{x\to2}\frac{f(x)}{x-2}=\lim_{x\to2}\frac{(x-2)(x^2+4x+a+8)}{x-2}$$
$\lim_{x\to2}(x^2+4x+a+8)=4+8+a+8=a+20=1$
$a=-19$, $b=22$ $\therefore f(x)=x^3+2x^2-19x+22$
$\therefore f(1)=6$

09 함수 $f(x)=\frac{x}{x^2}=\frac{1}{x}$은 $x=0$에서 불연속이고 그 이외의
x의 값에서는 연속이다.
①, ②, ⑤ $f(x)$는 주어진 닫힌구간에서 연속이므로 최대·
최소정리에 의하여 이 구간에서 반드시 최댓값과 최솟값을
갖는다.
③ $-2\le x<0$일 때, x의 값이 증가하면 y의 값은 감소하
므로 최솟값은 없다.
④ $0<x\le1$일 때, x의 값이 증가하면 y의 값은 감소하므로
최솟값은 $f(1)=1$

10 $\lim_{x\to2}(a\sqrt{x+2}+b)=0$ 이므로 $2a+b=0$
$$\lim_{x\to2}\frac{a\sqrt{x+2}-2a}{x-2}=\lim_{x\to2}\frac{a(\sqrt{x+2}-2)}{x-2}$$
$$=\lim_{x\to2}\frac{a(x-2)}{(x-2)(\sqrt{x+2}+2)}$$
$$=\lim_{x\to2}\frac{a}{\sqrt{x+2}+2}=\frac{a}{4}=2$$
따라서, $a=8$, $b=-16$ 이므로 $2a-b=32$

11 극한값이 존재하지 않는 점의 개수는 2개이다.
$\lim_{x\to-1-}f(x)=\lim_{x\to-1+}f(x)$이므로 $\lim_{x\to-1}f(x)=2$

12 $f(x)=x^2+2x+a$라고 하면 $f(1)=3+a$, $f(2)=8+a$
$(a+3)(a+8)<0$, $-8<a<-3$

13 $\lim_{x\to\infty}\frac{f(x)}{1-2x}=1$에서 $f(x)=-2x+a$(a는 상수)로 놓을 수
있다.
또, $\lim_{x\to-1}\frac{f(x)}{x^2-1}=1$에서 $x\to-1$일 때 (분모)$\to0$이므로
(분자)$\to0$에서 $f(-1)=2+a=0$ $\therefore a=-2$
따라서 $f(x)=-2x-2$ 이므로 $f(-2)=2$

14 $$\lim_{x\to1}\frac{(x^3-1)(x^2-1)}{(x-1)^2}=\lim_{x\to1}\frac{(x-1)^2(x+1)(x^2+x+1)}{(x-1)^2}$$

$$=\lim_{x\to1}(x+1)(x^2+x+1)=2\cdot3=6$$

15 $$\lim_{x\to2}\frac{f(x)+g(x)}{4f(x)-2g(x)}=\lim_{x\to2}\frac{\dfrac{f(x)}{x-2}+\dfrac{g(x)}{x-2}}{4\cdot\dfrac{f(x)}{x-2}-2\cdot\dfrac{g(x)}{x-2}}$$
$$=\frac{4+6}{4\cdot4-2\cdot6}=\frac{10}{16-12}=\frac{10}{4}=\frac{5}{2}$$

16 $f(x)=\lim_{n\to\infty}\dfrac{x^n+2x+a}{x^{n-1}+1}$ 에서
i) $0<x<1$일 때 $\lim_{n\to\infty}x^n=\lim_{n\to\infty}x^{n-1}=0$이므로
$f(x)=2x+a$ $\therefore f(1)=2+a$
ii) $x=1$일 때 $f(1)=\dfrac{3+a}{2}$
iii) $x>1$일 때
$$f(x)=\lim_{n\to\infty}\frac{x+\dfrac{2}{x^{n-2}}+\dfrac{a}{x^{n-1}}}{1+\dfrac{1}{x^{n-1}}}=x \quad \therefore f(1)=1$$
$f(x)$가 $x=1$에서 연속하려면 $\lim_{x\to1}f(x)=f(1)$
이어야 하므로 $2+a=\dfrac{3+a}{2}=1$, $\therefore a=-1$

17 $f(x)=x^3+x-1$이라 하면
$f(0)=-1<0$, $f(1)=1>0$ $\therefore f(0)f(1)<0$

1 미분계수와 도함수   **II** 미분

예 3, 0, 3 / 증분 / Δx / 3, 0, 6, 0, 6 / 증분 / Δy
예 6, 0 / 3, 0 / 2
예 1 / 1, 1 / Δx / x, 1 / 1

01 (1) 3, 0   (2) 2, 2   (3) 3, 9
02 (1) 0   (2) 1   (3) 3
03 (1) 1, 1, $2h$, 2
     (2) -1, -1, $-3h$, -3
     (3) 2, 2, $4h+h^2$, 4
     (4) -2, -2, $12h-6h^2+h^3$, 12
04 (1) 4   (2) 6   (3) 3
     (4) 7

 05 ⑤

02 (1) $\dfrac{\Delta y}{\Delta x}=\dfrac{3-3}{4-1}=0$

(2) $\dfrac{\Delta y}{\Delta x}=\dfrac{2-0}{1-(-1)}=1$

(3) $\dfrac{\Delta y}{\Delta x}=\dfrac{7-(-2)}{3-0}=3$

04 (1) $f'(2)=\lim\limits_{h\to0}\dfrac{f(2+h)-f(2)}{h}=\lim\limits_{h\to0}\dfrac{(2+h)^2-2^2}{h}$
$=\lim\limits_{h\to0}(h+4)=4$

(2) $f'(1)=\lim\limits_{h\to0}\dfrac{f(1+h)-f(1)}{h}=\lim\limits_{h\to0}\dfrac{2(1+h)^3-3+1}{h}$
$=\lim\limits_{h\to0}(2h^2+6h+6)=6$

05 $\lim\limits_{h\to0}\dfrac{f(a+3h)-f(a)}{h}=\lim\limits_{h\to0}\dfrac{f(a+3h)-f(a)}{3h}\times3$
$=3f'(a)$

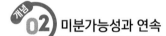

개념 02 미분가능성과 연속
42쪽

01 (1) 0, 0, $|h|$, h, 1, 0, 0, $|h|$, $-h$, -1
존재하지 않으므로, 미분가능하지 않다

(2) 0, 0, h^2, h, 0, 0, 0, h^2, h, 0
존재하므로, 미분가능하다

(3) 0, 0, 0, 0, 0, 0, 0, 0, 0, 0
존재하므로, 미분가능하다

(4) 0, 0, $h-0$, $\dfrac{h}{h}$, 1, 0, 0, h^2-0, h, 0
존재하지 않으므로, 미분가능하지 않다

02 (1) ① 연속, 미분가능

② 연속, 미분가능하지 않음

③ 연속, 미분가능

④ 불연속, 미분가능하지 않음

(2) ① 연속, 미분가능하지 않음

② 불연속, 미분가능하지 않음

③ 불연속, 미분가능하지 않음

④ 연속, 미분가능

03 (1) ◯　　　(2) ◯　　　(3) ◯

도전! 1등급　**04** ②

---

03 (1)

---

(2)

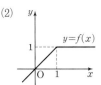

(3)

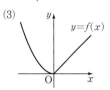

(4)

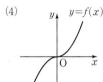

04 (1) $f(x)$가 $x=1$에서 연속이므로 $a+b=1$ ···㉠
$f(x)$가 $x=1$에서 미분가능하므로 $f'(1)$의 좌극한과 우극한이 같다.

즉, $\lim\limits_{h\to0+}\dfrac{f(1+h)-f(1)}{h}=\lim\limits_{h\to0+}\dfrac{ah}{h}=a$

$\lim\limits_{h\to0-}\dfrac{f(1+h)-f(1)}{h}=\lim\limits_{h\to0-}\dfrac{h^2+2h}{h}=\lim\limits_{h\to0-}(h+2)=2$

$\therefore a=2$

$a=2$를 ㉠에 대입하면

$\therefore b=-1$

개념 03 도함수와 미분법
44쪽

예 $\dfrac{f(x+h)-f(x)}{h}$ / $\dfrac{h}{h}$ / 1 / 1

예 $2x$ / $3x^2$ / 0

예 x^2 / x / 2 / $2x$ / 1 / 0 / $4x+3$

01 (1) 0　　　(2) 3　　　(3) $2x+1$

02 (1) $y'=1$

(2) $y'=2$

(3) $y'=-6x$

(4) $y'=4x-5$

(5) $y'=x+1$

(6) $y'=-9x^2+2x-5$

(7) $y'=15x^2+10x-3$

(8) $y'=-8x^3+3x^2-6x$

(9) $y'=100x^9+81x^8+\cdots+4x+1$

(10) $y'=100x^{99}-99x^{98}+98x^{97}-\cdots-1$

03 (1) $12x-17$　　　(2) $3x^2-1$

(3) $12x^3-9x^2-18x$　　　(4) $9x^2+28x+2$

04 (1) $-24x^2+20x+9$

(2) $48x^3-21x^2+18x-2$

(3) $6x^5+4x^3+2x$

05 (1) 21　　　　　　　　(2) -11

(3) -4　　　　　　　　(4) $\dfrac{7}{4}$

06 (1) -3　　　　　　　　(2) -6

(3) -3　　　　　　　　(4) -2

07 (1) 4　　　　　　　　(2) 12

(3) -8

08 (1) $-\dfrac{5}{8}$　　(2) $\dfrac{5}{3}$　　(3) $-\dfrac{357}{1000}$

09 (1) 60　　(2) 0　　(3) -60

10 (1) 110　　　　　　　(2) 440

(3) -10　　　　　　　(4) -30

11 (1) 0　　　　　　　　(2) 0

(3) -300　　　　　　(4) 200

도전! 1등급 **12** ② **13** ④

01 (1) $f'(x)=\displaystyle\lim_{h\to0}\frac{f(x+h)-f(x)}{h}=\lim_{h\to0}\frac{(-2)-(-2)}{h}$
$=0$

(2) $f'(x)=\displaystyle\lim_{h\to0}\frac{f(x+h)-f(x)}{h}=\lim_{h\to0}\frac{3(x+h)-3x}{h}$
$=\displaystyle\lim_{h\to0}\frac{3h}{h}=3$

(3) $f'(x)=\displaystyle\lim_{h\to0}\frac{f(x+h)-f(x)}{h}$
$=\displaystyle\lim_{h\to0}\frac{\{(x+h)^2+(x+h)\}-(x^2+x)}{h}$
$=\displaystyle\lim_{h\to0}\frac{2hx+h^2+h}{h}=\lim_{h\to0}(2x+h+1)$
$=2x+1$

03 (1) $y'=2(3x-4)+(2x-3)\times3=12x-17$

(2) $y'=(2x+1)(x-1)+(x^2+x)\times1=3x^2-1$

(3) $y'=6x(x^2-x-3)+3x^2(2x-1)=12x^3-9x^2-18x$

(4) $y'=3(x^2+4x-2)+(3x+2)(2x+4)=9x^2+28x+2$

04 (1) $y'=(-2x+3)(4x-3)+(x+1)(-2)(4x-3)$
$\qquad+(x+1)(-2x+3)\times4$
$=-24x^2+20x+9$

(2) $y'=(4x-1)(3x^2-x+2)+x\cdot4(3x^2-x+2)$
$\qquad+x(4x-1)(6x-1)$
$=48x^3-21x^2+18x-2$

(3) $y'=2x(x^2-x+1)(x^2+x+1)$
$\qquad+x^2(2x-1)(x^2+x+1)+x^2(x^2-x+1)(2x+1)$

$=6x^5+4x^3+2x$

05 (1) $f'(x)=3x^2+10x-4$에 대해
$f'(-5)=3\times25+10\times(-5)-4=75-50-4=21$

(2) $f'(-1)=3-10-4=-11$

(3) $f'(0)=-4$

(4) $f'\left(\dfrac{1}{2}\right)=3\times\dfrac{1}{4}+10\times\dfrac{1}{2}-4=\dfrac{7}{4}$

06 (1) $f'(x)=-x^2+2x-3$에 대해 $f'(2)=-4+4-3=-3$

(2) $f'(-1)=-1-2-3=-6$

(3) $f'(0)=-3$

(4) $f'(1)=-1+2-3=-2$

07 (1) $f'(x)=-4x+4$에 대해 $f'(0)=4$

(2) $f'(-2)=8+4=12$

(3) $f'(3)=-12+4=-8$

08 (1) $f'(x)=3x^2+4x-4$에 대해
$\dfrac{1}{2}f'\left(\dfrac{1}{2}\right)=\dfrac{1}{2}\left(\dfrac{3}{4}+2-4\right)=\dfrac{1}{2}\cdot\left(-\dfrac{5}{4}\right)=-\dfrac{5}{8}$

(2) $-\dfrac{1}{3}f'\left(-\dfrac{1}{3}\right)=-\dfrac{1}{3}\left(\dfrac{1}{3}-\dfrac{4}{3}-4\right)=\dfrac{5}{3}$

(3) $\dfrac{1}{10}f'\left(\dfrac{1}{10}\right)=\dfrac{1}{10}\left(\dfrac{3}{100}+\dfrac{4}{10}-4\right)=-\dfrac{357}{1000}$

09 (1) $f'(x)=10x^9+10x$에 대하여 $3f'(1)=60$

(2) $5f'(0)=0$

(3) $3f'(-1)=-60$

10 (1) $f'(x)=10x^9+9x^8+\cdots+2x+1$에 대해 $2f'(1)=110$

(2) $8f'(1)=440$

(3) $2f'(-1)=2(-10+9-8+7-\cdots-2+1)=-10$

(4) $6f'(-1)=6(-10+9-8+7-\cdots-2+1)=-30$

11 (1) $f'(x)=x^{99}-x^{98}+\cdots-x^2+x-1$에 대하여
$\dfrac{3}{2}f'(1)=\dfrac{3}{2}(1-1+1-1-\cdots+1-1)=0$

(2) $-\dfrac{1}{4}f'(1)=-\dfrac{1}{4}(1-1+1-1+\cdots+1-1)=0$

(3) $3f'(-1)=3(-1-1-1-1-\cdots-1-1)=-300$

(4) $-2f'(-1)=-2(-1-1-1-1-\cdots-1-1)=200$

12 $f'(x)=(2x+1)(4x+a)+(x^2+x+1)\times4$
$f'(1)=(2+1)(4+a)+12=12$
$\therefore a=-4$

13 $f(x)=x+x^2+x^3+\cdots+x^n$에 대하여
$f'(x)=1+2x^2+3x^3+\cdots+nx^{n-1}$
$f'(1)=1+2+3+4+\cdots+n$
$=\dfrac{n(n+1)}{2}$

개념 04 미분계수를 이용한 미정계수의 결정

48쪽

예 0 / 0 / 1

예 0 / $\dfrac{0}{0}$ / x^n / $f(x)$ / 1

예 0 / 0

01 (1) $a=1$, $b=-1$

(2) $a=2$, $b=0$

(3) $a=3$, $b=3$

02 (1) $a=-3$, $b=2$

(2) $a=7$, $b=6$

(3) $a=2$, $b=0$

(4) $a=-7$, $b=10$

03 (1) 12   (2) -4 (3) 44

04 (1) 1   (2) 8   (3) 9

05 (1) $a=-3$, $b=2$

(2) $a=-8$, $b=16$

(3) $a=-\dfrac{5}{2}$, $b=-\dfrac{3}{2}$

(4) $a=-192$, $b=-320$

도전! 1등급 **06** ③

---

01 (1) $\lim\limits_{x\to 1}\dfrac{ax+b}{x-1}=1$에서 (분자)$=a+b=0$이어야 하므로

$\therefore b=-a$

$\lim\limits_{x\to 1}\dfrac{ax-a}{x-1}=\lim\limits_{x\to 1}\dfrac{a(x-1)}{x-1}=1$에서 $\therefore a=1$

$a=1$이므로 $\therefore b=-1$

(2) $\lim\limits_{x\to 0}\dfrac{ax+b}{x}=2$에서 (분자)$=a\cdot 0+b=0$이어야 하므로

$\therefore b=0$

$\lim\limits_{x\to 0}\dfrac{ax}{x}=2$에서 $\therefore a=2$

(3) $\lim\limits_{x\to -1}\dfrac{ax+b}{x+1}=3$에서 (분자)$=-a+b=0$이어야 하므로

$\therefore b=a$

$\lim\limits_{x\to -1}\dfrac{ax+a}{x+1}=\lim\limits_{x\to -1}\dfrac{a(x+1)}{x+1}=3$에서 $\therefore a=3$

$a=3$이므로 $\therefore b=3$

02 (1) $\lim\limits_{x\to 1}\dfrac{x^2+ax+b}{x-1}=1$에서 (분자)$=1+a+b=0$

$f'(x)=2x+a$, $f'(1)=2+a=-1$

$\therefore a=-3$, $b=2$

(2) $\lim\limits_{x\to -1}\dfrac{x^2+ax+b}{x+1}=5$에서 (분자)$=1-a+b=0$

$f'(x)=2x+a$, $f'(-1)=-2+a=5$

$\therefore a=7$, $b=6$

---

(3) $\lim\limits_{x\to 0}\dfrac{x^2+ax+b}{x}=2$에서 (분자)$=b=0$

$f'(x)=2x+a$, $f'(0)=a=2$

$\therefore a=2$, $b=0$

(4) $\lim\limits_{x\to 2}\dfrac{x^2+ax+b}{x-2}=-3$에서 (분자)$=4+2a+b=0$

$f'(x)=2x+a$, $f'(2)=4+a=-3$

$\therefore a=-7$, $b=10$

03 (1) $f(x)=x^{10}+x^2$이라 하면 $f(1)=2$

$f'(x)=10x^9+2x$, $\therefore f'(1)=12$

(2) $f(x)=x^8-x^2+2x$이라 하면 $f(-1)=-2$

$f'(x)=8x^7-2x+2$, $\therefore f'(-1)=-4$

(3) $f(x)=x^5-3x^3$이라 하면 $f(2)=8$

$f'(x)=5x^4-9x^2$, $\therefore f'(2)=44$

04 (1) $f(x)=x^n+x^2$이라 하면 $f(1)=2$

$f'(x)=nx^{n-1}+2x$

$f'(1)=n+2=3$ $\therefore n=1$

(2) $f(x)=x^n+2x$이라 하면 $f(1)=3$

$f'(x)=nx^{n-1}+2$

$f'(1)=n+2=10$ $\therefore n=8$

(3) $f(x)=x^n+3x$이라 하면 $f(1)=4$

$f'(x)=nx^{n-1}+3$

$f'(1)=n+3=12$ $\therefore n=9$

05 (1) $f(x)=x^3+ax+b$이라 하면 $f(1)=1+a+b=0$

$f'(x)=3x^2+a$에서 $f'(1)=3+a=0$

$\therefore a=-3$ $\therefore b=2$

(2) $f(x)=x^4+ax^2+b$이라 하면 $f(2)=16+4a+b=0$

$f'(x)=4x^3+2ax$에서 $f'(2)=32+4a=0$

$\therefore a=-8$ $\therefore b=16$

(3) $f(x)=x^5-ax^2+b$이라 하면 $f(-1)=-1-a+b=0$

$f'(x)=5x^4-2ax$에서 $f'(-1)=5+2a=0$

$\therefore a=-\dfrac{5}{2}$ $\therefore b=-\dfrac{3}{2}$

(4) $f(x)=x^6-ax-b$이라 하면 $f(-2)=64+2a-b=0$

$f'(x)=6x^5-a$에서 $f'(-2)=-192-a=0$

$\therefore a=-192$ $\therefore b=-320$

06 $f(x)=x^5-x^4+x^3-x^2+x-1$이라 하면 $f(1)=1$

$\lim\limits_{x\to 1}\dfrac{x-1}{x^5-x^4+x^3-x^2+x-1}=\lim\limits_{x\to 1}\dfrac{x-1}{f(x)-f(1)}=\dfrac{1}{f'(1)}$

$f'(x)=5x^4-4x^3+3x^2-2x+1$ $\therefore f'(1)=3$

$\dfrac{1}{f'(1)}=\dfrac{1}{3}$

50~53쪽

01 (1) 0   (2) 2

    (3) -4 (4) $\dfrac{1}{5}$

02 (1) 4   (2) 1

    (3) 4   (4) 6

03 (1) ① 불연속, 미분가능하지 않음

    ② 연속, 미분가능

    ③ 연속, 미분가능하지 않음

    (2) ① 연속, 미분가능

    ② 불연속, 미분가능하지 않음

    ③ 연속, 미분가능하지 않음

    ④ 연속, 미분가능하지 않음

04 (1) ×, ×   (2) ○, ○

    (3) ○, ×   (4) ○, ×

    (5) ○, ○

05 (1) 0   (2) -1

    (3) $2x-3$

06 (1) $y'=0$

    (2) $y'=5$

    (3) $y'=-10x-4$

    (4) $y'=\dfrac{1}{2}(2x+3)$

    (5) $y'=3x^2+2x$

    (6) $y'=10x^9-9x^8+8x^7-\cdots-1$

07 (1) $10x^4-24x^3+12x^2$

    (2) $12x^2+32x-2$

    (3) $8x^3-24x^2-2x+4$

    (4) $15x^4+8x^3-9x^2+14x+6$

    (5) $12x^3-24x^2-26x+30$

08 (1) $\dfrac{3}{8}$ (2) $-\dfrac{11}{8}$

    (3) $-\dfrac{2}{3}$ (4) $\dfrac{18}{125}$

09 (1) 25   (2) -7

    (3) 165   (4) -50

10 (1) $a=4$, $b=-4$

    (2) $a=-3$, $b=-3$

    (3) $a=-5$, $b=-10$

    (4) $a=4$, $b=-12$

11 (1) 2   (2) 1

    (3) 5   (4) 24

    (5) 11

12 (1) $a=-3$, $b=-2$

---

    (2) $a=16$, $b=48$

    (3) $a=-2$, $b=\dfrac{3}{4}$

01 (1) $\dfrac{f(6)-f(1)}{6-1}=\dfrac{1-1}{6-1}=0$

(2) $\dfrac{f(2)-f(-1)}{2-(-1)}=\dfrac{5-(-1)}{2-(-1)}=2$

(3) $\dfrac{f(-1)-f(-3)}{-1-(-3)}=\dfrac{3-11}{-1-(-3)}=-4$

(4) $\dfrac{f(6)-f(1)}{6-1}=\dfrac{\sqrt{6+3}-\sqrt{1+3}}{6-1}=\dfrac{1}{5}$

02 (1) $f'(1)=\lim\limits_{h\to0}\dfrac{f(1+h)-f(1)}{h}=\lim\limits_{h\to0}\dfrac{\{2(1+h)^2-1\}-1}{h}$

$=\lim\limits_{h\to0}\dfrac{2+4h+2h^2-2}{h}=\lim\limits_{h\to0}(2h+4)=4$

(2) $f'(-1)=\lim\limits_{h\to0}\dfrac{f(-1+h)-f(-1)}{h}$

$=\lim\limits_{h\to0}\dfrac{\{(-1+h)^2+3(-1+h)-1\}+3}{h}$

$=\lim\limits_{h\to0}\dfrac{1-2h+h^2-3+3h+2}{h}=\lim\limits_{h\to0}(h+1)=1$

(3) $f'(0)=\lim\limits_{h\to0}\dfrac{f(0+h)-f(0)}{h}=\lim\limits_{h\to0}\dfrac{(-h^2+4h-3)+3}{h}$

$=\lim\limits_{h\to0}\dfrac{-h^2+4h}{h}=\lim\limits_{h\to0}(-h+4)=4$

(4) $f'(1)=\lim\limits_{h\to0}\dfrac{f(1+h)-f(1)}{h}=\lim\limits_{h\to0}\dfrac{\{2(1+h)^3+3\}-5}{h}$

$=\lim\limits_{h\to0}\dfrac{2+6h^2+6h+2h^3+3-5}{h}$

$=\lim\limits_{h\to0}(2h^2+6h+6)=6$

04 (1) $\lim\limits_{x\to0+}\dfrac{|x|}{x}=\dfrac{x}{x}=1$, $\lim\limits_{x\to0-}\dfrac{|x|}{x}=\dfrac{-x}{x}=-1$

$x=0$에서 불연속이므로 미분불가능

(2) $x=2$에서 $f(2)=\lim\limits_{x\to2}\dfrac{|x|}{x}=1$

$f(x)=1$ 이므로 $f'(2)=0$이다.

(3) i) $x=1$에서 $f(1)=\lim\limits_{x\to1}f(x)=|1-1|=0$ 연속

ii) $f'(x)=\begin{cases}2x & (x^2>1)\\-2x & (0<x^2<1)\end{cases}$

$\lim\limits_{x\to1+}f'(x)=2$, $\lim\limits_{x\to1-}f'(x)=-2$ 이므로 미분불가능

(4) i) $\lim\limits_{x\to0+}2x=0$, $\lim\limits_{x\to0-}x^2=0$, $f(0)=0$ 이므로 연속

ii) $f'(x)=\begin{cases}2 & (x\geq0)\\2x & (x<0)\end{cases}$

$\lim\limits_{x\to0+}f'(x)=2$, $\lim\limits_{x\to0-}f'(x)=0$ 이므로 미분불가능

(5) i) $\lim\limits_{x\to1+}x^3+2=3$, $\lim\limits_{x\to1-}3x=3$, $f(1)=3$ 이므로 연속

ii) $f'(x)=\begin{cases}3x^2 & (x\geq 1)\\ 3 & (x<1)\end{cases}$

$\displaystyle\lim_{x\to 1+}f'(x)=3$, $\displaystyle\lim_{x\to 0-}f'(x)=3$ 이므로 미분가능

05 (1) $f'(x)=\displaystyle\lim_{h\to 0}\frac{f(x+h)-f(x)}{h}=\lim_{h\to 0}\frac{4-4}{h}=0$

(2) $f'(x)=\displaystyle\lim_{h\to 0}\frac{f(x+h)-f(x)}{h}$
$=\displaystyle\lim_{h\to 0}\frac{\{-(x+h)+7\}-(-x+7)}{h}$
$=\displaystyle\lim_{h\to 0}\frac{-h}{h}=-1$

(3) $f'(x)=\displaystyle\lim_{h\to 0}\frac{f(x+h)-f(x)}{h}$
$=\displaystyle\lim_{h\to 0}\frac{(x+h)^2-3(x+h)-(x^2-3x)}{h}$
$=\displaystyle\lim_{h\to 0}\frac{x^2+2hx+h^2-3x-3h-x^2+3x}{h}$
$=\displaystyle\lim_{h\to 0}(2x+h-3)=2x-3$

07 (1) $y'=6x^2(x^2-3x+2)+2x^3(2x-3)$
$=10x^4-24x^3+12x^2$

(2) $y'=1\cdot(4x^2-2)+(x+4)\cdot(8x)$
$=12x^2+32x-2$

(3) $y'=(2x-4)(2x^2-1)+(x^2-4x)\cdot(4x)$
$=8x^3-24x^2-2x+4$

(4) $y'=1\cdot(3x+2)(x^3-x+3)$
$\quad+3x(x^3-x+3)+x(3x+2)(3x^2-1)$
$=15x^4+8x^3-9x^2+14x+6$

(5) $y'=1\cdot(x^2+2x)(3x-5)$
$\quad+(x-3)(2x+2)(3x-5)$
$\quad+(x-3)(x^2+2x)\cdot 3$
$=12x^3-24x^2-26x+30$

08 (1) $f'(x)=3x^2-2x+1$에 대해
$\frac{1}{2}f'\left(\frac{1}{2}\right)=\frac{1}{2}\left(\frac{3}{4}-1+1\right)=\frac{3}{8}$

(2) $-\frac{1}{2}f'\left(-\frac{1}{2}\right)=-\frac{1}{2}\left(\frac{3}{4}+1+1\right)=-\frac{11}{8}$

(3) $-\frac{1}{3}f'\left(-\frac{1}{3}\right)=-\frac{1}{3}\left(\frac{1}{3}+\frac{2}{3}+1\right)=-\frac{2}{3}$

(4) $\frac{1}{5}f'\left(\frac{1}{5}\right)=\frac{1}{5}\left(\frac{3}{25}-\frac{2}{5}+1\right)=\frac{18}{125}$

09 (1) $f'(x)=10x^9-9x^8+8x^7-\cdots+2x-1$에 대해
$5f'(1)=5(10-9+8-7+\cdots+2-1)=25$

(2) $7f'(0)=7\cdot(-1)=-7$

(3) $-3f'(-1)=-3(-10-9-8-7-\cdots-2-1)=165$

(4) $-10f'(1)=-10(10-9+8-7+\cdots+2-1)=-50$

10 (1) $\displaystyle\lim_{x\to 1}\frac{ax^2+bx}{x-1}=4$에서 (분자)$=a+b=0$ $\cdots$㉠

$f'(x)=2ax+b$ ➡ $f'(1)=2a+b=4$ $\cdots$㉡

㉠, ㉡을 연립하면, $\therefore a=4$, $b=-4$

(2) $\displaystyle\lim_{x\to -1}\frac{ax^2+bx}{x+1}=3$에서 (분자)$=a-b=0$ $\cdots$㉠

$f'(x)=2ax+b$ ➡ $f'(-1)=-2a+b=3$ $\cdots$㉡

㉠, ㉡을 연립하면, $\therefore a=-3$, $b=-3$

(3) $\displaystyle\lim_{x\to -2}\frac{ax^2+bx}{x+2}=10$에서 (분자)$=4a-2b=0$ $\cdots$㉠

$f'(x)=2ax+b$ ➡ $f'(-2)=-4a+b=10$ $\cdots$㉡

㉠, ㉡을 연립하면, $\therefore a=-5$, $b=-10$

(4) $\displaystyle\lim_{x\to 3}\frac{ax^2+bx}{x-3}=12$에서 (분자)$=9a+3b=0$ $\cdots$㉠

$f'(x)=2ax+b$ ➡ $f'(3)=6a+b=12$ $\cdots$㉡

㉠, ㉡을 연립하면, $\therefore a=4$, $b=-12$

11 (1) $f(x)=x^n+x^2$이라 하면 $f(1)=2$
$f'(x)=nx^{n-1}+2x$, $f'(1)=n+2=4$
$\therefore n=2$

(2) $f(x)=x^n-3x$이라 하면 $f(1)=-2$
$f'(x)=nx^{n-1}-3$, $f'(1)=n-3=-2$
$\therefore n=1$

(3) $f(x)=x^n+4x$이라 하면 $f(1)=5$
$f'(x)=nx^{n-1}+4$, $f'(1)=n+4=9$
$\therefore n=5$

(4) $f(x)=x^n-5x^2$이라 하면 $f(1)=-4$
$f'(x)=nx^{n-1}-10x$, $f'(1)=n-10=14$
$\therefore n=24$

(5) $f(x)=x^n-6x$이라 하면 $f(1)=-5$
$f'(x)=nx^{n-1}-6$, $f'(1)=n-6=5$
$\therefore n=11$

12 (1) $x^3+ax+b=(x+1)^2Q(x)\cdots$㉠ 에서
$x=-1$을 대입하면 $-1-a+b=0\cdots$㉡
㉠의 양변을 미분하면
$3x^2+a=2(x+1)Q(x)+(x+1)^2Q'(x)$
$x=-1$을 대입하면 $3+a=0$ $\therefore a=-3$,
$a=-3$을 ㉡에 대입하면 $\therefore b=-2$

(2) $x^4-2ax+b=(x-2)^2Q(x)\cdots$㉠ 에서
$x=2$를 대입하면 $16-4a+b=0\cdots$㉡
㉠의 양변을 미분하면
$4x^3-2a=2(x-2)Q(x)+(x-2)^2Q'(x)$
$x=2$를 대입하면 $32-2a=0$ $\therefore a=16$
$a=16$를 ㉡에 대입하면 $\therefore b=48$

(3) $4x^4+ax+b$가 $\left(x-\frac{1}{2}\right)^2$으로 나누어떨어진다.
$a=0$, $b=-\frac{1}{4}$
$4x^4+ax+b=\left(x-\frac{1}{2}\right)^2Q(x)\cdots$㉠ 에서

$x=\dfrac{1}{2}$를 대입하면 $\dfrac{1}{4}+\dfrac{1}{2}a+b=0$ …ⓛ

ⓛ의 양변을 미분하면

$16x^3+a=2\left(x-\dfrac{1}{2}\right)Q(x)+\left(x-\dfrac{1}{2}\right)^2 Q'(x)$

$x=\dfrac{1}{2}$를 대입하면 $16\times\dfrac{1}{8}+a=0$ $\therefore a=-2$

$a=-2$을 ⓛ에 대입하면 $\therefore b=\dfrac{3}{4}$

2 도함수의 활용 ‖ 미분

05 접선의 방정식

54쪽

예 $2x$ / 2 / 1 / 2 / $2x-1$

예 a^2 / $2a$ / 2 / 2 / 4 / 4 / 4 / 2 / $4x-4$

01 (1) -2 (2) 12 (3) 5

(4) 6 (5) -6 (6) 12

(7) 3

02 (1) $y=4x-4$ (2) $y=2x+1$

(3) $y=4x-2$ (4) $y=-x+1$

(5) $y=-2x+3$ (6) $y=6x-4$

(7) $y=-6x+6$ (8) $y=8x-6$

03 (1) $y=-\dfrac{1}{2}x+\dfrac{3}{2}$ (2) $y=-\dfrac{1}{2}x-\dfrac{3}{2}$

(3) $y=-\dfrac{4}{3}x+\dfrac{19}{24}$ (4) $y=\dfrac{1}{9}x+\dfrac{28}{9}$

(5) $y=\dfrac{1}{8}x-\dfrac{17}{4}$

04 (1) $y=x-1$

(2) $y=3x-\dfrac{9}{4}$

(3) $y=-x+7$

(4) $y=3x-2$ 또는 $y=3x+2$

(5) $y=-x+3$

05 (1) $y=2x-1$

(2) $y=-x+\dfrac{1}{4}$

(3) $y=4x-1$

(4) $y=6x+4$ 또는 $y=6x-4$

(5) $y=9x+18$ 또는 $y=9x-18$

06 (1) $y=2x-1$ 또는 $y=14x-49$

(2) $y=0$ 또는 $y=27x-54$

(3) $y=2x-2$

(4) $y=12x+15$

07 (1) ① $a=-1$, $b=1$ ② $y=2x-2$

(2) ① $a=2$, $b=6$ ② $y=15x-18$

도전! 1등급 **08** ⑤

01 (1) $f(x)=x^2$이라 하면 $f'(x)=2x$ $\therefore f'(-1)=-2$

(2) $f(x)=3x^2$이라 하면 $f'(x)=6x$ $\therefore f'(2)=12$

(3) $f(x)=x^3+2x$이라 하면 $f'(x)=3x^2+2$ $\therefore f'(1)=5$

(4) $f(x)=-x^2+4x$이라 하면 $f'(x)=-2x+4$

$\therefore f'(-1)=6$

(5) $f(x)=-2x^3$이라 하면 $f'(x)=-6x^2$ $\therefore f'(1)=-6$

(6) $f(x)=x^3-1$이라 하면 $f'(x)=3x^2$ $\therefore f'(2)=12$

(7) $f(x)=2x^3-x^2+3x-1$이라 하면

$f'(x)=6x^2-2x+3$ $\therefore f'(0)=3$

02 (1) $f(x)=x^2$이라 하면 $f'(x)=2x$ $\therefore f'(2)=4$

$y-4=4(x-2)$ $\therefore y=4x-4$

(2) $f(x)=-x^2$이라 하면 $f'(x)=-2x$ $\therefore f'(-1)=2$

$y+1=2(x+1)$ $\therefore y=2x+1$

(3) $f(x)=2x^2$이라 하면 $f'(x)=4x$ $\therefore f'(1)=4$

$y-2=4(x-1)$ $\therefore y=4x-2$

(4) $f(x)=x^2-3x+2$이라 하면 $f'(x)=2x-3$

$\therefore f'(1)=-1$

$y-0=-(x-1)$ $\therefore y=-x+1$

(5) $f(x)=-3x^2+4x$이라 하면 $f'(x)=-6x+4$

$\therefore f'(1)=-2$

$y-1=-2(x-1)$ $\therefore y=-2x+3$

(6) $f(x)=2x^3$이라 하면 $f'(x)=6x^2$ $\therefore f'(1)=6$

$y-2=6(x-1)$ $\therefore y=6x-4$

(7) $f(x)=-x^3-3x+4$이라 하면 $f'(x)=-3x^2-3$

$\therefore f'(1)=-6$

$y-0=-6(x-1)$ $\therefore y=-6x+6$

(8) $f(x)=2x^3+x^2-1$이라 하면 $f'(x)=6x^2+2x$

$\therefore f'(1)=8$

$y-2=8(x-1)$ $\therefore y=8x-6$

03 (1) $f(x)=x^3$이라 하면 $f'(x)=2x$ $\therefore f'(1)=2$

이므로 수직인 직선의 기울기는 $-\dfrac{1}{2}$

$y-1=-\dfrac{1}{2}(x-1)$ $\therefore y=-\dfrac{1}{2}x+\dfrac{3}{2}$

(2) $f(x)=-x^2$이라 하면 $f'(x)=-2x$ $\therefore f'(-1)=2$

이므로 수직인 직선의 기울기는 $-\dfrac{1}{2}$

$y+1=-\dfrac{1}{2}(x+1)$ $\therefore y=-\dfrac{1}{2}x-\dfrac{3}{2}$

(3) $f(x)=x^3$이라 하면 $f'(x)=3x^2$ $\therefore f'\left(\dfrac{1}{2}\right)=\dfrac{3}{4}$

이므로 수직인 직선의 기울기는 $-\dfrac{4}{3}$

$y-\dfrac{1}{8}=-\dfrac{4}{3}\left(x-\dfrac{1}{2}\right)$ $\quad\therefore y=-\dfrac{4}{3}x+\dfrac{19}{24}$

(4) $f(x)=-3x^3$이라 하면 $f'(x)=-9x^2$ $\therefore f'(-1)=-9$

이므로 수직인 직선의 기울기는 $\dfrac{1}{9}$

$y-3=\dfrac{1}{9}(x+1)$ $\quad\therefore y=\dfrac{1}{9}x+\dfrac{28}{9}$

(5) $f(x)=-3x^2+4x$이라 하면 $f'(x)=-6x+4$

$\therefore f'(2)=-8$

이므로 수직인 직선의 기울기는 $\dfrac{1}{8}$

$y+4=\dfrac{1}{8}(x-2)$ $\quad\therefore y=\dfrac{1}{8}x-\dfrac{17}{4}$

04 (1) 접점을 $(a,\ a^2-a)$, $f(x)=x^2-x$이라 하면
$f'(x)=2x-1 \Rightarrow f'(a)=2a-1=1$
$\therefore a=1$이므로 접점은 $(1,\ 0)$
접선은 $y-0=(x-1)$ $\quad\therefore y=x-1$

(2) 접점을 $(a,\ a^2)$, $f(x)=x^2$이라 하면
$f'(x)=2x \Rightarrow f'(a)=2a=3$
$\therefore a=\dfrac{3}{2}$이므로 접점은 $\left(\dfrac{3}{2},\ \dfrac{9}{4}\right)$
접선은 $y-\dfrac{9}{4}=3\left(x-\dfrac{3}{2}\right)$ $\quad\therefore y=3x-\dfrac{9}{4}$

(3) 접점을 $\left(a,\ -\dfrac{1}{2}a^2+3a-1\right)$, $f(x)=-\dfrac{1}{2}x^2+3x-1$
이라 하면
$f'(x)=-x+3 \Rightarrow f'(a)=-a+3=-1$
$\therefore a=4$이므로 접점은 $(4,\ 3)$
접선은 $y-3=-(x-4)$ $\quad\therefore y=-x+7$

(4) 접점을 $(a,\ a^3)$, $f(x)=x^3$이라 하면
$f'(x)=3x^2 \Rightarrow f'(a)=3a^2=3$
$\therefore a=1$ 또는 $a=-1$이므로
접점이 $(1,\ 1)$일 때, 접선은 $y-1=3(x-1)$ $\therefore y=3x-2$
접점이 $(-1,\ -1)$일 때, 접선은 $y+1=3(x+1)$
$\therefore y=3x+2$

(5) 접점을 $(a,\ a^3-3a^2+2a+2)$,
$f(x)=x^3-3x^2+2x+2$이라 하면
$f'(x)=3x^2-6x+2$
$f'(a)=3a^2-6a+2=-1$
$\therefore a=1$이므로 접점은 $(1,\ 2)$
접선은 $y-2=-(x-1)$ $\quad\therefore y=-x+3$

05 (1) 접점을 $(a,\ a^2)$, $f(x)=x^2$이라 하면
$f'(x)=2x \Rightarrow f'(a)=2a=2$
$\therefore a=1$이므로 접점은 $(1,\ 1)$
접선은 $y-1=2(x-1)$ $\quad\therefore y=2x-1$

(2) 접점을 $(a,\ -a^2)$, $f(x)=-x^2$이라 하면
$f'(x)=-2x \Rightarrow f'(a)=-2a=-1$
$\therefore a=\dfrac{1}{2}$이므로 접점은 $\left(\dfrac{1}{2},\ -\dfrac{1}{4}\right)$
접선은 $y+\dfrac{1}{4}=-\left(x-\dfrac{1}{2}\right)$ $\quad\therefore y=-x+\dfrac{1}{4}$

(3) 접점을 $(a,\ 2a^2+1)$, $f(x)=2x^2+1$이라 하면
$f'(x)=4x \Rightarrow f'(a)=4a=4$
$\therefore a=1$이므로 접점은 $(1,\ 3)$
접선은 $y-3=4(x-1)$ $\quad\therefore y=4x-1$

(4) 접점을 $(a,\ 2a^3)$, $f(x)=2x^3$이라 하면
$f'(x)=6x^2 \Rightarrow f'(a)=6a^2=6$
$\therefore a=1$ 또는 $a=-1$이므로
접점은 $(1,\ 2)$일 때, 접선은 $y-2=6(x-1)$
$\therefore y=6x-4$
접점은 $(-1,\ -2)$일 때, 접선은 $y+2=6(x+1)$
$\therefore y=6x+4$

(5) 접점을 $\left(a,\ \dfrac{1}{3}a^3\right)$, $f(x)=\dfrac{1}{3}x^3$이라 하면
$f'(x)=x^2 \Rightarrow f'(a)=a^2=9$
$\therefore a=3$ 또는 $a=-3$이므로
접점은 $(3,\ 9)$일 때, 접선은 $y-9=9(x-3)$
$\therefore y=9x-18$
접점은 $(-3,\ -9)$일 때, 접선은 $y+9=9(x+3)$
$\therefore y=9x+18$

06 (1) 접점을 $(a,\ a^2)$, $f(x)=x^2$이라 하면 $f'(a)=2a$이므로
$y=2a(x-a)+a^2$ $\quad\therefore y=2ax-a^2$ $\cdots$ ㉠
㉠이 점 $(4,\ 7)$을 지나므로 $x=4$, $y=7$을 대입하면
$a^2-8a+7=0$, $(a-1)(a-7)=0$
$\therefore a=1$ 또는 $a=7$
$a=1$이면 $y=2x-1$,
$a=7$이면 $y=14x-49$

(2) 접점을 $(a,\ a^3)$, $f(x)=x^3$이라 하면 $f'(a)=3a^2$이므로
$y-a^3=3a^2(x-a)$ $\quad\therefore y=3a^2x-2a^3$ $\cdots$ ㉠
㉠이 점 $(2,\ 0)$을 지나므로 $x=2$, $y=0$을 대입하면
$-2a^3+6a^2=0$, $-2a^2(a-3)=0$
$\therefore a=0$ 또는 $a=3$
$a=0$이면 $y=0$,
$a=3$이면 $y=27x-54$

(3) 접점을 $(a,\ a^3-a)$, $f(x)=x^3-x$이라 하면
$f'(a)=3a^2-1$이므로 $y-(a^3-a)=(3a^2-1)(x-a)$
$\therefore y=(3a^2-1)x-2a^3$ $\cdots$ ㉠
㉠이 점 $(0,\ -2)$를 지나므로 $x=0$, $y=-2$를 대입하면
$-2a^3+2=0$, $-2(a^3-1)=0$,

$(a-1)(a^2+a+1)=0$

$\therefore a=1 \ (\because a^2+a+1\neq0)$

$a=1$이면 $y=2x-2$

(4) 접점을 (a, a^3-1), $f(x)=x^3-1$이라 하면

$f'(a)=3a^2$이므로 $y-(a^3-1)=3a^2(x-a)$

$\therefore y=3a^2x-2a^3-1 \ \cdots \ \bigcirc$

$\bigcirc$이 점 $(0, 15)$를 지나므로 $x=0$, $y=15$를 대입하면

$-2a^3-1=15$, $-2(a^3+8)=0$,

$(a+2)(a^2-2a+4)=0$

$\therefore a=-2 \ (\because a^2-2a+4\neq0)$

$a=-2$이면 $y=12x+15$

07 (1) ① $f(1)=g(1)$이므로 $1+a=1+b$ $\therefore a=b \ \cdots \ \bigcirc$

$f'(x)=2x$, $g'(x)=3x^2+b$이고 $f'(1)=g'(1)$이므로

$2=3+b$ $\therefore b=-1$ $\therefore a=-1 \ (\because \bigcirc)$

② $f(x)=x^2-1$에서 $f(1)=0$, $f'(1)=15$이므로

$\therefore y=2(x-1)=2x-2$

(2) ① $f(3)=g(3)$이므로 $9a+9=9+3b$

$\therefore 3a=b \ \cdots \ \bigcirc$

$f'(x)=2ax+3$, $g'(x)=x^2+b$이고 $f'(3)=g'(3)$

이므로 $6a+3=9+b$ $\therefore b=6$ $\therefore a=2 \ (\because \bigcirc)$

② $f(x)=2x^2+3x$에서 $f(3)=27$, $f'(3)=15$이므로

$\therefore y-27=15(x-3)$ $\therefore y=15x-18$

08 i) $f(x)=-x^3+5$라 하면

$f'(x)=-3x^2$ $\therefore f'(1)=-3$이므로

점 $(1, 4)$에서의 접선의 방정식은

$y-4=-3(x-1)$ $\therefore y=-3x+7$

ii) $y=-3x+7$의 x절편 : $\dfrac{7}{3}$, y절편 : 7

따라서 구하는 도형의 넓이는 $\dfrac{1}{2}\times\dfrac{7}{3}\times7=\dfrac{49}{6}$

개념 06 롤의 정리와 평균값 정리

58쪽

01 (1) $-\dfrac{3}{2}$ (2) 2

(3) $\dfrac{1}{2}$ (4) $\dfrac{3}{4}$

02 (1) 1 (2) $\dfrac{1}{\sqrt{3}}$

(3) 1

03 (1) $\dfrac{1}{2}$ (2) -1

(3) $\sqrt{3}$ (4) $c=-1$ 또는 $c=\dfrac{4}{3}$

04 (1) 2개   (2) 3개

(3) 1개   (4) 1개

도전! 1등급 **05** ③

01 (1) $f(-3)=f(0)=1$이고 $f'(x)=2x+3$이므로

$f'(c)=2c+3=0$ $\therefore c=-\dfrac{3}{2}$

[다른 풀이] $c=\dfrac{-3+0}{2}=-\dfrac{3}{2}$

(2) $f(-1)=f(5)=3$이고 $f'(x)=2x-4$이므로

$f'(c)=2c-4=0$ $\therefore c=2$

[다른 풀이] $c=\dfrac{-1+5}{2}=2$

(3) $f(-2)=f(3)=-6$이고 $f'(x)=-2x+1$이므로

$f'(c)=-2c+1=0$ $\therefore c=\dfrac{1}{2}$

[다른 풀이] $c=\dfrac{-2+3}{2}=\dfrac{1}{2}$

(4) $f\left(\dfrac{1}{2}\right)=f(1)=2$이고 $f'(x)=-4x+3$이므로

$f'(c)=-4c+3=0$ $\therefore c=\dfrac{3}{4}$

[다른 풀이] $c=\dfrac{\dfrac{1}{2}+1}{2}=\dfrac{3}{4}$

02 (1) $f(-1)=f(2)=3$이고 $f'(x)=3x^2-3$이므로

$f'(c)=3c^2-3=0$ $\therefore c=-1$ 또는 $c=1$

구간 $(-1, 2)$에 속하는 c의 값을 구하면 $c=1$

(2) $f(0)=f(1)=0$이고 $f'(x)=3x^2-1$이므로

$f'(c)=3c^2-1=0$ $\therefore c=\dfrac{1}{\sqrt{3}}$ 또는 $c=-\dfrac{1}{\sqrt{3}}$

구간 $(0, 1)$에 속하는 수는 $c=\dfrac{1}{\sqrt{3}}$

(3) $f(0)=f\left(\dfrac{3}{2}\right)=1$이고 $f'(x)=6x^2-6x$이므로

$f'(c)=6c^2-6c=0$ $\therefore c=0$ 또는 $c=1$

구간 $\left(0, \dfrac{3}{2}\right)$에 속하는 수는 $c=1$

03 (1) $\dfrac{f(2)-f(-1)}{2-(-1)}=\dfrac{4-1}{3}=1$이고 $f'(x)=2x$이므로

$f'(c)=2c=1$ $\therefore c=\dfrac{1}{2}$

[다른 풀이] $c=\dfrac{-1+2}{2}=\dfrac{1}{2}$

(2) $\dfrac{f(0)-f(-2)}{0-(-2)}=\dfrac{2-6}{2}=-2$이고 $f'(x)=2x$이므로

$f'(c)=2c=-2$ $\therefore c=-1$

[다른 풀이] $c=\dfrac{-2+0}{2}=-1$

(3) $\dfrac{f(3)-f(0)}{3-0}=\dfrac{27-0}{3}=9$이고 $f'(x)=3x^2$이므로

$f'(c)=3c^2=9$에서 $c=\sqrt{3}$ 또는 $c=-\sqrt{3}$

구간 $(0, 3)$에 속하는 수는 $c=\sqrt{3}$

(4) $\dfrac{f(2)-f(-2)}{2-(-2)}=\dfrac{13-(-19)}{4}=8$이고

$f'(x)=6x^2-2x$이므로

$f'(c)=6c^2-2c=8$에서 $c=-1$ 또는 $c=\dfrac{4}{3}$

구간 $(-2, 2)$에 속하는 수는 $c=-1$ 또는 $c=\dfrac{4}{3}$

04 (1)
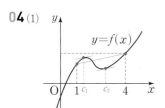

(2)
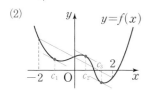

(3)
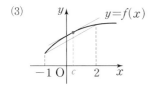

(4)
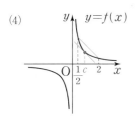

05 구간 $[-1, 1]$에서 연속이고 구간 $(-1, 1)$에서 미분가능한
함수는 ㉢, ㉤이다.
㉠ $x=0$에서 미분가능하지 않음
㉡, ㉣ $x=0$에서 불연속

개념 **07** 함수의 증가와 감소

60쪽

예 $<$ / 증가

예 $2x$ / $>$ / 증가

01 (1) 1, a^2-2a, b^2-2b, $a-b$,
$<$, $>$, $<$, $<$, 증가

(2) $-a^3$, $-b^3$, $b-a$, $>$, $>$, $>$, $>$, 감소

(3) 0, $\dfrac{1}{a}$, $\dfrac{1}{b}$, $b-a$, $>$, $>$, $>$, $>$, 감소

---

02 (1) 증가　　　(2) 감소　　　(3) 감소
(4) 감소　　　(5) 증가　　　(6) 감소
(7) 증가

03 (1) $0 \le a \le 6$　　　　(2) $0 \le a \le 6$
(3) $-1 \le a \le 0$　　　(4) $0 \le a \le \dfrac{2}{3}$

도전! 1등급 **04** ③

02 (1) $f'(x)=2x$이고 $x>0$일 때, $f'(x)>0$이므로 $f(x)$는 구간
$(0, \infty)$에서 증가한다.

(2) $f'(x)=2x-2=2(x-1)$이고 $x<1$일 때,
$f'(x)<0$이므로 $f(x)$는 구간 $(-\infty, 1)$에서 감소한다.

(3) $f'(x)=-2x+1$이고 $x>\dfrac{1}{2}$일 때, $f'(x)<0$이므로
$f(x)$는 구간 $\left(\dfrac{1}{2}, \infty\right)$에서 감소한다.

(4) $f'(x)=-3x^2$이고 $x<0$일 때, $f'(x)<0$이므로 $f(x)$는
구간 $(-\infty, 0)$에서 감소한다.

(5) $f'(x)=3x^2+6x=3x(x+2)$이고 $x<-2$일 때,
$f'(x)>0$이므로 $f(x)$는 구간 $(-\infty, -2)$에서 증가한다.

(6) $f'(x)=3x^2-6x=3(x-2)$이고 $0<x<1$일 때,
$f'(x)<0$이므로 $f(x)$는 구간 $(0, 1)$에서 감소한다.

(7) $f'(x)=-x^2+4=-(x+2)(x-2)$이고
$-2<x<2$일 때,
$f'(x)>0$이므로 $f(x)$는 구간 $(-2, 2)$에서 증가한다.

03 (1) $f'(x)=3x^2+2ax+2a \ge 0$이어야 만족하므로
$\dfrac{D}{4}=a^2-6a \le 0$, $a(a-6) \le 0$ ∴ $0 \le a \le 6$

(2) $f'(x)=6x^2-2ax+a \ge 0$이어야 만족하므로
$\dfrac{D}{4}=a^2-6a \le 0$, $a(a-6) \le 0$ ∴ $0 \le a \le 6$

(3) $f'(x)=-x^2+2ax+a \le 0$이어야 만족하므로
$\dfrac{D}{4}=a^2+a \le 0$, $a(a+1) \le 0$ ∴ $-1 \le a \le 0$

(4) $f'(x)=-3x^2+6ax-2a \le 0$이어야 만족하므로
$\dfrac{D}{4}=9a^2-6a \le 0$, $3a(3a-2) \le 0$ ∴ $0 \le a \le \dfrac{2}{3}$

04 주어진 삼차함수 $f(x)$의 역함수가 존재한다.
x^3의 계수가 양수이므로 $f(x)$는 증가함수
즉, $f'(x)=6x^2+2x+a \ge 0$이어야 만족하므로
$\dfrac{D}{4}=1-6a \le 0$, $6a \ge 1$ ∴ $a \ge \dfrac{1}{6}$

08 함수의 극대와 극소

62쪽

01 (1) ① d ② b, c
    (2) ① c ② 없다.

02

(1)

x	$\cdots$	1	$\cdots$	2	$\cdots$	3	$\cdots$
$f'(x)$	+	0	−	0	+	0	−
$f(x)$	↗	극대	↘	극소	↗	극대	↘

(2)

x	$\cdots$	-2	$\cdots$	1	$\cdots$
$f'(x)$	+	0	−	0	+
$f(x)$	↗	극대	↘	극소	↗

(3)

x	$\cdots$	0	$\cdots$	2	$\cdots$
$f'(x)$	−	0	+	0	+
$f(x)$	↘	극소	↗	·	↗

03

(1)

x	$\cdots$	0	$\cdots$	2	$\cdots$
$f'(x)$	+	0	−	0	+
$f(x)$	↗	2	↘	-2	↗

(2)

x	$\cdots$	-2	$\cdots$	0	$\cdots$
$f'(x)$	+	0	−	0	+
$f(x)$	↗	$-\dfrac{2}{3}$	↘	-2	↗

(3)

x	$\cdots$	$\dfrac{1}{3}$	$\cdots$	1	$\cdots$
$f'(x)$	−	0	+	0	−
$f(x)$	↘	$\dfrac{23}{27}$	↗	1	↘

(4)

x	$\cdots$	1	$\cdots$	3	$\cdots$
$f'(x)$	−	0	+	0	−
$f(x)$	↘	$-\dfrac{4}{3}$	↗	0	↘

04 (1) $a=0$, $b=3$ (2) $a=-\dfrac{3}{2}$, $b=\dfrac{1}{2}$
     (3) $a=-2$, $b=-6$ (4) $a=-8$, $b=8$

도전! 1등급 **05** ①

04 (1) $f'(x)=-3x^2+2x+a$에서 $f'(0)=a=0$이고
    극댓값 $f(0)=b=3$이다.
    (2) $f'(x)=3x^2+2ax$에서 $f'(1)=3+2a=0$, $\therefore a=-\dfrac{3}{2}$
    극댓값 $f(1)=1-\dfrac{3}{2}+b=0$ $\therefore b=\dfrac{1}{2}$이다.

(3) $f'(x)=3ax^2-4x+2$에서 $f'(-1)=3a+4+2=0$,
    $\therefore a=-2$
    극솟값 $f(-1)=2-2-2-b=4$ $\therefore b=-6$이다.
(4) $f'(x)=6x^2+2ax+b$에서 $f'(2)=24+4a+b=0$,
    $\therefore 4a+b=-24$ $\cdots$ ㉠
    극솟값 $f(2)=16+4a+2b-1=-1$
    $\therefore 4a+2b=-16$ $\cdots$ ㉡
    ㉠, ㉡을 연립하면, $\therefore a=-8$, $b=8$

05 $f'(x)=3x^2+2ax+b=3(x-1)(x-3)$이므로
    $\therefore a=-6$ $\therefore b=9$
    따라서 $b-a=9-(-6)=15$

09 함수의 그래프와 최대·최소

64쪽

예 4 / -2

01 (1)

x	$\cdots$	-3	$\cdots$	1	$\cdots$
$f'(x)$	+	0	−	0	+
$f(x)$	↗	27	↘	-5	↗

(2)

x	$\cdots$	0	$\cdots$	1	$\cdots$
$f'(x)$	+	0	−	0	+
$f(x)$	↗	3	↘	2	↗

(3)

x	$\cdots$	-2	$\cdots$	4	$\cdots$
$f'(x)$	+	0	−	0	+
$f(x)$	↗	$\dfrac{34}{3}$	↘	$-\dfrac{74}{3}$	↗

(4)

x	$\cdots$	-1	$\cdots$	$\dfrac{1}{3}$	$\cdots$
$f'(x)$	−	0	+	0	−
$f(x)$	↘	2	↗	$\dfrac{86}{27}$	↘

(5)

x	$\cdots$	-1	$\cdots$	1	$\cdots$
$f'(x)$	−	0	+	0	−
$f(x)$	↘	$\dfrac{2}{3}$	↗	$\dfrac{10}{3}$	↘

02 (1)

x	$\cdots$	-1	$\cdots$	0	$\cdots$	1	$\cdots$
$f'(x)$	−	0	+	0	−	0	+
$f(x)$	↘	-3	↗	-2	↘	-3	↗

(2)

x	$\cdots$	0	$\cdots$	1	$\cdots$	2	$\cdots$
$f'(x)$	$-$	0	$+$	0	$-$	0	$+$
$f(x)$	$\searrow$	1	$\nearrow$	2	$\searrow$	1	$\nearrow$

(3)

x	$\cdots$	-2	$\cdots$	0	$\cdots$	2	$\cdots$
$f'(x)$	$+$	0	$-$	0	$+$	0	$-$
$f(x)$	$\nearrow$	5	$\searrow$	-3	$\nearrow$	5	$\searrow$

(4)

x	$\cdots$	-1	$\cdots$	1	$\cdots$	2	$\cdots$
$f'(x)$	$+$	0	$-$	0	$+$	0	$-$
$f(x)$	$\nearrow$	$\dfrac{31}{12}$	$\searrow$	$-\dfrac{1}{12}$	$\nearrow$	$\dfrac{1}{3}$	$\searrow$

03 (1) $3,\ -2$ (2) $3,\ 0$

(3) $29,\ -3$ (4) $7,\ -5$

(5) $\dfrac{5}{3},\ -\dfrac{103}{3}$

04 (1) $129,\ -15$ (2) $100,\ 1$

(3) $129,\ -47$ (4) $0,\ -3$

(5) $\dfrac{11}{2},\ -\dfrac{53}{2}$ (6) $-2,\ -34$

05 (1) $\sqrt{5}$ (2) $\dfrac{\sqrt{7}}{2}$

(3) $\sqrt{17}$

06 (1) $\dfrac{4\sqrt{3}}{9}$ (2) $\dfrac{16}{27}$

(3) 32

07 (1) 16 (2) 64π

도전! 1등급 **08** ③

01 (1) $f'(x)=3x^2+6x-9=0$에서 $3(x+3)(x-1)=0$

$f(-3)=27$: 극대 $f(1)=-5$: 극소

y절편 : 0

(2) $f'(x)=6x^2-6x=0$에서 $6x(x-1)=0$

$f(0)=3$: 극대, $f(1)=2$: 극소

y절편 : 3

(3) $f'(x)=x^2-2x-8=0$에서 $(x+2)(x-4)=0$

$f(-2)=\dfrac{34}{3}$: 극대, $f(4)=-\dfrac{74}{3}$: 극소

y절편 : 2

(4) $f'(x)=-3x^2-2x+1=0$에서 $-(x+1)(3x-1)=0$

$f\left(\dfrac{1}{3}\right)=\dfrac{86}{27}$: 극대, $f(-1)=2$: 극소

y절편 : 3

(5) $f'(x)=-2x^2+2=0$에서 $-2(x+1)(x-1)=0$

$f(1)=\dfrac{10}{3}$: 극대, $f(-1)=\dfrac{2}{3}$: 극소

y절편 : 2

02 (1) $f'(x)=4x^3-4x=0$에서 $4x(x+1)(x-1)=0$

$f(-1)=f(1)=-3$: 극소, $f(0)=-2$: 극대

y축과의 교점 $(0,\ -2)$

(2) $f'(x)=4x^3-12x^2+8x=0$에서 $4x(x-1)(x-2)=0$

$\therefore f(0)=f(2)=1$: 극소, $f(1)=2$: 극대

y축과의 교점 $(0,\ 1)$

(3) $f'(x)=-2x^3+8x=0$에서 $-2x(x+2)(x-2)=0$

$\therefore f(0)=-3$: 극소, $f(-2)=f(2)=5$: 극대

y축과의 교점 $(0,\ -3)$

(4) $f'(x)=-x^3+2x^2+x-2=0$에서

$-(x+1)(x-1)(x-2)=0$

$\therefore f(1)=-\dfrac{1}{12}$: 극소, $f(-1)=\dfrac{31}{12},\ f(2)=\dfrac{1}{3}$: 극대

y축과의 교점 $(0,\ 1)$

03 (1) $f'(x)=6x^2-6x=0$에서 $6x(x-1)=0$

$f(0)=3$: 극대, $f(1)=2$: 극소, $f(-1)=-2$

최솟값 : -2 최댓값 : 3

(2) $f'(x)=3x^2-4x=0$에서 $x(3x-4)=0$

$f(0)=3$: 극대, $f(-1)=0,\ f(1)=2$

최솟값 : 0 최댓값 : 3

(3) $f'(x)=3x^2+6x-9=0$에서 $3(x-1)(x+3)=0$

$f(-3)=29$: 극대, $f(1)=-3$: 극소, $f(3)=29$

최솟값 : -3 최댓값 : 29

(4) $f'(x)=-9x^2+9=0$에서 $-9(x-1)(x+1)=0$

$f(-2)=7,\ f(-1)=-5$: 극소, $f(1)=7$: 극대

$f(2)=-5$

최솟값 : -5 최댓값 : 7

(5) $f'(x)=-x^2-4x+5=0$에서 $-(x-1)(x+5)=0$

$f(-6)=-31,\ f(-5)=-\dfrac{103}{3}$: 극소, $f(1)=\dfrac{5}{3}$: 극대

최솟값 : $-\dfrac{103}{3}$ 최댓값 : $\dfrac{5}{3}$

04 (1) $f'(x)=4x^3-16x=0$ $\therefore 4x(x+2)(x-2)=0$

$f(-2)=f(2)=-15$: 극소, $f(0)=1$: 극대

$f(-3)=10,\ f(4)=129$

최댓값 : 129 최솟값 : -15

(2) $f'(x)=4x^3+4x=0$ $\therefore 4x(x^2+1)=0$

$f(0)=1$: 극소, $f(-1)=4,\ f(3)=100$

최댓값 : 100 최솟값 : 1

(3) $f'(x)=4x^3-32=0$ $\therefore 4(x-2)(x^2+2x+4)=0$

$f(2)=-47$: 극소, $f(0)=1,\ f(4)=129$

최댓값 : 129 최솟값 : -47

(4) $f'(x)=-4x^3-4x=0$ $\therefore -4x(x^2+1)=0$

$f(0)=0$: 극대, $f(-1)=-3,\ f(1)=-3$

최댓값 : 0 최솟값 : -3

(5) $f'(x)=-2x^3+2x=0$ $\therefore -2x(x+1)(x-1)=0$

$f(0)=5$: 극소, $f(-1)=\dfrac{11}{2}$, $f(1)=\dfrac{11}{2}$: 극대

$f(-3)=-\dfrac{53}{2}$

최댓값 : $\dfrac{11}{2}$ 최솟값 : $-\dfrac{53}{2}$

(6) $f'(x)=-4x^3-8x=0$ $\therefore -4x(x^2+2)=0$

$f(0)=-2$: 극대, $f(-2)=-34$

최댓값 : -2 최솟값 : -34

05 (1) $\mathrm{P}(t,\ t^2)$이라 하면

$l=\sqrt{(t-3)^2+t^4}=\sqrt{t^4+t^2-6t+9}$

$l^2=t^4+t^2-6t+9$이므로

$(l^2)'=4t^3+2t-6=2(t-1)(2t^2+2t+3)$

$\therefore t=1$일 때, 극소이고 l의 최솟값은 $\sqrt{5}$

(2) $\mathrm{P}(t,\ -t^2)$이라 하면

$l=\sqrt{(-t^2+2)^2+t^2}=\sqrt{t^4-3t^2+4}$

$l^2=t^4-3t^2+4$이므로

$(l^2)'=4t^3-6t=4t\left(t^2-\dfrac{3}{2}\right)$

$\qquad =4t\left(t+\dfrac{\sqrt{6}}{2}\right)\left(t-\dfrac{\sqrt{6}}{2}\right)$

$\therefore t=\pm\dfrac{\sqrt{6}}{2}$일 때, 극소이고 l의 최솟값은 $\dfrac{\sqrt{7}}{2}$

(3) $\mathrm{P}(t,\ t^2+1)$이라 하면

$l=\sqrt{(t-6)^2+(t^2-3)^2}=\sqrt{t^4-5t^2-12t+45}$

$l^2=t^4-5t^2-12t+45$이므로

$(l^2)'=4t^3-10t-12=2(t-2)(2t^2+4t+3)$

$\therefore t=2$일 때, 극소이고 l의 최솟값은 $\sqrt{17}$

06 (1) 직사각형의 제1사분면의 꼭짓점을

$(t,\ -t^2+1)$이라 하면 $S=2t(1-t^2)=2t-2t^3$

$S'=2-6t^2=0$에서 $t=\pm\dfrac{\sqrt{3}}{3}$

$t=\dfrac{\sqrt{3}}{3}$에서 극대이자 최대이므로 S의 최댓값은 $\dfrac{4\sqrt{3}}{9}$이다.

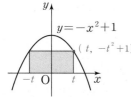

(2) $\mathrm{P}(t,\ -t^2+2t)$이라 하면 $\mathrm{H}(t,\ 0)$이고

$S=\dfrac{1}{2}t(2t-t^2)=-\dfrac{1}{2}t^3+t^2$이고

$S'=-\dfrac{3}{2}t^2+2t=-\dfrac{3}{2}t\left(t-\dfrac{4}{3}\right)=0$에서

$t=0$ 또는 $t=\dfrac{4}{3}$

$t=\dfrac{4}{3}$에서 극대이자 최대이므로 S의 최댓값은 $\dfrac{16}{27}$이다.

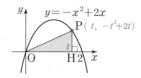

(3) 사다리꼴의 제1사분면의 꼭짓점을

$(t,\ -t^2+9)$라 하면

$S=\dfrac{1}{2}(2t+6)(9-t^2)=-t^3-3t^2+9t+27$

$S'=-3t^2-6t+9=-3(t+3)(t-1)=0$에서

$t=-3$ 또는 $t=1$

$t=1$에서 극대이자 최대이므로 S의 최댓값은 32이다.

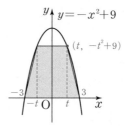

07 (1) 잘라내는 정사각형 모양의 한 변의 길이를 t라 하면

$0<t<3$이고

$V=t(6-2t)^2$

$\qquad =4t^3-24t^2+36t$

$V'=12t^2-48t+36$

$\qquad =12(t-1)(t-3)$

$t=1$에서 극대이자 최대이므로

V의 최댓값은 16이다.

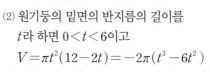

(2) 원기둥의 밑면의 반지름의 길이를

t라 하면 $0<t<6$이고

$V=\pi t^2(12-2t)=-2\pi(t^3-6t^2)$

$V'=-6\pi t^2+24\pi t=-6\pi t(t-4)$

$t=4$에서 극대이자 최대이므로

V의 최댓값은 64π이다.

08 $f'(x)=3x^2-12=0$ $\therefore 3(x+2)(x-2)=0$

$f(-2)=16+a$ 극대이고 최대,

$f(2)=-16+a$ 극소이고 최소 $\therefore 2a=8$ $\therefore a=4$

개념 10 도함수의 그래프와 함수의 그래프

68쪽

01 (1) -1

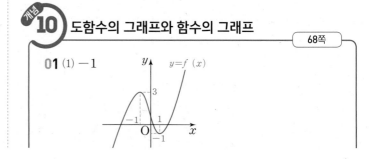

(2) -2

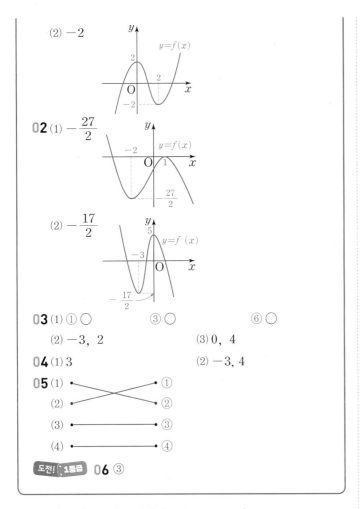

02 (1) $-\dfrac{27}{2}$

(2) $-\dfrac{17}{2}$

03 (1) ① ○ ③ ○ ⑥ ○

(2) -3, 2 (3) 0, 4

04 (1) 3 (2) -3, 4

05 (1) — ①

(2) — ②

(3) — ③

(4) — ④

06 ③

01 (1) $f(-1)=3$이 극댓값이므로 $\therefore c=1$이고
극솟값은 $f(1)=-1$

(2) $f(0)=2$이 극댓값이므로 $\therefore c=2$이고
극솟값은 $f(2)=-2$

02 (1) $f(1)=0$이 극댓값이므로 $\therefore c=-\dfrac{7}{2}$이고
극솟값은 $f(-2)=-\dfrac{27}{2}$

(2) $f(0)=5$가 극댓값이므로 $\therefore c=5$이고
극솟값은 $f(-3)=-\dfrac{17}{2}$

06 $y=f(x)$의 그래프의 개형은 오른쪽과
같으므로 $f(x)$가 최소가 되는
x의 값은 2이고, $f(x)$가 최대가 되는
x의 값은 -3이다.
따라서 구하는 합은 $2+(-3)=-1$이다.

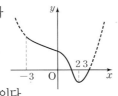

01 (1) 1개 (2) 1개 (3) 3개

(4) 2개 (5) 2개 (6) 0개

02 (1) ① 1개 ② 2개

③ 3개 ④ 2개

(2) ① 0개 ② 1개

③ 2개 ④ 3개

⑤ 2개

03 (1) ~ (3) 풀이참조

04 (1) 2개 (2) 3개 (3) 1개

(4) 2개

05 (1) $0<k<4$

(2) $-18<k<18$

(3) $-20<k<7$

06 (1) $k=0$ 또는 $k=32$

(2) $k=0$ 또는 $k=2$

(3) $k=-5$ 또는 $k=-4$

07 (1) $k<-16$ 또는 $k>16$

(2) $k<-1$ 또는 $k>0$

(3) $k<-\dfrac{10}{3}$ 또는 $k>\dfrac{7}{6}$

08 (1) $-1<k<3$

(2) $k=0$ 또는 $k=4$

(3) $k<-\dfrac{11}{6}$ 또는 $k>\dfrac{97}{6}$

09 (1) $6x^2-6x$, 0, 1, $[0, \infty)$, 1, 0, 0

(2) $3x^2-6x$, 0, 2, $(0, \infty)$, 2, 1, 0

(3) $-3x^2+12x$, 0, 4, $[0, \infty)$, 4, 2, 2

(4) $-4x^3+16x$, -2, 2, $(-\infty, -2)$, -2, 0, 0

10 ① **11** ③

01 (1) $f(x)=x^3-2$라고 하면 $f'(x)=3x^2=0$에서
$x=0$(중근)이므로 극값은 존재하지 않고 단조증가함수이다.
따라서 1개의 실근을 갖는다.

(2) $f(x)=x^3+x+1$이라고 하면 $f'(x)=3x^2+1>0$이므로
극값은 존재하지 않고 단조증가함수이다. 따라서 1개의 실근
을 갖는다.

(3) $f(x)=x^3-3x^2+1$이라고 하면
$f'(x)=3x^2-6x=3x(x-2)=0$에서
$f(0)=1$: 극대, $f(2)=-3$: 극소 이므로
서로 다른 세 실근을 갖는다.

(4) $f(x)=x^4-4x^3+3$이라고 하면

$f'(x)=4x^3-12x^2=4x^2(x-3)=0$에서

$f(0)=3$: 중근, $f(3)=-24$: 극소

이므로 서로 다른 두 실근을 갖는다.

(5) $f(x)=2x^4-4x^2-3$이라고 하면

$f'(x)=8x^3-8x=8x(x-1)(x+1)=0$에서

$f(-1)=f(1)=-5$: 극소, $f(0)=-3$: 극대

이므로 서로 다른 두 실근을 갖는다.

(6) $f(x)=x^4-4x^3+4x^2+1$이라고 하면

$f'(x)=4x^3-12x^2+8x$

　　　$=4x(x-1)(x-2)=0$에서

$\therefore f(0)=f(2)=1$ 극소, $f(1)=2$ 극대

따라서 0개의 실근을 갖는다

02 (1)

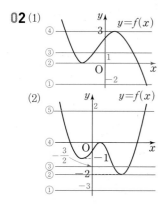

(2)

03 (1) $f(x)=x^3-3x$라고 하면

$f'(x)=3x^2-3=0$에서 $x=-1$ 또는 $x=1$

$f(-1)=2$: 극대, $f(1)=-2$: 극소

$\therefore k>2$, $k<-2$: 1개, $k=\pm2$: 2개

$-2<k<2$: 3개

(2) $f(x)=x^4+2x^2+1$이라고 하면

$f'(x)=4x^3+4x=0$, $x=0$ 이므로 $f(0)=1$

$\therefore k>1$: 2개, $k=1$: 1개, $k<1$: 0개

(3) $f(x)=x^4-2x^2-2$라고 하면

$f'(x)=4x^3-4x=0$에서

$x=-1$ 또는 $x=1$ 또는 $x=0$

$f(-1)=-3$: 극소　$f(1)=-3$: 극소

$f(0)=-2$: 극대

$\therefore k>-2$ 또는 $k=-3$: 2개, $k=-2$: 3개

$-3<k<-2$: 4개, $k<-3$: 0개

04 (1) $f(x)=x^3-6x^2$라고 하면

$f'(x)=3x^2-12x=0$, $x=0$ 또는 $x=4$

$f(0)=0$: 극대, $f(4)=-32$: 극소

따라서 $y=f(x)$와 x축은 두 점에서 만나므로 서로 다른

두 개의 실근을 갖는다.

(2) $f(x)=-x^3+3x+1$이라고 하면

$f'(x)=-3x^2+3=0$, $x=-1$ 또는 $x=1$

$f(-1)=-1$: 극소, $f(1)=3$: 극대

따라서 $y=f(x)$와 x축은 세 점에서 만나므로 서로

다른 세 개의 실근을 갖는다.

(3) $f(x)=x^3-3x^2+5$라고 하면

$f'(x)=3x^2-6x=0$, $x=0$ 또는 $x=2$

$f(0)=5$: 극대, $f(2)=1$: 극소

따라서 $y=f(x)$와 x축은 한 점에서 만나므로

한 개의 실근을 갖는다.

(4) $f(x)=x^4-4x^3+2$라고 하면

$f'(x)=4x^3-12x^2=0$, $x=0$ 또는 $x=3$

$f(0)=2$: 중근, $f(3)=-25$: 극소

따라서 $y=f(x)$와 x축은 두 점에서 만나므로 서로

다른 두 개의 실근을 갖는다.

05 (1) $f(x)=x^3-3x^2+k$라고 하면

$f'(x)=3x^2-6x=0$, $x=0$ 또는 $x=2$

$f(0)=k$: 극대, $f(2)=k-4$: 극소

$k(k-4)<0$　$\therefore 0<k<4$

(2) $f(x)=\dfrac{1}{3}x^3-9x+k$라고 하면

$f'(x)=x^2-9=0$, $x=-3$ 또는 $x=3$

$f(-3)=k+18$: 극대　$f(3)=k-18$: 극소

$(k+18)(k-18)<0$　$\therefore -18<k<18$

(3) $f(x)=2x^3+3x^2-12x+k$라고 하면

$f'(x)=6x^2+6x-12=0$, $x=-2$ 또는 $x=1$

$f(-2)=k+20$: 극대, $f(1)=k-7$: 극소

$(k+20)(k-7)<0$　$\therefore -20<k<7$

06 (1) $f(x)=x^3+6x^2-k$라고 하면 $f'(x)=3x^2+12x=0$

$x=0$ 또는 $x=-4$

$f(-4)=32-k$: 극대　$f(0)=-k$: 극소

$k(k-32)=0$　$\therefore k=0$ 또는 $k=32$

(2) $f(x)=x^3-3x^2+2k$라고 하면 $f'(x)=3x^2-6x=0$

$x=0$ 또는 $x=2$

$f(0)=2k$: 극대　$f(2)=2k-4$: 극소

$4k(k-2)=0$　$\therefore k=0$ 또는 $k=2$

(3) $f(x)=2x^3+9x^2+12x-k$라고 하면

$f'(x)=6x^2+18x+12=0$　$x=-1$ 또는 $x=-2$

$f(-1)=-k-5$: 극대　$f(-2)=-k-4$: 극소

$(k+5)(k+4)=0$　$\therefore k=-5$ 또는 $k=-4$

07 (1) $f(x)=x^3-12x-k$라고 하면

$f'(x)=3x^2-12=0$

$x=-2$ 또는 $x=2$

$f(-2)=16-k$: 극대, $f(2)=-16-k$: 극소

$(k+16)(k-16)>0$ ∴ $k<-16$ 또는 $k>16$

(2) $f(x)=4x^3+6x^2+2k$ 라고 하면 $f'(x)=12x^2+12x=0$

$x=-1$ 또는 $x=0$

$f(-1)=2k+2$: 극대, $f(0)=2k$: 극소

$4k(k+1)>0$ ∴ $k<-1$ 또는 $k>0$

(3) $f(x)=-\dfrac{1}{3}x^3+\dfrac{1}{2}x^2+2x+k$ 라고 하면

$f'(x)=-x^2+x+2=0$, $x=-1$ 또는 $x=2$

$f(-1)=k-\dfrac{7}{6}$: 극대, $f(2)=k+\dfrac{10}{3}$: 극소

$\left(k+\dfrac{10}{3}\right)\left(k-\dfrac{7}{6}\right)>0$ ∴ $k<-\dfrac{10}{3}$ 또는 $k>\dfrac{7}{6}$

08 (1) $f(x)=x^3+3x^2-k-1$ 라고 하면

$f'(x)=3x^2+6x=0$, $x=0$ 또는 $x=-2$

$f(-2)=3-k$: 극대, $f(0)=-k-1$: 극소

$(k+1)(k-3)<0$ ∴ $-1<k<3$

(2) $f(x)=-x^3+3x^2-k$ 라고 하면

$f'(x)=-3x^2+6x=0$, $x=0$ 또는 $x=2$

$f(2)=4-k$: 극대, $f(0)=-k$: 극소

$k(k-4)=0$ ∴ $k=0$ 또는 $k=4$

(3) $f(x)=\dfrac{1}{3}x^3-2x^2-5x+2k+1$ 라고 하면

$f'(x)=x^2-4x-5=0$, $x=-1$ 또는 $x=5$

$f(-1)=2k+\dfrac{11}{3}$: 극대, $f(5)=2k-\dfrac{97}{3}$: 극소

$\left(2k+\dfrac{11}{3}\right)\left(2k-\dfrac{97}{3}\right)>0$ ∴ $k<-\dfrac{11}{6}$ 또는 $k>\dfrac{97}{6}$

09 (1)
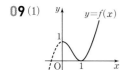

(2)

10 $f(x)=x^3-3x$ 라고 하면 $f'(x)=3x^2-3=0$

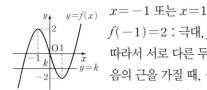

$x=-1$ 또는 $x=1$

$f(-1)=2$: 극대, $f(1)=-2$: 극소

따라서 서로 다른 두 개의 양의 근과 한 개의
음의 근을 가질 때, 실수 k의 값의 범위는
$-2<k<0$ 이다.

11 $f(x)=x^4-4a^3x+3$ 이라고 하면 $f'(x)=4x^3-4a^3=0$, $x=a$

(최솟값)$=f(a)=-3a^4+3\geq0$, $a^4-1\leq0$

∴ $(a^2+1)(a+1)(a-1)\leq0$ ∴ $-1\leq a\leq1$ 이다.

따라서 $\alpha+\beta=0$ 이다.

74쪽

개념 12 속도와 가속도

예 $2t-5\,/\,2$

01 (1) $v=13$, $a=18$ (2) $v=-23$, $a=-16$

(3) $v=6$, $a=14$ (4) $v=193$, $a=96$

02 (1) ㉠, ㉡, ㉢, ㉣   (2) ㉡, ㉢

03 (1) $t=2$ (2) $t=\dfrac{4}{3}$

(3) $t=1$ (4) $t=\dfrac{2}{3}$ 또는 $t=2$

(5) $t=1$ (6) $t=1$

(7) $t=\dfrac{1}{2}$

04 (1) ① $0<t<2$, $4<t\leq5$

② $2<t<4$

③ $t=2$, $t=4$

(2) ① $0<t<2$, $2<t<4$

② $4<t<6$

③ $t=4$

05 (1) 3초   (2) 45 m

(3) 6초   (4) -30 m/s

06 (1) 10 m/s   (2) 2초

(3) 30 m   (4) $(2+\sqrt{6})$초

07 (1) $0.8t$ m   (2) $1.6t$ m

(3) 0.8 m/s   (4) 1.6 m/s

08 (1) $2t$ m   (2) $3t$ m

(3) 2 m/s   (4) 3 m/s

09 (1) $(10+3t)$ cm   (2) $(10+3t)^2$ cm^2

(3) $(60+18t)$ cm^2/s   (4) 96 cm^2/s

10 (1) $(8+2t)$ cm   (2) $\pi(8+2t)^2$ cm^2

(3) $\pi(8t+32)$ cm^2/s   (4) 64π cm^2/s

11 (1) $(3+t)$ cm^3 (2) $\dfrac{4}{3}\pi(3+t)^3$ cm^3

(3) $4\pi(3+t)^2$ cm^3/s   (4) 144π cm^3/s

도전! 1등급 **12** ④   **13** ④

01 (1) $v=6t^2-6t+1$ $t=2$일 때, $v=13$

$a=12t-6$ $t=2$일 때, $a=18$

(2) $v=-3t^2+2t-2$ $t=3$일 때, $v=-23$

$a=-6t+2$ $t=3$일 때, $a=-16$

(3) $v=3t^2+8t-5$ $t=1$일 때, $v=6$

$a=6t+8$ $t=1$일 때, $a=14$

(4) $v=12t^2+1$ $t=4$일 때, $v=193$

$a=24t$ $t=4$일 때, $a=96$

02 (1) $v=3t^2-8t+4=(3t-2)(t-2)>0$

$\therefore 0 \le t < \dfrac{2}{3}$ 또는 $t>2$

(2) $v=3t^2-8t+4=(3t-2)(t-2)<0$

$\therefore \dfrac{2}{3}<t<2$

03 (1) $v=3t^2-12=0$ $\therefore t=2 (\because t>0)$

(2) $v=3t^2-4t=0$ $\therefore t=\dfrac{4}{3} (\because t>0)$

(3) $v=3t^2+6t-9=0$ $\therefore t=1 (\because t>0)$

(4) $v=3t^2-8t+4=0 \Rightarrow (3t-2)(t-2)=0$

$\therefore t=\dfrac{2}{3}$ 또는 $t=2 \ (\because t>0)$

(5) $v=6t^2+6t-12=0 \Rightarrow 6(t+2)(t-1)=0$

$\therefore t=1 (\because t>0)$

(6) $v=4t^3+12t^2-16t=0 \Rightarrow 4t(t-1)(t+4)=0$

$\therefore t=1 (\because t>0)$

(7) $v=-4t^3+10t^2-8t+2=0 \Rightarrow -2(2t-1)(t-1)^2=0$

$\therefore t=\dfrac{1}{2}$

04 (1) ③ $v=0$이고, v의 부호가 바뀔 때는 $t=2, t=4$

05 (1) $v=30-10t=0$ $\therefore t=3$(초)

(2) $t=3$일 때, $h=90-45=45$(m)

(3) $h=30t-5t^2=0$ $\therefore t=6$(초)

(4) $t=6$일 때, $v=30-60=-30$(m/s)

06 (1) $v=20-10t$ $\therefore v=10$(m/s)

(2) $v=20-10t=0$ $\therefore t=2$(초)

(3) $t=2$일 때, $h=10+40-20=30$(m)

(4) $h=10+20t-5t^2=0$, $-5(t^2-4t-2)=0$

$\therefore t=2+\sqrt{6}$(초)

07 (1) $3.2 : 1.6 = (0.8t+x) : x$

$\therefore x=0.8t$(m)

(2) $l=0.8t+x=1.6t$(m)

(3) $\dfrac{dx}{dt}=(0.8t)'=0.8$(m/s)

(4) $\dfrac{dl}{dt}=(1.6t)'=1.6$(m/s)

08 (1) $2.4 : 1.6 = (t+x) : x$ $\therefore x=2t$(m)

(2) $l=x+t=3t$(m)

(3) $\dfrac{dx}{dt}=(2t)'=2$(m/s)

(4) $\dfrac{dl}{dt}=(3t)'=3$(m/s)

09 (3) $S=9t^2+60t+100$이므로

$\dfrac{dS}{dt}=18t+60$

(4) $\dfrac{dS}{dt}=18t+60$에서 $t=2$일 때, $96 \, \text{cm}^2/\text{s}$

10 (3) $S=\pi(4t^2+32t+64)$이므로

$\dfrac{dS}{dt}=\pi(8t+32)$

(4) $\dfrac{dS}{dt}=4\pi(8+2t)$에서 $t=4$일 때, $64\pi \, \text{cm}^2/\text{s}$

11 (3) $V=\dfrac{4}{3}\pi(t^3+9t^2+27t+27)$이므로

$\dfrac{dV}{dt}=\dfrac{4}{3}\pi(3t^2+18t+27)=4\pi(t^2+6t+9)$

(4) $\dfrac{dV}{dt}=4\pi(3+t)^2$에서 $t=3$일 때, $144\pi \, \text{cm}^3/\text{s}$

12 $3 \le t \le 4$일 때, 속도가 일정하다

13 $V=(5+t)^3$ $\dfrac{dV}{dt}=3(5+t)^2$

$t=3 \Rightarrow 3\times 8^2=192 \, \text{cm}^3/\text{s}$

개념 정복
78~81쪽

01 (1) $y=4x+2$ (2) $y=3x-1$

(3) $y=3x-2$ (4) $y=-4x+4$

(5) $y=-9x+16$

02 (1) $-\dfrac{1}{2}$ (2) $-\dfrac{1}{2}$

(3) -1 (4) $\dfrac{2\sqrt{3}}{3}$

(5) 1

03 (1) $-6 \le a \le 0$ (2) $-3 \le a \le 0$

(3) $0 \le a \le \dfrac{1}{3}$ (4) $-\dfrac{1}{9} \le a \le 0$

(5) $0 \le a \le \dfrac{1}{12}$

04 (1) $a=0, b=1$ (2) $a=-3, b=3$

(3) $a=-2, b=2$ (4) $a=\dfrac{1}{4}, b=-3$

(5) $a=3, b=6$

05 (1) $0, -4$ (2) $6, -26$

(3) $4, -4$ (4) $\dfrac{11}{3}, -\dfrac{5}{3}$

(5) $10, -8$

06 (1) ① $-1, 1, 3$ ② 1

③ 3

(2) ① $-\dfrac{5}{2}, 0, 4$ ② 4

③ $-\dfrac{5}{2}$

07 (1) $0<k<\dfrac{4}{3}$ (2) $-12\sqrt{2}<k<12\sqrt{2}$

(3) $-27<k<5$ (4) $3<k<4$

(5) $-1<k<\dfrac{5}{27}$

01 (1) $f(x)=-2x^2$이라 하면 $f'(x)=-4x$에서 접선의 기울기는

$f'(-1)=4$이고 접선의 방정식은

$y+2=4(x+1)$ $\therefore y=4x+2$

(2) $f(x)=x^2+x$라 하면 $f'(x)=2x+1$에서 접선의 기울기는

$f'(1)=3$이고 접선의 방정식은

$y-2=3(x-1)$ $\therefore y=3x-1$

(3) $f(x)=2x^2+3x-2$라 하면 $f'(x)=4x+3$에서 접선의

기울기는 $f'(0)=3$이고 접선의 방정식은

$y+2=3(x-0)$ $\therefore y=3x-2$

(4) $f(x)=-x^4-3x^3+4$라 하면 $f'(x)=-4x^3-9x^2$에서

접선의 기울기는 $f'(-2)=-4$이고 접선의 방정식은

$y-12=-4(x+2)$ $\therefore y=-4x+4$

(5) $f(x)=-x^3+3x$라 하면 $f'(x)=-3x^2+3$에서

접선의 기울기는 $f'(2)=-9$이고 접선의 방정식은

$y-(-2)=-9(x-2)$ $\therefore y=-9x+16$

02 (1) $\dfrac{f(1)-f(-2)}{1-(-2)}=\dfrac{1-4}{3}=-1$이고 $f'(x)=2x$이므로

$f'(c)=2c=-1$ $\therefore c=-\dfrac{1}{2}$

(2) $\dfrac{f(0)-f(-1)}{0-(-1)}=\dfrac{0-(-1)}{1}=1$이고 $f'(x)=2x+2$

이므로 $f'(c)=2c+2=1$ $\therefore c=-\dfrac{1}{2}$

(3) $\dfrac{f(1)-f(-3)}{1-(-3)}=0$이고 $f'(x)=2x+2$이므로

$f'(c)=2c+2=0$ $\therefore c=-1$

(4) $\dfrac{f(2)-f(0)}{2-0}=\dfrac{8}{2}=4$이고 $f'(x)=3x^2$이므로

$f'(c)=3c^2=4$ $\therefore c=\dfrac{2\sqrt{3}}{3}$

(5) $\dfrac{f(2)-f(-1)}{2-(-1)}=\dfrac{27}{3}=9$이고 $f'(x)=9x^2$이므로

$f'(c)=9c^2=9$ $\therefore c=1$

03 (1) $f'(x)=3x^2+2ax-2a\geq0$이려면

$\dfrac{D}{4}=a^2+6a\leq0$, $a(a+6)\leq0$ $\therefore -6\leq a\leq0$

(2) $f'(x)=12x^2-4ax-a\geq0$이려면

$\dfrac{D}{4}=4a^2+12a\leq0$, $4a(a+3)\leq0$ $\therefore -3\leq a\leq0$

(3) $f'(x)=3x^2+6ax+a\geq0$이려면

$\dfrac{D}{4}=9a^2-3a\leq0$, $3a(3a-1)\leq0$ $\therefore 0\leq a\leq\dfrac{1}{3}$

(4) $f'(x)=-x^2+6ax+a\leq0$이려면

$\dfrac{D}{4}=9a^2+a\leq0$, $a(9a+1)\leq0$ $\therefore -\dfrac{1}{9}\leq a\leq0$

(5) $f'(x)=-3x^2-12ax-a\leq0$이려면

$\dfrac{D}{4}=36a^2-3a\leq0$, $a(12a-1)\leq0$ $\therefore 0\leq a\leq\dfrac{1}{12}$

04 (1) $f'(x)=-6x^2+2x+2a$에서 $f'(0)=-2a=0$ $\therefore a=0$

$f(0)=1$이므로 $b=1$

(2) $f'(x)=6x^2+2ax$에서 $f'(1)=6+2a=0$, $a=-3$이고

$f(1)=2-3+b=2$이므로 $b=3$

(3) $f'(x)=-3x^2-6ax-9$에서

$f'(3)=-27-18a-9=0$, $a=-2$이고

$f(3)=-27+54-27+b=2$이므로 $b=2$

(4) $f'(x)=3ax^2-2x+1$에서 $f'(2)=12a-4+1=0$,

$\therefore a=\dfrac{1}{4}$

$f(2)=8a-4+2-b+1=4$이므로 $b=-3$

(5) $f'(x)=-6x^2+2ax+12$에서

$f'(-1)=-6-2a+12=0$, $a=3$이고

$f(-1)=2+3-12+b=-1$이므로 $b=6$

05 (1) $f'(x)=3x^2-6x=0$에서 $3x(x-2)=0$

$f(0)=0$: 극대, $f(-1)=-4$, $f(1)=-2$

최솟값 : -4 최댓값 : 0

(2) $f'(x)=3x^2-6x-9=0$에서 $3(x+1)(x-3)=0$

$f(-1)=6$: 극대, $f(3)=-26$: 극소 $f(-3)=-26$

최솟값 : -26 최댓값 : 6

(3) $f'(x)=-3x^2+3=0$에서 $-3(x+1)(x-1)=0$

$f(1)=0$: 극대, $f(-1)=-4$: 극소

$f(-2)=0$, $f(2)-4$

최솟값 : -4 최댓값 : 4

(4) $f'(x)=-x^2+2x+3=0$에서 $-(x+1)(x-3)=0$

$f(-1)=-\dfrac{5}{3}$: 극소, $f(-2)=\dfrac{2}{3}$, $f(1)=\dfrac{11}{3}$

최솟값 : $-\dfrac{5}{3}$ 최댓값 : $\dfrac{11}{3}$

(5) $f'(x)=12x^2-12x=0$에서 $12x(x-1)=0$

$f(0)=2$: 극대, $f(1)=0$: 극소,

$f(-1)=-8$, $f(2)=10$

최솟값 : -8 최댓값 : 10

07 (1) $f(x)=\dfrac{1}{3}x^3-x^2+k$라고 하면 $f'(x)=x^2-2x=0$

$x=0$ 또는 $x=2$

$f(0)=k$: 극대, $f(2)=k-\dfrac{4}{3}$: 극소

$k\left(k-\dfrac{4}{3}\right)<0$ $\therefore 0<k<\dfrac{4}{3}$

(2) $f(x)=3x^3-18x+k$라고 하면 $f'(x)=9x^2-18=0$

$x=-\sqrt{2}$ 또는 $x=\sqrt{2}$

$f(-\sqrt{2})=k+12\sqrt{2}$: 극대, $f(2)=k-12\sqrt{2}$: 극소

$(k+12\sqrt{2})(k-12\sqrt{2})<0$ $\therefore$ $-12\sqrt{2}<k<12\sqrt{2}$

(3) $f(x)=x^3-3x^2-9x-k$라고 하면

$f'(x)=3x^2-6x-9=0$ $x=-1$ 또는 $x=3$

$f(-1)=5-k$: 극대, $f(3)=-27-k$: 극소

$(k-5)(k+27)<0$ $\therefore$ $-27<k<5$

(4) $f(x)=2x^3-3x^2+4-k$라고 하면 $f'(x)=6x^2-6x=0$

$x=0$ 또는 $x=1$

$f(0)=4-k$: 극대, $f(1)=3-k$: 극소

$(4-k)(3-k)<0$ $\therefore$ $3<k<4$

(5) $f(x)=-x^3+x^2+x+k$라고 하면

$f'(x)=-3x^2+2x+1=0$, $x=-\dfrac{1}{3}$ 또는 $x=1$

$f\left(-\dfrac{1}{3}\right)=k-\dfrac{5}{27}$: 극소, $f(1)=k+1$: 극대

$\left(k-\dfrac{5}{27}\right)(k+1)<0$ $\therefore$ $-1<k<\dfrac{5}{27}$

08 (1) 점 P의 속도 $v=\dfrac{dx}{dt}=-3t^2+6t+9$

(2) 점 P의 속도 $v=-3t^2+6t+9=0$

$-3(t+1)(t-3)=0$에서 $t>0$이므로 $\therefore$ $t=3$

(4) $t=3$일 때, 위치 $x=-27+27+27=27$

09 (1) $v=\dfrac{dh}{dt}=25-10t=0$이므로 $t=2.5$

(2) $h=25\times2.5-5\times2.5^2=31.25$m

(3) $h=25t-5t^2=0$, $t=0$ 또는 $t=5$

(4) $t=5$일 때, $v=25-10\times5=-25$ m/s

내신 정복 〔82~84쪽〕

01 ①	**02** ⑤
03 ③	**04** ①
05 ①	**06** ③
07 ③	**08** ④
09 ③	**10** ④
11 ④	**12** -2
13 ③	**14** ④
15 ④	**16** ④
17 ②	**18** ③
19 ④	**20** ③

---

01 $\displaystyle\lim_{h\to0}\dfrac{f(a+4h)-f(a)}{-3h}=\lim_{h\to0}\dfrac{f(a+4h)-f(a)}{4h}\times\left(-\dfrac{4}{3}\right)$

$=-\dfrac{4}{3}f'(a)$

02 $f'(x)=4x(x^2+x+a)+(2x^2-1)(2x+1)$에서

$f'(1)=4(2+a)+1\times3=11+4a=10$

$\therefore a=-\dfrac{1}{4}$

03 x의 값이 0에서 2까지 변할 때의 함수 $f(x)$의 평균변화율은

$\dfrac{f(2)-f(0)}{2-0}=\dfrac{(2^2+2a+b)-b}{2}$

$=\dfrac{2a+4}{2}=a+2$

$a+2=3$에서 $a=1$

04 $f(0)=-3$이므로 $f(x)=x^2+ax+b$에서 $b=-3$

$\displaystyle\lim_{h\to0}\dfrac{f(1+h)-f(1)}{h}=1$에서

$f'(x)=2x+a$이므로 $f'(1)=2+a=1$

$\therefore a=-1$

따라서 $f(x)=x^2-x-3$이므로

$f(1)=1-1-3=-3$

05 $f(x)=x^{10}-5x^4+8x$로 놓으면 $f(1)=4$이므로

$\displaystyle\lim_{x\to1}\dfrac{x^{10}-5x^4+8x-4}{x-1}=\lim_{x\to1}\dfrac{f(x)-f(1)}{x-1}$

한편, $f'(x)=10x^9-20x^3+8$이므로

$f'(1)=10-20+8=-2$

06 함수 $f(x)$가 $x=1$에서 미분 가능하므로 $x=1$에서 연속이다.

즉, $f(1)=\displaystyle\lim_{x\to1}f(x)$에서

$a=1+b$ ……㉠

또, $f'(1)$이 존재하므로

$\displaystyle\lim_{h\to0+}\dfrac{f(1+h)-f(1)}{h}=\lim_{h\to0+}\dfrac{(1+h+b)-a}{h}$

$=\displaystyle\lim_{h\to0+}\dfrac{h}{h}=1$

$\displaystyle\lim_{h\to0-}\dfrac{f(1+h)-f(1)}{h}=\lim_{h\to0-}\dfrac{a(1+h)^2-a}{h}$

$=\displaystyle\lim_{h\to0-}a(h+2)=2a$

$2a=1$에서 $a=\dfrac{1}{2}$

$a=\dfrac{1}{2}$을 ㉠에 대입하면 $b=-\dfrac{1}{2}$

$a+b=\dfrac{1}{2}+\left(-\dfrac{1}{2}\right)=0$

07 $f(x)=x^3+8$로 놓으면 $f'(x)=3x^2$이므로

$f'(-1)=3$ 따라서 구하는 접선의 방정식은

$y-7=3(x+1)$ $\therefore y=3x+10$

x축과의 교점 $\left(-\dfrac{10}{3},\,0\right)$, y축과의 교점 $(0,\,10)$

따라서 넓이는 $\dfrac{1}{2}\times\dfrac{10}{3}\times10=\dfrac{50}{3}$

08 $f(x)=x^2-3x-1$로 놓으면 $f'(x)=2x-3$이므로

$f'(3)=6-3=3$ 따라서 구하는 접선의 방정식은

$y-(-1)=3(x-3)$

$\therefore y=3x-10$

09 $f(x)=-x^2+4x$로 놓으면 $f'(x)=-2x+4$

접점의 좌표를 $(t,\ -t^2+4t)$라고 하면 접선의 기울기는

6이므로 $f'(x)=-2t+4=6$ $\therefore t=-1$

따라서 구하는 접선은 점 $(-1,\ -5)$를 지나고 기울기가 6인

직선이므로 $y-(-5)=6(x+1)$

$\therefore y=6x+1$

10 $f(x)=x^3+3x^2+ax+3$에서 $f'(x)=3x^2+6x+a$

함수 $f(x)$가 실수 전체의 집합에서 증가하려면 모든 실수 x에

대하여 $f'(x)\geq0$이어야 하므로

방정식 $f'(x)=0$의 판별식을 D라고 할 때,

$\dfrac{D}{4}=9-3a\leq0$ $\therefore a\geq3$

11 $f(x)=-x^3+kx-kx+2$에서 $f'(x)=-3x^2+2kx-k$

함수 $f(x)$가 구간 $(-\infty,\ \infty)$에서 감소하려면 모든 실수 x에

대하여 $f'(x)\leq0$이어야 하므로

방정식 $f'(x)=0$의 판별식을 D라고 할 때,

$\dfrac{D}{4}=k^2-3k\leq0$, $k(k-3)\leq0$ $\therefore 0\leq k\leq3$

따라서 구하는 정수 k의 개수는 0, 1, 2, 3의 4개이다.

12 $f(x)=x^3-6x^2+9x-3$에서

$f'(x)=3x^2-12x+9=3(x-1)(x-3)$

$f'(x)=0$에서 $x=1$ 또는 $x=3$

따라서 함수 $f(x)$는 $x=1$일 때 극댓값 $f(1)=1$,

$x=3$일 때 극솟값 $f(3)=-3$을 가지므로 $a=1$, $b=-3$

$\therefore a+b=-2$

13 $x^3-6x^2+9x+a=0$에서

$-x^3+6x^2-9x=a$

$f(x)=-x^3+6x^2-9x$로 놓으면

$f'(x)=-3x^2+12x-9=-3(x-1)(x-3)$

$f'(x)=0$에서 $x=1$ 또는 $x=3$

$\therefore f(1)=-4,\ f(3)=0$

즉, 함수 $y=f(x)$의 그래프는 오른쪽 그림과 같다.

주어진 방정식이 서로 다른 세 실근을 가지려면

함수 $y=f(x)$와 $y=a$의 그래프가 서로 다른 세 점에서

만나야 하므로 $-4<a<0$

14 $f(x)=x^4-4x+a-1$로 놓으면

$f'(x)=4x^3-4=4(x-1)(x^2+x+1)$

$f'(x)=0$에서 $x=1$ ($\because x^2+x+1>0$)

따라서 함수 $f(x)$는 $x=1$에서 극소이면서 최소이므로

$f(1)=a-4\geq0$ $\therefore a\geq4$

15 $y=f(x)$의 그래프의 개형은 오른쪽과 같다.

$f(x)$가 최소가 되는 x의 값은 -2이고,

$f(x)$가 최대가 되는 x의 값은 2이다.

따라서 구하는 합은 0이다.

16 함수 $y=f(x)$의 역함수가 존재하려면 $f(x)$가 일대일 대응이

어야 하므로 실수 전체의 집합에서 $f(x)$는 증가함수 또는

감소함수이어야 한다. 그런데 최고차항의 계수가 양수이므로

$f(x)$는 증가함수이어야 한다.

즉, 모든 실수 x에 대하여 $f'(x)\geq0$이어야 하므로

$f'(x)=3x^2+4x+2k\geq0$

방정식 $f'(x)=0$의 판별식 $\dfrac{D}{4}=4-6k\leq0$ $\therefore k\geq\dfrac{2}{3}$

17 $f(x)=ax^3-6ax^2+b$에서

$f'(x)=3ax^2-12ax=3ax(x-4)$

$f'(x)=0$에서 $x=0$ 또는 $x=4$

$f(-1)=b-7a,\ f(0)=b,\ f(2)=b-16a$

함수 $f(x)$는 $x=0$일 때 최댓값 b,

$x=2$일 때, 최솟값 $b-16a$를 갖는다.

따라서 $b=3$, $b-16a=-29$이므로 $a=2$, $b=3$

18 정육면체의 t초 후의 부피를 V라 하면

$V=(3+2t)^3=8t^3+36t^2+54t+27$이므로

$\dfrac{dV}{dt}=24t^2+72t+54$

$t=2$일때, 부피의 변화율은 294 cm^3/s

19 점 P의 속도를 v, 가속도를 a라고 하면

$v=\dfrac{dx}{dt}=3t^2-10t+1$, $a=\dfrac{dv}{dt}=6t-10$

$t=2$일 때의 점 P의 속도 v는 $3\times2^2-10\times2+1=-7$

가속도 a는 $a=6\times2-10=2$

20 물체의 t초 후의 속도를 v라고 하면 $v=\dfrac{dh}{dt}=40-10t$

최고 지점에 도달 했을 때, $v=0$이므로 $0=40-10t$ $\therefore t=4$

따라서 4초 후의 이 물체의 지면으로부터의 높이 h는

$h=40\times4-5\times4^2=80(\text{m})$

❶ 부정적분과 정적분

Ⅲ 적분

개념 **01** 부정적분

86쪽

- 예 $2x$ / $2x$ / x^2
- 예 x^2
- 예 x^2+C (단, C는 적분상수)

01 (1) ○   (3) ○

02 (1) -1 (2) $2x$
   (3) $4x+3$ (4) $x+2$
   (5) $3x^2+12x$ (6) x^2-x

03 (1) 4 (2) $\dfrac{1}{3}$
   (3) $-6x-3$ (4) $2x^2+4x-4$

04 (1) $x+1$ (2) x^2+5
   (3) $-x^2+\dfrac{1}{3}x$ (4) x^3+4

05 (1) x^2-x+C (2) $-3x^3+4x+C$
   (3) $\dfrac{1}{3}x^3+2x^2+C$ (4) $-x^3+\dfrac{1}{2}x+C$
   (5) x^4+x^3+C

도전! 1등급 **06** ⑤

01 (2) $\displaystyle\int x\,dx=\dfrac{1}{2}x^2+C$
   (4) $\displaystyle\int (x+1)\,dx=\dfrac{1}{2}x^2+x+C$

02 (1) $f(x)=(-x)'=-1$
   (2) $f(x)=(x^2)'=2x$
   (3) $f(x)=(2x^2+3x)'=4x+3$
   (4) $f(x)=\left(\dfrac{1}{2}x^2+2x\right)'=x+2$
   (5) $f(x)=(x^3+6x^2)'=3x^2+12x$
   (6) $f(x)=\left(\dfrac{1}{3}x^3-\dfrac{1}{2}x^2\right)'=x^2-x$

03 (1) $f(x)=(4x-1)'=4$
   (2) $f(x)=\left(\dfrac{1}{3}x+2\right)'=\dfrac{1}{3}$
   (3) $f(x)=(-3x^2-3x+6)'=-6x-3$
   (4) $f(x)=\left(\dfrac{2}{3}x^3+2x^2-4x\right)'=2x^2+4x-4$

06 $f(x)=4x^2+3x+C$ (단, C는 적분상수이다.)
$$\lim_{h\to 0}\frac{f(1+2h)-f(1)}{h}=\lim_{h\to 0}\frac{f(1+2h)-f(1)}{2h}\times 2=2f'(1)$$
$f'(x)=8x+3$ $\therefore 2f'(1)=2\times 11=22$

개념 **02** 부정적분의 계산

88쪽

- 예 $\dfrac{1}{2}$, 2 / $\dfrac{1}{3}$, 3 / $\dfrac{1}{4}$, 4
- 예 2
- 예 $\displaystyle\int x\,dx$
- 예 $\displaystyle\int x^3\,dx$

01 (1) $\dfrac{2}{3}x+C$ (2) $x+C$
   (3) $-5x+C$ (4) $\pi x+C$
   (5) $\sqrt{2}x+C$ (6) $(\sqrt{3}-\sqrt{2})x+C$

02 (1) $\dfrac{1}{5}x^5+C$ (2) $\dfrac{1}{6}x^6+C$
   (3) $\dfrac{1}{7}x^7+C$ (4) $\dfrac{1}{8}x^8+C$
   (5) $\dfrac{1}{9}x^9+C$

03 (1) $\dfrac{3}{2}x^2+C$ (2) $\dfrac{1}{5}x^2+C$
   (3) $-\dfrac{1}{3}x^3+C$ (4) x^4+C
   (5) $2x^4+C$ (6) x^5+C
   (7) x^6+C

04 (1) $\dfrac{1}{2}x^2+10x+C$
   (2) $3x-\dfrac{5}{2}x^2+C$
   (3) $\dfrac{3}{2}x^2-\dfrac{1}{2}x+C$
   (4) $\dfrac{1}{3}x^3+\dfrac{1}{2}x^2+x+C$
   (5) x^3-x^2-6x+C
   (6) $\dfrac{2}{3}x^3+\dfrac{3}{2}x^2+4x+C$
   (7) $\dfrac{1}{4}x^4+x^3-x^2+4x+C$

05 (1) $\dfrac{2}{3}x^3+\dfrac{1}{2}x^2+C$
   (2) $\dfrac{1}{4}x^4-\dfrac{1}{3}x^3+C$
   (3) $\dfrac{1}{3}x^3-4x+C$
   (4) $\dfrac{1}{3}x^3-2x^2-5x+C$
   (5) $2x^3-\dfrac{7}{2}x^2-3x+C$
   (6) $\dfrac{1}{4}x^4+x+C$
   (7) $2x^4-x+C$

06 (1) $\dfrac{1}{5}x^5+\dfrac{1}{3}x^3+x+C$
   (2) $\dfrac{16}{5}x^5+\dfrac{4}{3}x^3+x+C$

(3) $\dfrac{1}{5}x^5+3x^3+81x+C$

07 (1) $\dfrac{1}{3}x^3+x^2+x+C$

(2) $3x^3-6x^2+4x+C$

(3) $\dfrac{1}{4}x^4+x^3+\dfrac{3}{2}x^2+x+C$

(4) $2x^4-4x^3+3x^2-x+C$

08 (1) $\dfrac{1}{2}x^2+x+C$

(2) $\dfrac{1}{2}x^2-2x+C$

(3) $\dfrac{3}{2}x^2+x+C$

(4) x^2-3x+C

09 (1) $\dfrac{1}{3}x^3+\dfrac{1}{2}x^2+x+C$

(2) $\dfrac{1}{3}x^3-\dfrac{1}{2}x^2+x+C$

(3) $\dfrac{1}{3}x^3+x^2+4x+C$

(4) $\dfrac{1}{3}x^3-x^2+4x+C$

10 (1) $\dfrac{1}{3}x^3-\dfrac{1}{2}x^2+x+C$

(2) $\dfrac{1}{3}x^3+\dfrac{1}{2}x^2+x+C$

(3) $\dfrac{4}{3}x^3-x^2+x+C$

(4) $\dfrac{4}{3}x^3+x^2+x+C$

도전! 1등급 **11** ⑤ **12** ①

03 (1) $\displaystyle\int 3x\,dx=3\int x\,dx=3\times\dfrac{1}{2}x^2+C$

(2) $\displaystyle\int \dfrac{2}{5}x\,dx=\dfrac{2}{5}\int x\,dx=\dfrac{2}{5}\times\dfrac{1}{2}x^2+C$

(3) $\displaystyle\int (-x^2)\,dx=-\int x^2\,dx=-\dfrac{1}{3}x^3+C$

04 (1) $\displaystyle\int x\,dx+\int 10\,dx=\dfrac{1}{2}x^2+10x+C$

(2) $\displaystyle\int 3\,dx-5\int x\,dx=3x-\dfrac{5}{2}x^2+C$

(3) $3\displaystyle\int x\,dx-\int \dfrac{1}{2}\,dx=\dfrac{3}{2}x^2-\dfrac{1}{2}x+C$

(4) $\displaystyle\int x^2\,dx+\int x\,dx+\int 1\,dx=\dfrac{1}{3}x^3+\dfrac{1}{2}x^2+x+C$

(5) $3\displaystyle\int x^2\,dx-2\int x\,dx-\int 6\,dx$

$\qquad=3\times\dfrac{1}{3}x^3-2\times\dfrac{1}{2}x^2-6x+C$

$\qquad=x^3-x^2-6x+C$

(6) $2\displaystyle\int x^2\,dx+3\int x\,dx+\int 4\,dx=\dfrac{2}{3}x^3+\dfrac{3}{2}x^2+4x+C$

(7) $\displaystyle\int x^3\,dx+3\int x^2\,dx-2\int x\,dx+\int 4\,dx$

$\qquad=\dfrac{1}{4}x^4+3\times\dfrac{1}{3}x^3-2\times\dfrac{1}{2}x^2+4x+C$

$\qquad=\dfrac{1}{4}x^4+x^3-x^2+4x+C$

05 (1) $\displaystyle\int x(2x+1)\,dx=2\int x^2\,dx+\int x\,dx$

$\qquad=2\times\dfrac{1}{3}x^3+\dfrac{1}{2}x^2+C$

(2) $\displaystyle\int x^2(x-1)\,dx=\int x^3\,dx-\int x^2\,dx=\dfrac{1}{4}x^4-\dfrac{1}{3}x^3+C$

(3) $\displaystyle\int (x^2-4)\,dx=\int x^2\,dx-\int 4\,dx=\dfrac{1}{3}x^3-4x+C$

(4) $\displaystyle\int (x^2-4x-5)\,dx=\int x^2\,dx-4\int x\,dx-\int 5\,dx$

$\qquad=\dfrac{1}{3}x^3-2x^2-5x+C$

(5) $\displaystyle\int (6x^2-7x-3)\,dx=6\int x^2\,dx-7\int x\,dx-\int 3\,dx$

$\qquad=2x^3-\dfrac{7}{2}x^2-3x+C$

(6) $\displaystyle\int (x^3+1)\,dx=\int x^3\,dx+\int 1\,dx=\dfrac{1}{4}x^4+x+C$

(7) $\displaystyle\int (8x^3-1)\,dx=8\int x^3\,dx-\int 1\,dx=2x^4-x+C$

06 (1) $\displaystyle\int (x^4+x^2+1)\,dx=\dfrac{1}{5}x^5+\dfrac{1}{3}x^3+x+C$

(2) $\displaystyle\int (16x^4+4x^2+1)\,dx=\dfrac{16}{5}x^5+\dfrac{4}{3}x^3+x+C$

(3) $\displaystyle\int (x^4+9x^2+81)\,dx=\dfrac{1}{5}x^5+3x^3+81x+C$

07 (1) $\displaystyle\int (x^2+2x+1)\,dx=\dfrac{1}{3}x^3+x^2+x+C$

(2) $\displaystyle\int (9x^2-12x+4)\,dx=3x^3-6x^2+4x+C$

(3) $\displaystyle\int (x^3+3x^2+3x+1)\,dx=\dfrac{1}{4}x^4+x^3+\dfrac{3}{2}x^2+x+C$

(4) $\displaystyle\int (8x^3-12x^2+6x-1)\,dx=2x^4-4x^3+3x^2-x+C$

08 (1) $\displaystyle\int \dfrac{(x-1)(x+1)}{x-1}\,dx=\int (x+1)\,dx=\dfrac{1}{2}x^2+x+C$

(2) $\displaystyle\int \dfrac{(x-2)(x+2)}{x+2}\,dx=\int (x-2)\,dx=\dfrac{1}{2}x^2-2x+C$

(3) $\displaystyle\int \dfrac{(3x-1)(3x+1)}{3x-1}\,dx=\int (3x+1)\,dx=\dfrac{3}{2}x^2+x+C$

(4) $\displaystyle\int \dfrac{(2x-3)(2x+3)}{2x+3}\,dx=\int (2x-3)\,dx=x^2-3x+C$

09 (1) $\displaystyle\int \dfrac{(x-1)(x^2+x+1)}{x-1}\,dx$

$\qquad=\displaystyle\int (x^2+x+1)\,dx=\dfrac{1}{3}x^3+\dfrac{1}{2}x^2+x+C$

(2) $\displaystyle\int \dfrac{(x+1)(x^2-x+1)}{x-1}\,dx$

$\qquad=\displaystyle\int (x^2-x+1)\,dx=\dfrac{1}{3}x^3-\dfrac{1}{2}x^2+x+C$

(3) $\displaystyle\int \dfrac{(x-2)(x^2+2x+4)}{x-2}\,dx$

$$= \int (x^2+2x+4)dx = \frac{1}{3}x^3+x^2+4x+C$$

(4) $\int \dfrac{(x+2)(x^2-2x+4)}{x+2}dx$

$$= \int (x^2-2x+4)dx = \frac{1}{3}x^3-x^2+4x+C$$

10 (1) $\int \dfrac{(x^2-x+1)(x^2+x+1)}{x^2+x+1}dx$

$$= \int (x^2-x+1)dx = \frac{1}{3}x^3-\frac{1}{2}x^2+x+C$$

(2) $\int \dfrac{(x^2-x+1)(x^2+x+1)}{x^2-x+1}dx$

$$= \int (x^2+x+1)dx = \frac{1}{3}x^3+\frac{1}{2}x^2+x+C$$

(3) $\int \dfrac{(4x^2-2x+1)(4x^2+2x+1)}{4x^2+2x+1}dx$

$$= \int (4x^2-2x+1)dx = \frac{4}{3}x^3-x^2+x+C$$

(4) $\int \dfrac{(4x^2-2x+1)(4x^2+2x+1)}{4x^2-2x+1}dx$

$$= \int (4x^2+2x+1)dx = \frac{4}{3}x^3+x^2+x+C$$

11 $f(x)=x^{10}-x^9+x^8-x^7+\cdots+x^2-x+C$에 대해

$f(1)=C=0$

$\therefore f(-1)=\underbrace{1+1+\cdots+1}_{10\text{개}}=10$

12 $f(x)=\int \dfrac{(x-2)(x+5)}{x-2}dx$

$$= \int (x+5)dx = \frac{1}{2}x^2+5x+C$$

$f(0)=C=1$이므로 $f(2)=2+10+1=13$

개념 03 정적분의 정의, 정적분과 미분의 관계

92쪽

예 $\dfrac{1}{2}t^2$, $\dfrac{1}{2}$, 0, $\dfrac{1}{2}$ / $\dfrac{1}{3}t^3$, $\dfrac{8}{3}$, $\dfrac{1}{3}$, $\dfrac{7}{3}$

예 0 / 0

예 $\int_1^2 x^2 dx$

예 x / x^2

01 (1) 1   (2) 2

(3) 9   (4) 64

02 (1) 8   (2) 22

---

(3) 18   (4) 0

03 (1) 2   (2) -1

(3) 12   (4) 4

04 (1) 0   (2) 0   (3) 0

(4) -10 (5) 2

05 (1) $x-1$ (2) $2x^2+3x-1$

(3) x^3-2 (4) x^3-4x+5

(5) x^2+x-2

도전! 1등급 **06** ①, ②, ④

01 (1) (주어진 식)$=\Big[x\Big]_0^1=1-0=1$

(2) (주어진 식)$=\Big[\dfrac{1}{2}x^2\Big]_0^2=\dfrac{4}{2}-0=2$

(3) (주어진 식)$=\Big[\dfrac{1}{3}x^3\Big]_0^3=\dfrac{27}{3}-0=9$

(4) (주어진 식)$=\Big[\dfrac{1}{4}x^4\Big]_0^4=\dfrac{256}{4}-0=64$

02 (1) (주어진 식)$=\Big[4x\Big]_1^3=12-4=8$

(2) (주어진 식)$=\Big[\dfrac{1}{2}x^2\Big]_{10}^{12}=72-50=22$

(3) (주어진 식)$=\Big[\dfrac{1}{3}x^3\Big]_0^3=9-(-9)=18$

(4) (주어진 식)$=\Big[\dfrac{1}{4}x^4\Big]_{-2}^2=4-4=0$

03 (1) (주어진 식)$=\Big[x^2-x\Big]_1^2=2-0=2$

(2) (주어진 식)$=\Big[x^3-2x\Big]_{-1}^0=-(-1+2)=-1$

(3) (주어진 식)$=\Big[5x+x^2-\dfrac{1}{3}x^3\Big]_{-1}^5$

$$= \Big(25+25-\frac{125}{3}\Big)-\Big(-5+1+\frac{1}{3}\Big)$$

$$= 12$$

(4) (주어진 식)$=\Big[\dfrac{1}{4}x^4+\dfrac{1}{2}x^2-x\Big]_0^2=(4+2-2)-0=4$

05 (1) $\dfrac{d}{dx}\displaystyle\int_1^x (t-1)dt=x-1$

(2) $\dfrac{d}{dx}\displaystyle\int_1^x (2t^2+3t-1)dt=2x^2+3x-1$

06 주어진 등식의 양변을 x에 대해 미분하면

$\dfrac{d}{dx}\displaystyle\int_a^x f(t)dt=(x^2+2x-3)'$이므로 $f(x)=2x+2$

$\displaystyle\int_a^a f(t)dt=a^2+2a-3=0$

$(a+3)(a-1)=0 \quad \therefore a=-3$ 또는 $a=1$

94쪽

예 2

예 x^3

예 $x^3 \, / \, x$

예 $\int_{-1}^{1} f(x)dx$

예 2 / 1

예 0

---

01 (1) 6   (2) 162

     (3) 0

02 (1) 1   (2) $\dfrac{220}{3}$

     (3) 8   (4) 4

03 (1) 8   (2) 24

     (3) 2   (4) $\dfrac{22}{3}$

04 (1) -8 (2) 2

     (3) $\dfrac{5}{6}$ (4) -21

05 (1) 5   (2) $-\dfrac{11}{2}$

     (3) $\dfrac{17}{3}$ (4) $\dfrac{5}{3}$

06 (1) $\dfrac{5}{2}$ (2) 5

     (3) 2   (4) $\dfrac{8}{3}$

07 (1) 3   (2) 2

     (3) 3

08 (1) $\dfrac{28}{3}$ (2) 0

     (3) $\dfrac{46}{15}$ (4) 528

도전! 1등급 **09** ③

---

01 (1) (주어진 식)$=3\int_{0}^{1}(2x+1)dx=3\left[x^2+x\right]_{0}^{1}=3(2-0)=6$

  (2) (주어진 식)$=6\int_{-3}^{0}(x^2-4x)dx=6\left[\dfrac{1}{3}x^3-2x^2\right]_{-3}^{0}$

               $=6\{0-(-27)\}=162$

  (3) (주어진 식)$=-2\int_{1}^{2}(3x^2-2x-4)dx$

               $=-2\left[x^3-x^2-4x\right]_{1}^{2}=-2\{-4-(-4)\}=0$

02 (1) (주어진 식)$=\int_{0}^{1}(x+1+3x-2)dx=\int_{0}^{1}(4x-1)dx$

               $=\left[2x^2-x\right]_{0}^{1}=1$

  (2) (주어진 식)$=\int_{1}^{3}\{(2x+1)^2+(2x-1)^2\}dx$

               $=\int_{1}^{3}(8x^2+2)dx=\left[\dfrac{8}{3}x^3+2x\right]_{1}^{3}$

               $=78-\dfrac{14}{3}=\dfrac{220}{3}$

  (3) (주어진 식)$=\int_{0}^{2}(x^3+2x-x^3+2x)dx$

               $=\int_{0}^{2}4xdx=\left[2x^2\right]_{0}^{2}=8$

  (4) (주어진 식)$=\int_{-2}^{0}(4x^2-x^2+3x+1)dx$

               $=\int_{-2}^{0}(3x^2+3x+1)dx$

               $=-\left[x^3+\dfrac{3}{2}x^2+x\right]_{0}^{-2}=4$

03 (1) $\int_{0}^{2}(x^2+2x-1-1+2x^2)dx$

      $=\int_{0}^{2}(3x^2+2x-2)dx=\left[x^3+x^2-2x\right]_{0}^{2}=8$

  (2) $\int_{-2}^{1}\{(x+1)^3-(x-1)^3\}dx$

      $=\int_{-2}^{1}(6x^2+2)dx=\left[2x^3+2x\right]_{-2}^{1}$

      $=4-(-20)=24$

  (3) $\int_{0}^{\frac{1}{2}}\{(4+x)^2-(4-x)^2\}dx$

      $=\int_{0}^{\frac{1}{2}}16xdx=\left[8x^2\right]_{0}^{\frac{1}{2}}=2$

  (4) $\int_{0}^{2}\{3x^2-2x-(x-2x^2)\}dx$

      $=\int_{0}^{2}(5x^2-3x)dx=\left[\dfrac{5}{3}x^3-\dfrac{3}{2}x^2\right]_{0}^{2}=\dfrac{22}{3}$

04 (1) $\int_{0}^{2}(3x-7)dx=\left[\dfrac{3}{2}x^2-7x\right]_{0}^{2}=6-14=-8$

  (2) $\int_{-2}^{2}\left(x-\dfrac{1}{2}\right)dx=\left[\dfrac{1}{2}x^2+\dfrac{1}{2}x\right]_{-2}^{2}=2$

  (3) $\int_{0}^{3}(x^2+x)dx-\int_{1}^{3}(x^2+x)dx$

      $=\int_{0}^{1}(x^2+x)dx=\left[\dfrac{1}{3}x^3+\dfrac{1}{2}x^2\right]_{0}^{1}=\dfrac{5}{6}$

  (4) $\int_{-5}^{1}(4x^3-2)dx-\int_{-5}^{-2}(4x^3-2)dx$

      $=\left[x^4-2x\right]_{-2}^{1}=-1-20=-21$

05 (1) $\int_{-2}^{2}f(x)dx=\int_{-2}^{0}f(x)dx+\int_{0}^{2}f(x)dx$

      $=\int_{-2}^{0}\left(\dfrac{1}{2}x+2\right)dx+\int_{0}^{2}(-x+2)dx$

      $=\left[\dfrac{1}{4}x^2+2x\right]_{-2}^{0}+\left[-\dfrac{1}{2}x^2+2x\right]_{0}^{2}=3+2=5$

  (2) $\int_{0}^{3}f(x)dx=\int_{0}^{1}f(x)dx+\int_{1}^{3}f(x)dx$

      $=\int_{0}^{1}(3x-5)dx+\int_{1}^{3}(x-3)dx$

      $=\left[\dfrac{3}{2}x^2-5x\right]_{0}^{1}+\left[\dfrac{1}{2}x^2-3x\right]_{1}^{3}=-\dfrac{7}{2}-\dfrac{4}{2}=-\dfrac{11}{2}$

  (3) $\int_{-1}^{2}f(x)dx=\int_{-1}^{1}f(x)dx+\int_{1}^{2}f(x)dx$

      $=\int_{-1}^{1}1dx+\int_{1}^{2}(2x^2-1)dx$

$= \left[x\right]_{-1}^{1} + \left[\frac{2}{3}x^3 - x\right]_{1}^{2} = 2 + \frac{11}{3} = \frac{17}{3}$

(4) $\int_{-1}^{1} f(x)dx = \int_{-1}^{0} f(x)dx + \int_{0}^{1} f(x)dx$

$\quad = \int_{-1}^{0}(2x^2+4x+2)dx + \int_{0}^{1}(-2x+2)dx$

$\quad = \left[\frac{2}{3}x^3 + 2x^2 + 2x\right]_{-1}^{0} + \left[-x^2 + 2x\right]_{0}^{1} = \frac{2}{3} + 1 = \frac{5}{3}$

06 (1) $|x| = \begin{cases} x & (x \geq 0) \\ -x & (x \leq 0) \end{cases}$ 이므로

$\quad \int_{-2}^{1}|x|dx = \int_{-2}^{0}(-x)dx + \int_{0}^{1}x\,dx$

$\quad = \left[-\frac{1}{2}x^2\right]_{-2}^{0} + \left[\frac{1}{2}x^2\right]_{0}^{1} = 2 + \frac{1}{2} = \frac{5}{2}$

(2) $1-x=0 \Rightarrow x=1$에서 $|1-x| = \begin{cases} x-1 & (x \geq 1) \\ 1-x & (x \leq 1) \end{cases}$ 이므로

$\quad \int_{-2}^{2}|1-x|dx = \int_{-2}^{1}(1-x)dx + \int_{1}^{2}(x-1)dx$

$\quad = \left[x - \frac{1}{2}x^2\right]_{-2}^{1} + \left[\frac{1}{2}x^2 - x\right]_{1}^{2} = \frac{9}{2} + \frac{1}{2} = 5$

(3) $x^2-1=0 \Rightarrow (x+1)(x-1)=0 \Rightarrow x=-1$ 또는 $x=1$이므로

$\quad |x^2-1| = \begin{cases} x^2-1 & (x \leq -1 \ \text{또는} \ x \geq 1) \\ -x^2+1 & (-1 \leq x \leq 1) \end{cases}$

$\quad \therefore \int_{0}^{2}|x^2-1|dx = \int_{0}^{1}(-x^2+1)dx + \int_{1}^{2}(x^2-1)dx$

$\quad = \left[-\frac{1}{3}x^3 + x\right]_{0}^{1} + \left[\frac{1}{3}x^3 - x\right]_{1}^{2} = \frac{2}{3} + \frac{4}{3} = 2$

(4) $x^2-2x=0 \Rightarrow x(x-2)=0 \Rightarrow x=0$ 또는 $x=2$ 이므로

$\quad |x^2-2x| = \begin{cases} x^2-2x & (x \leq 0 \ \text{또는} \ x \geq 2) \\ -x^2+2x & (0 \leq x \leq 2) \end{cases}$

$\quad \therefore \int_{0}^{3}|x^2-2x|dx = \int_{0}^{2}(-x^2+2x)dx + \int_{2}^{3}(x^2-2x)dx$

$\quad = \left[-\frac{1}{3}x^3 + x^2\right]_{0}^{2} + \left[\frac{1}{3}x^3 - x^2\right]_{2}^{3} = \frac{4}{3} + \frac{4}{3} = \frac{8}{3}$

07 (1) $\int_{0}^{a}(2x+1)dx = \left[x^2 + x\right]_{0}^{a} = a^2 + a$

즉, $a^2+a=12$이므로 $a^2+a-12=0$, $(a-3)(a+4)=0$

$\therefore a=3(\because a>0)$

(2) $\int_{0}^{a}f(x)dx = \int_{0}^{1}f(x)dx + \int_{1}^{a}f(x)dx$

$\quad = \int_{0}^{1}(-x^2+1)dx + \int_{1}^{a}(x-1)dx$

$\quad = \left[-\frac{1}{3}x^3 + x\right]_{0}^{1} + \left[\frac{1}{2}x^2 - x\right]_{1}^{a}$

$\quad = \frac{2}{3} + \left(\frac{1}{2}a^2 - a + \frac{1}{2}\right) = \frac{1}{2}a^2 - a + \frac{7}{6}$

즉, $\frac{1}{2}a^2 - a + \frac{7}{6} = \frac{7}{6}$, $\frac{1}{2}a(a-2)=0$

$\therefore a=2(\because a>1)$

(3) $3x^2-6x=0 \Rightarrow 3x(x-2)=0 \Rightarrow x=0$ 또는 $x=2$이므로

$\quad |3x^2-6x| = \begin{cases} 3x^2-6x & (x \leq 0 \ \text{또는} \ x \geq 2) \\ -3x^2+6x & (0 \leq x \leq 2) \end{cases}$

$\quad \int_{1}^{a}|3x^2-6x|dx = \int_{1}^{2}(-3x^2+6x)dx + \int_{2}^{a}(3x^2-6x)dx$

$\quad = \left[-x^3+3x^2\right]_{1}^{2} + \left[x^3-3x^2\right]_{2}^{a}$

$\quad = 2 + (a^3 - 3a^2 + 4) = a^3 - 3a^2 + 6$

즉, $a^3 - 3a^2 + 6 = 6$, $a^2(a-3)=0$

$\therefore a=3(\because a>2)$

08 (1) $2\int_{0}^{2}(x^2+1)dx = 2\left[\frac{1}{3}x^3 + x\right]_{0}^{2} = 2\left(\frac{8}{3}+2\right) = \frac{28}{3}$

(3) $2\int_{0}^{1}(x^4+x^2+1)dx = 2\left[\frac{1}{5}x^5 + \frac{1}{3}x^3 + x\right]_{0}^{1} = \frac{46}{15}$

(4) $2\int_{0}^{3}(5x^4+3x^2-2)dx = 2\left[x^5 + x^3 - 2x\right]_{0}^{3} = 528$

09 (주어진 식) $= \int_{0}^{10}x^2dx = \left[\frac{1}{3}x^3\right]_{0}^{10} = \frac{1000}{3}$

개념 05 정적분으로 정의된 함수의 미분

98쪽

예 $x+1$

예 $2a$

01 (1) 0 (2) 0

(3) 0 (4) 0

02 (1) $3x+7$ (2) x^2+2x+3

(3) x^3+2 (4) $-x+5$

(5) $-x^2+5x-9$ (6) x^3+2x^2-9

03 (1) $f(x)=-2x$ (2) $f(x)=6x+2$

(3) $f(x)=6x^2+6x-2$ (4) $f(x)=\frac{3}{4}x^2 - \frac{1}{2}$

(5) $f(x)=2x-1$

(6) $f(x)=2x^3-3x^2-x+2$

04 (1) 7 (2) -6

(3) 6

05 (1) $f(x)=2x-4$ (2) $f(x)=x^2-\frac{2}{3}$

(3) $f(x)=x-\frac{3}{4}$ (4) $f(x)=3x^2-4x+\frac{1}{2}$

06 (1) $f(x)=3x^2+x$ (2) $f(x)=-x^3+2x^2-1$

(3) $f(x)=\frac{1}{2}x^3+3x-8$

(4) $f(x)=-x^3+x^2-x+21$

07 (1) 1 (2) -5

(3) 4 (4) 2

(5) -6

08 (1) 4 (2) 1

(3) 8 (4) -12

도전! 1등급 **09** ①

03 (1) $\int_0^x f(t)dt=-x^2+1$의 양변을 x에 대하여 미분하면

$\quad\quad \therefore f(x)=-2x$

(2) $\int_0^x f(t)dt=3x^2+2x+1$의 양변을 x에 대하여 미분하면

$\quad\quad \therefore f(x)=6x+2$

(3) $\int_0^x f(t)dt=2x^3+3x^2-2x-1$의 양변을 x에 대하여 미분하면

$\quad\quad \therefore f(x)=6x^2+6x-2$

(4) $\int_{-1}^x 2f(t)dt=\dfrac{1}{2}x^3-x-3$의 양변을 x에 대하여 미분하면

$\quad\quad 2f(x)=\dfrac{3}{2}x^2-1$ 이므로 $\therefore f(x)=\dfrac{3}{4}x^2-\dfrac{1}{2}$

(5) $\int_{-3}^x 3f(t)dt=3x^2-3x+5$의 양변을 x에 대하여 미분하면

$\quad\quad 3f(x)=6x-3$ 이므로 $\therefore f(x)=2x-1$

(6) $\int_1^x 2f(t)dt=x^4-2x^3-x^2+4x+1$의 양변을 x에 대하여 미분하면

$\quad\quad 2f(x)=4x^3-6x^2-2x+4$ 이므로

$\quad\quad f(x)=2x^3-3x^2-x+2$

04 (1) $\int_a^x f(t)dt=3x^2-2x$의 양변을 x에 대하여 미분하면

$\quad\quad \dfrac{d}{dx}\int_a^x f(t)dt=(3x^2-2x)'$ ➡ $f(x)=6x-2$

따라서 $\int_1^2 f(x)dx=\int_1^2(6x-2)dx=\Big[3x^2-2x\Big]_1^2=7$

(2) $\int_a^x f(t)dt=-x^3+x^2$의 양변을 x에 대하여 미분하면

$\quad\quad \dfrac{d}{dx}\int_a^x f(t)dt=(-x^3+x^2)'$ ➡ $f(x)=-3x^2+2x$

따라서 $\int_{-1}^2 f(x)dx=\int_{-1}^2(-3x^2+2x)dx$

$\quad\quad\quad =\Big[-x^3+x^2\Big]_{-1}^2=-6$

(3) $\int_a^x f(t)dt=\dfrac{1}{2}x^2+4x$의 양변을 x에 대하여 미분하면

$\quad\quad \dfrac{d}{dx}\int f(t)dt=\Big(\dfrac{1}{2}x^2+4x\Big)'$ ➡ $f(x)=x+4$

따라서 $\int_{-2}^0 f(x)dx=-\int_0^{-2}(x+4)dx$

$\quad\quad\quad =-\Big[\dfrac{1}{2}x^2+4x\Big]_0^{-2}=6$

05 (1) $\int_0^2 f(t)dt=a$ (a는 상수)로 치환하면 $f(x)=2x+a$

$\quad\quad \int_0^2 f(t)dt=\int_0^2(2t+a)dt=\Big[t^2+at\Big]_0^2$

➡ $a=4+2a$ $\therefore a=-4$

$\quad\quad \therefore f(x)=2x-4$

(2) $\int_{-1}^1 f(t)dt=a$ (a는 상수)로 치환하면 $f(x)=x^2+a$

$\quad\quad \int_{-1}^1 f(t)dt=\int_{-1}^1(t^2+a)dt=\Big[\dfrac{1}{3}t^3+at\Big]_{-1}^1$

➡ $a=\dfrac{2}{3}+2a$ $\therefore a=-\dfrac{2}{3}$

$\quad\quad \therefore f(x)=x^2-\dfrac{2}{3}$

(3) $\int_1^2 f(t)dt=a$ (a는 상수)로 치환하면 $f(x)=x-a$

$\quad\quad \int_1^2 f(t)dt=\int_1^2(t-a)dt=\Big[\dfrac{1}{2}t^2-at\Big]_1^2$

➡ $a=\dfrac{3}{2}-a$ $\therefore a=\dfrac{3}{4}$

$\quad\quad \therefore f(x)=x-\dfrac{3}{4}$

(4) $\int_0^1 f(t)dt=a$ (a는 상수)로 치환하면 $f(x)=3x^2-4x-a$

$\quad\quad \int_0^1 f(t)dt=\int_0^1(3t^2-4t-a)dt=\Big[t^3-2t^2-at\Big]_0^1$

➡ $a=-1-a$ $\therefore a=-\dfrac{1}{2}$

$\quad\quad \therefore f(x)=3x^2-4x+\dfrac{1}{2}$

06 (1) 등식의 양변을 x에 관해 미분하면 $f'(x)=6x+1$

$\quad\quad f(x)=\int(6x+1)dx=3x^2+x+C$ (단, C는 적분상수)

등식의 양변에 $x=0$을 대입하면 $f(0)=C=0$

따라서 $f(x)=3x^2+x$이다.

(2) 등식의 양변을 x에 관해 미분하면 $f'(x)=-3x^2+4x$

$\quad\quad f(x)=\int(-3x^2+4t)dx=-x^3+2x^2+C$

$\quad\quad\quad\quad\quad\quad\quad\quad\quad$ (단, C는 적분상수)

등식의 양변에 $x=1$을 대입하면

$\quad\quad f(1)=1+C=0 \therefore C=-1$

따라서 $f(x)=-x^3+2x^2-1$이다.

(3) 등식의 양변을 x에 관해 미분하면 $f'(x)=x+3$

$\quad\quad f(x)=\int(x+3)dx=\dfrac{1}{2}x^2+3x+C$ (단, C는 적분상수)

등식의 양변에 $x=2$을 대입하면

$\quad\quad f(2)=8+C=0 \therefore C=-8$

따라서 $f(x)=\dfrac{1}{2}x^2+3x-8$이다.

(4) 등식의 양변을 x에 관해 미분하면 $f'(x)=-3x^2+2x-1$

$\quad\quad f(x)=\int(-3x^2+2x-1)dx=-x^3+x^2-x+C$

$\quad\quad\quad\quad\quad\quad\quad\quad\quad$ (단, C는 적분상수)

등식의 양변에 $x=3$을 대입하면

$\quad\quad f(3)=-21+C=0 \therefore C=21$

따라서 $f(x)=-x^3+x^2-x+21$이다.

07 (1) $f(t)=t$ 이므로 (주어진 식) $=f(1)=1$

(2) $f(t)=3t-2$ 이므로 (주어진 식) $=f(-1)=5$

(3) $f(t)=t^2$ 이므로 (주어진 식) $=f(2)=4$

(4) $f(t)=t^2-2t-1$ 이므로 (주어진 식) $=f(3)=2$

(5) $f(t)=t^3-t^2+2x-2$ 이므로 (주어진 식) $=f(-1)=-6$

08 (1) $f(t)=4t$ 이므로 (주어진 식) $=f(1)=4$

(2) $f(t)=2t+3$ 이므로 (주어진 식) $=f(-1)=1$

(3) $f(t)=t^2+2t$ 이므로 (주어진 식)$=f(2)=8$

(4) $f(t)=t^3+2t$ 이므로 (주어진 식)$=f(-2)=-12$

09 $f'(x)=3x^3+x+2$이므로

$$\lim_{x \to 0} \frac{f(1+2h)-f(1)}{h}=2f'(1)=12$$

必 개념 정복 　　　　　　　　102~105쪽

01 (1) $f(x)=-3$

(2) $f(x)=4x$

(3) $f(x)=-8x+5$

(4) $f(x)=3x^2+1$

(5) $f(x)=\dfrac{3}{4}x^2+3x-2$

02 (1) $3x^2+4x-5$

(2) $-x^3+x$

(3) x^3+4x^2-7x+1

(4) $-3x^2+4x+C$

(5) x^4+4x^2-2x+C

03 (1) $2x^2+C$

(2) $3x^3+C$

(3) $\dfrac{1}{4}x^2-3x+C$

(4) x^3-2x^2-x+C

(5) $-\dfrac{1}{3}x^3+3x^2+C$

(6) $\dfrac{4}{3}x^3-2x^2-3x+C$

(7) $2x^4+x+C$

(8) $\dfrac{1}{5}x^5+\dfrac{4}{3}x^3+16x+C$

04 (1) $\dfrac{1}{3}x^3+3x^2+9x+C$

(2) $\dfrac{16}{3}x^3-12x^2+9x+C$

(3) $2x^4+4x^3+3x^2+x+C$

(4) $\dfrac{1}{4}x^4-3x^3+\dfrac{27}{2}x^2-27x+C$

05 (1) $\dfrac{1}{2}x^2-x+C$

(2) $\dfrac{1}{2}x^2+2x+C$

(3) $\dfrac{1}{3}x^3-4x+C$

06 (1) 0 　　　　　　　(2) 0

(3) 0 　　　　　　　(4) 6

(5) $-\dfrac{1}{2}$ 　　　　(6) -3

07 (1) $3x+5$

(2) x^2-3x+5

(3) x^3-2x

(4) $-x^2+2$

(5) $-x^2+2x+3$

08 (1) 2 　　　　　　(2) 8

(3) 6 　　　　　　(4) $-\dfrac{3}{2}$

(5) $-\dfrac{1}{12}$ 　　　　(6) $\dfrac{9}{2}$

09 (1) 8 　　　　　　(2) 0

(3) 0 　　　　　　(4) 0

(5) $\dfrac{28}{3}$ 　　　　(6) $-\dfrac{2}{3}$

10 (1) $\dfrac{1}{3}x^3-x^2-3x$

(2) $-x^3-\dfrac{5}{2}x^2$

(3) $-x^4-x^2+20$

(4) $3x^2-3x-6$

11 (1) 8 　　　　　　(2) 2

(3) -7 　　　　　(4) -2

12 (1) 3 　　　　　　(2) 2

(3) -3 　　　　　(4) -2

01 (1) $f(x)=(-3x)'=-3$

(2) $f(x)=(2x^2)'=4x$

03 (5) (주어진 식)

$$=6\int x\,dx-\int x^2\,dx=6\times\frac{1}{2}x^2-\frac{1}{3}x^3+C$$

(6) (주어진 식)

$$=\int(4x^2-4x-3)dx=4\int x^2\,dx-4\int x\,dx-\int 3\,dx$$
$$=4\times\frac{1}{3}x^3-4\times\frac{1}{2}x^2-3x+C$$

(7) (주어진 식)

$$=\int(8x^3+1)dx=8\int x^3\,dx+\int 1\,dx=2x^4+x+C$$

(8) (주어진 식)

$$=\int(x^4+4x^2+16)dx=\frac{1}{5}x^5+\frac{4}{3}x^3+16x+C$$

04 (1) (주어진 식)$=\displaystyle\int(x^2+6x+9)dx=\frac{1}{3}x^3+3x^2+9x+C$

05 (1) $\dfrac{x^3-1}{x^2+x+1}=\dfrac{(x-1)(x^2+x+1)}{x^2+x+1}=x-1$

$$\therefore \int(x-1)dx=\frac{1}{2}x^2-x+C$$

(2) $\dfrac{x^3+8}{x^2-2x+4}=\dfrac{(x+2)(x^2-2x+4)}{x^2-2x+4}=x+2$

$$\therefore \int(x+2)dx=\frac{1}{2}x^2+2x+C$$

(3) $\dfrac{(x^2+4)(x^2-4)}{x^2+4}=x^2-4$

$\therefore \displaystyle\int(x^2-4)dx=\dfrac{1}{3}x^3-4x+C$

08 (1) $\displaystyle\int_0^2(3x-2)dx=\left[\dfrac{3}{2}x^2-2x\right]_0^2=2$

(2) $\displaystyle\int_{-2}^2\left(\dfrac{1}{3}x+2\right)dx=2\left[2x\right]_0^2=8$

(3) $\displaystyle\int_0^1(3x^2-1)dx+\int_1^2(3x^2-1)dx=\int_0^2(3x^2-1)dx$
$=\left[x^3-x\right]_0^2=6$

(4) $\displaystyle\int_{-3}^2(x^2-3x)dx-\int_{-3}^{-1}(x^2-3x)dx=\int_{-1}^2(x^2-3x)dx$
$=\left[\dfrac{1}{3}x^3-\dfrac{3}{2}x^2\right]_{-1}^2=-\dfrac{3}{2}$

(5) $\displaystyle\int_0^2(x^3-x^2)dx-\int_1^2(x^3-x^2)dx=\int_0^1(x^3-x^2)dx$
$=\left[\dfrac{1}{4}x^4-\dfrac{1}{3}x^3\right]_0^1=-\dfrac{1}{12}$

(6) $\displaystyle\int_{-3}^2(x+3)dx-\int_{-3}^1(x+3)dx=\int_1^2(x+3)dx$
$=\left[\dfrac{1}{2}x^2+3x\right]_1^2=8-\dfrac{7}{2}=\dfrac{9}{2}$

09 (1) $\displaystyle\int_{-1}^1(6x^2+2)dx=2\int_0^1(6x^2+2)dx=2\left[2x^3+2x\right]_0^1$
$=2(2+2)=8$

(5) (준 식)$=2\displaystyle\int_0^2(x^2+1)dx=2\left[\dfrac{1}{3}x^3+x\right]_0^2$
$=2\times\dfrac{14}{3}=\dfrac{28}{3}$

(6) (준 식)$=2\displaystyle\int_0^1(-x^2)dx=2\left[-\dfrac{1}{3}x^3\right]_0^1$
$=2\times\left(-\dfrac{1}{3}\right)=-\dfrac{2}{3}$

10 (1) 등식의 양변을 x에 관해 미분하면 $f'(x)=x^2-2x-3$
$f(x)=\displaystyle\int(x^2-2x-3)dx=\dfrac{1}{3}x^3-x^2-3x+C$
$x=0$을 대입하면 $f(0)=C=0$
$\therefore f(x)=\dfrac{1}{3}x^3-x^2-3x$

(2) 등식의 양변을 x에 관해 미분하면 $f'(x)=-3x^2-5x$
$f(x)=\displaystyle\int(-3x^2-5x)dx=-x^3-\dfrac{5}{2}x^2+C$
$x=0$을 대입하면 $f(0)=C=0$
$\therefore f(x)=-x^3-\dfrac{5}{2}x^2$

(3) 등식의 양변을 x에 관해 미분하면 $f'(x)=-4x^3-2x$
$f(x)=\displaystyle\int(-4x^3-2x)dx=-x^4-x^2+C$
$x=2$을 대입하면 $f(2)=-16-4+C=0$ $\therefore C=20$
$\therefore f(x)=-x^4-x^2+20$

(4) 등식의 양변을 x에 관해 미분하면 $f'(x)=6x-3$
$f(x)=\displaystyle\int(6x-3)dx=3x^2-3x+C$
$x=-1$을 대입하면 $f(-1)=3+3+C=0$ $\therefore C=-6$

$\therefore f(x)=3x^2-3x-6$

11 (1) $f(t)=4t$ 이므로 $f(2)=8$

(2) $f(t)=-t+3$ 이므로 $f(1)=2$

(3) $f(t)=t^2+3t-5$ 이므로 $f(-1)=1-3-5=-7$

(4) $f(t)=2t^2+3t-4$ 이므로 $f\left(\dfrac{1}{2}\right)=\dfrac{1}{2}+\dfrac{3}{2}-4=-2$

12 (1) $f(t)=3t$ 이므로 $f(1)=3$

(2) $f(t)=t^2-2$ 이므로 $f(2)=2$

(3) $f(t)=t^2+3t-1$ 이므로 $f(-1)=1-3-1=-3$

(4) $f(t)=2t^2+3t-4$ 이므로 $f(-2)=8-6-4=-2$

2 정적분의 활용

Ⅲ 적분

개념 06 곡선과 좌표축 사이의 넓이

106쪽

예 x^2 / x^2 / $\dfrac{1}{3}x^3$ / $\dfrac{7}{3}$

예 y^2 / y^2 / $\dfrac{1}{3}y^3$ / $\dfrac{19}{3}$

01 (1) $\dfrac{32}{3}$ (2) 6
    (3) $\dfrac{4}{3}$

02 (1) 2   (2) $\dfrac{19}{3}$
    (3) 68

03 (1) $\dfrac{4}{3}$ (2) $\dfrac{64}{3}$
    (3) $\dfrac{32}{3}$

04 (1) 36   (2) $\dfrac{125}{54}$
    (3) $\dfrac{9}{4}$

05 (1) $\dfrac{7}{3}$ (2) 39
    (3) $\dfrac{8}{3}$ (4) $\dfrac{22}{3}$

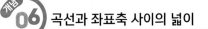 **06** ③

01 (1) $\int_1^3 (x^2+1)dx = \left[\frac{1}{3}x^3+x\right]_1^3$
$= \frac{36-4}{3} = \frac{32}{3}$

(2) $2\int_{-1}^2 x^2 dx = 2\left[\frac{1}{3}x^3\right]_{-1}^2$
$= 2\left(\frac{8}{3}+\frac{1}{3}\right) = 6$

(3) $\int_1^2 (x^2-1)dx = \left[\frac{1}{3}x^3-x\right]_1^2 = \frac{4}{3}$

02 (1) $\int_1^2 (-x^2+2x)dx + \int_2^3 (x^2+2x)dx$
$= \left[-\frac{1}{3}x^3+x^2\right]_1^2 + \left[\frac{1}{3}x^3-x^2\right]_2^3 = \frac{2}{3}+\frac{4}{3} = 2$

(2) $\int_{-1}^0 (x^2-3x)dx + \int_0^3 (-x^2+3x)dx$
$= \left[\frac{1}{3}x^3-\frac{3}{2}x^2\right]_{-1}^0 + \left[-\frac{1}{3}x^3+\frac{3}{2}x^2\right]_0^3 = \frac{11}{6}+\frac{9}{2} = \frac{19}{3}$

(3) $\int_{-2}^0 (-x^3)dx + \int_0^4 x^3 dx$
$\left[-\frac{1}{4}x^4\right]_{-2}^0 + \left[\frac{1}{4}x^4\right]_0^4 = 4+64 = 68$

03 (1) $y=(x+1)(x-1)$ 이므로 $S = \frac{1}{6}(1+1)^3 = \frac{4}{3}$

(2) $y=2(x+2)(x-2)$ 이므로 $S = \frac{2}{6}(2+2)^3 = \frac{64}{3}$

(3) $y=(x+1)(x-3)$ 이므로 $S = \frac{1}{6}(3+1)^3 = \frac{32}{3}$

04 (1) $y=-(x+3)(x-3)$ 이므로
$S = \frac{1}{6}(3+3)^3 = 36$

(2) $y=-3\left(x-\frac{1}{3}\right)(x-2)$ 이므로
$S = \frac{3}{6}\left(2-\frac{1}{3}\right)^3 = \frac{125}{54}$

(3) $y=-\frac{1}{2}(x+1)(x-2)$ 이므로

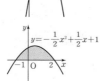

$S = \frac{1}{2}\cdot\frac{1}{6}(2+1)^3 = \frac{9}{4}$

05 (1) $x=y^2$ 이므로
$\int_1^2 y^2 dy = \left[\frac{1}{3}y^3\right]_1^2 = \frac{7}{3}$

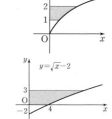

(2) $x=(y+2)^2$ 이므로
$\int_0^3 (y+2)^2 dy = \int_0^3 (y^2+4y+4)dy$
$= \left[\frac{1}{3}y^3+2y^2+4y\right]_0^3 = 39$

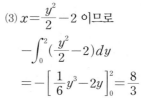

(3) $x=\frac{y^2}{2}-2$ 이므로
$-\int_0^2 \left(\frac{y^2}{2}-2\right)dy$
$= -\left[\frac{1}{6}y^3-2y\right]_0^2 = \frac{8}{3}$

(4) $x=1-y^2$ 이므로
$\int_0^1 (1-y^2)dy - \int_1^3 (1-y^2)dy$
$= \left[y-\frac{1}{3}y^3\right]_0^1 - \left[y-\frac{1}{3}y^3\right]_1^3 = \frac{22}{3}$

06 $\frac{2}{6}(a-1)^3 = \frac{8}{3}$, $(a-1)^3 = 8$
$a-1=2 \therefore a=3$

개념 07 두 곡선 사이의 넓이

108쪽

01 (1) $\frac{9}{2}$ (2) $\frac{9}{2}$ (3) 8
(4) $\frac{1}{2}$

02 (1) $\frac{8}{3}$ (2) $8\sqrt{2}$ (3) $\frac{8}{3}$
(4) 9

03 (1) $\frac{27}{4}$ (2) 108 (3) $\frac{27}{4}$

04 (1) $\frac{1}{3}$ (2) $\frac{1}{2}$ (3) 2

도전! 1등급 **05** ④

01 (1) $x^2=x+2$에서 $(x+1)(x-2)=0$
$\therefore x=-1, x=2$
$S = -\int_{-1}^2 (x^2-x-2)dx$
$= \frac{1}{6}(2+1)^3 = \frac{9}{2}$

(2) $-x^2+3=x+1$에서 $(x-1)(x+2)=0$

$\therefore x=1,\ x=-2$

$-\int_{-2}^{1}(x^2+x-2)dx=\dfrac{1}{6}(1+2)^3=\dfrac{9}{2}$

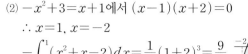

(3) $x^3=4x$에서 $x(x-2)(x+2)=0$

$\therefore x=0,\ x=-2,\ x=2$

$\int_{-2}^{0}(x^3-4x)dx+\int_{0}^{2}(4x-x^3)dx=8$

(4) $-x^3=-x$에서 $x(x-1)(x+1)=0$

$\therefore x=-1,\ x=0,\ x=1$

$\int_{-1}^{0}(x^3-x)dx+\int_{0}^{1}(x-x^3)dx=\dfrac{1}{2}$

02 (1) $\int_{-1}^{1}\{(-x^2+2)-x^2\}dx$

$=\int_{-1}^{1}(-2x^2+2)dx=2\int_{0}^{1}(-2x^2+2)dx$

$=2\left[-\dfrac{2}{3}x^3+2x\right]_{0}^{1}=\dfrac{8}{3}$

(2) $\int_{-\sqrt{2}}^{\sqrt{2}}\{(-2x^2+5)-(x^2-1)\}dx$

$=2\int_{0}^{\sqrt{2}}(-3x^2+6)dx$

$=2\left[-x^3+6x\right]_{0}^{\sqrt{2}}=8\sqrt{2}$

(3) $\int_{0}^{2}\{(-x^2+4x)-x^2\}dx$

$=\int_{0}^{2}(-2x^2+4x)dx$

$=\left[-\dfrac{2}{3}x^3+2x^2\right]_{0}^{2}=\dfrac{8}{3}$

(4) $\int_{-1}^{2}\{(-x^2+2x)-(x^2-4)\}$

$=\int_{-1}^{2}(-2x^2+2x+4)dx$

$=\left[-\dfrac{2}{3}x^3+x^2+4x\right]_{-1}^{2}=9$

03 (1) $y'=3x^2$ 이므로 $(1,1)$에서의 접선의 방정식은

$y-1=3(x-1)$ $\therefore y=3x-2$

$S=\int_{-2}^{1}\{x^3-(3x-2)\}dx$

$=\int_{-2}^{1}(x^3-3x+2)dx$

$=\left[\dfrac{1}{4}x^4-\dfrac{3}{2}x^2+2x\right]_{-2}^{1}=\dfrac{27}{4}$

(2) $y'=3x^2$ 이므로 $(2,8)$에서의 접선의 방정식은

$y-8=12(x-2)$ $\therefore y=12x-16$

$S=\int_{-4}^{2}\{x^3-(12x-16)\}dx$

$=\int_{-4}^{2}(x^3-12x+16)dx$

$=\left[\dfrac{1}{4}x^4-6x^2+16x\right]_{-4}^{2}=108$

(3) $y'=3x^2+6x$ 이므로 $(-2,4)$에서의 접선의 방정식은

$y-4=0(x+2)$ $\therefore y=4$

$S=\int_{-2}^{1}\{4-(x^3+3x^2)\}dx$

$=\int_{-2}^{1}(-x^3-3x^2+4)dx$

$=\left[-\dfrac{1}{4}x^4-x^3+4x\right]_{-2}^{1}=\dfrac{27}{4}$

04 (1) $S=2\int_{0}^{1}(x-x^2)dx=2\left[\dfrac{1}{2}x^2-\dfrac{1}{3}x^3\right]_{0}^{1}=\dfrac{1}{3}$

(2) $S=2\int_{0}^{1}(x-x^3)dx=2\left[\dfrac{1}{2}x^2-\dfrac{1}{4}x^4\right]_{0}^{1}=\dfrac{1}{2}$

(3) $S=2\int_{0}^{2}(x-\dfrac{1}{4}x^3)dx=2\left[\dfrac{1}{2}x^2-\dfrac{1}{16}x^4\right]_{0}^{2}=2$

05 $S=2\int_{0}^{1}ax^3dx=2a\left[\dfrac{1}{4}x^4\right]_{0}^{1}=\dfrac{1}{2}a=4$

$\therefore a=8$

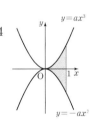

110쪽

개념 **08** 속도와 거리

01 (1) ① $-\dfrac{2}{3}$　② $\dfrac{16}{3}$

(2) ① $-\dfrac{2}{3}$　② $\dfrac{20}{3}$

(3) ① $\dfrac{2}{3}$　② $\dfrac{20}{3}$

02 (1) 15　(2) 15

(3) 20　(4) 40

03 (1) ① $\dfrac{1}{2}$　② $\dfrac{1}{2}$

③ $\dfrac{3}{2}$　④ $\dfrac{5}{2}$

⑤ $t=2,\ t=5$

  (2) ① $\dfrac{3}{2}$ ② 4

   ③ 2   ④ 6

   ⑤ $t=6,\ t=8$

04 (1) ① 5   ② 16

   ③ 27

  (2) 4   (3) 32

도전! 1등급 **05** ④

01 (1) ① $x=\displaystyle\int_0^1 (t^2-2t)dt=\left[\dfrac{1}{3}t^3-t^2\right]_0^1=-\dfrac{2}{3}$

   ② $x=\displaystyle\int_0^4 (t^2-2t)dt=\left[\dfrac{1}{3}t^3-t^2\right]_0^4=\dfrac{16}{3}$

  (2) ① $x=\displaystyle\int_1^2 (t^2-2t)dt=\left[\dfrac{1}{3}t^3-t^2\right]_1^2=-\dfrac{2}{3}$

   ② $x=\displaystyle\int_2^4 (t^2-2t)dt=\left[\dfrac{1}{3}t^3-t^2\right]_2^4=\dfrac{20}{3}$

  (3) ① $x=\displaystyle\int_1^2 |t^2-2t|\,dt=-\int_1^2 (t^2-2t)dt$

    $=-\left[\dfrac{1}{3}t^3-t^2\right]_1^2=\dfrac{2}{3}$

   ② $x=\displaystyle\int_2^4 (t^2-2t)dt=\left[\dfrac{1}{3}t^3-t^2\right]_2^4=\dfrac{20}{3}$

02 (1) $x=\displaystyle\int_0^1 (20-10t)dt=\left[20t-5t^2\right]_0^1=15$

  (2) $x=\displaystyle\int_0^3 (20-10t)dt=\left[20t-5t^2\right]_0^3=15$

  (3) $v(t)=20-10t=0$일 때 $t=2$

   $x=\displaystyle\int_0^2 (20-10t)dt=\left[20t-5t^2\right]_0^2=20$

  (4) $x=\displaystyle\int_0^4 |20-10t|\,dt$

   $=\displaystyle\int_0^2 (20-10t)dt-\int_2^4 (20-10t)dt$

   $=\left[20t-5t^2\right]_0^2-\left[20t-5t^2\right]_2^4=20+20=40$

04 (1) ① $3\displaystyle\int_0^1 (4t-t^2)dt=3\left[2t^2-\dfrac{1}{3}t^3\right]_0^1=5$

   ② $3\displaystyle\int_0^2 (4t-t^2)dt=3\left[2t^2-\dfrac{1}{3}t^3\right]_0^2=16$

   ③ $3\displaystyle\int_0^3 (4t-t^2)dt=3\left[2t^2-\dfrac{1}{3}t^3\right]_0^3=27$

  (2) $v(t)=4t-t^2=0$ $\therefore\ t=4$

   $t(4-t)=0$

  (3) $V=3\displaystyle\int_0^4 (4t-t^2)dt=3\left[2t^2-\dfrac{1}{3}t^3\right]_0^4=32$

05 $v(t)=40-4t=0$ $\therefore\ t=10$

  $\displaystyle\int_0^{10}(40-4t)dt=\left[40t-2t^2\right]_0^{10}=200(\text{m})$

必 **개념 정복**   112~115쪽

01 (1) $\dfrac{20}{3}$ (2) 16

  (3) $\dfrac{7}{3}$ (4) $\dfrac{14}{3}$

  (5) 2   (6) $\dfrac{10}{3}$

02 (1) $\dfrac{20\sqrt{5}}{3}$ (2) $\dfrac{8}{3}$

  (3) $\dfrac{256}{3}$ (4) $\dfrac{125}{6}$

  (5) 9   (6) $\dfrac{9}{8}$

03 (1) $\dfrac{26}{3}$ (2) $\dfrac{91}{3}$

  (3) $\dfrac{28}{9}$ (4) $\dfrac{11}{3}$

04 (1) $\dfrac{125}{6}$ (2) $\dfrac{343}{6}$

  (3) 36   (4) 36

  (5) $\dfrac{27}{4}$

05 (1) $\dfrac{64}{3}$ (2) $\dfrac{16}{3}$

  (3) $\dfrac{1}{3}$ (4) $\dfrac{16}{3}$

  (5) $\dfrac{125}{3}$ (6) $\dfrac{343}{24}$

06 (1) $\dfrac{27}{4}$ (2) $\dfrac{27}{2}$

  (3) $\dfrac{27}{4}$ (4) 108

  (5) $\dfrac{27}{2}$

07 (1) $\dfrac{16}{3}$ (2) $\dfrac{4}{3}$

  (3) 1   (4) $\dfrac{1}{2}$

  (5) $\dfrac{3}{2}$

08 (1) ① $-\dfrac{8}{3}$ ② $\dfrac{100}{3}$

  (2) ① $-\dfrac{100}{3}$ ② $\dfrac{208}{3}$

  (3) ① $\dfrac{100}{3}$ ② $\dfrac{208}{3}$

09 (1) 33   (2) 60

  (3) 120

10 (1) ① $\dfrac{40}{3}$ ② 90

  (2) 6

  (3) 180

11 (1) $\dfrac{1}{2}$ (2) 1

  (3) $\dfrac{1}{2}$ (4) 0

$(5)\ \dfrac{1}{2}$ $\qquad\qquad$ $(6)\ \dfrac{3}{2}$

$(7)\ \dfrac{5}{2}$ $\qquad\qquad$ $(8)\ t=2,\ t=4$

01 $(1)\ \displaystyle\int_1^3(x^2-1)dx=\left[\dfrac{1}{3}x^3-x\right]_1^3=6+\dfrac{2}{3}=\dfrac{20}{3}$

$(2)\ 3\displaystyle\int_{-2}^2 x^2dx=6\left[\dfrac{1}{3}x^3\right]_0^2=16$

$(3)\ \displaystyle\int_2^3\{-(-x^2+4)\}dx=\left[\dfrac{1}{3}x^3-4x\right]_2^3=-3+\dfrac{16}{3}=\dfrac{7}{3}$

$(4)\ \displaystyle\int_{-1}^1(x^2+2)dx=\left[\dfrac{1}{3}x^3+2x\right]_{-1}^1=4+\dfrac{2}{3}=\dfrac{14}{3}$

$(5)\ \displaystyle\int_0^1(-3x^2+3)dx=\left[-x^3+3x\right]_0^1=2$

$(6)\ \displaystyle\int_1^3-(x^2-3x)dx=\left[-\dfrac{1}{3}x^3+\dfrac{3}{2}x^2\right]_1^3=\dfrac{9}{2}-\dfrac{7}{6}=\dfrac{10}{3}$

02 $(1)\ 0=(x-\sqrt5)(x+\sqrt5)$에서 $x=\sqrt5,\ x=-\sqrt5$ 이므로

$\qquad S=\dfrac{1}{6}\times(2\sqrt5)^3=\dfrac{20\sqrt5}{3}$

$(2)\ 0=2(x-1)(x+1)$에서 $x=1,\ x=-1$ 이므로

$\qquad S=\dfrac{2}{6}\times2^3=\dfrac{8}{3}$

$(3)\ 0=(x+3)(x-5)$에서 $x=5,\ x=-3$ 이므로

$\qquad S=\dfrac{1}{6}\times8^3=\dfrac{256}{3}$

$(4)\ 0=(x+2)(x-3)$에서 $x=3,\ x=-2$ 이므로

$\qquad S=\dfrac{1}{6}\times5^3=\dfrac{125}{6}$

$(5)\ 0=2x(x-3)$에서 $x=0,\ x=3$ 이므로

$\qquad S=\dfrac{2}{6}\times3^3=9$

$(6)\ 0=2\left(x-\dfrac{5}{2}\right)(x-1)$에서 $x=1,\ x=\dfrac{5}{2}$ 이므로

$\qquad S=\dfrac{2}{6}\times\left(\dfrac{3}{2}\right)^3=\dfrac{9}{8}$

03 $(1)\ x=y^2$ 이므로 $\displaystyle\int_1^3 y^2dy=\left[\dfrac{1}{3}y^3\right]_1^3=\dfrac{26}{3}$

$(2)\ x=(y+3)^2$ 이므로 $\displaystyle\int_2^3(y+3)^2dy=\left[\dfrac{1}{3}(y+3)^3\right]_2^3=\dfrac{91}{3}$

$(3)\ x=\dfrac{1}{3}y^2-2$ 이므로

$\qquad -\displaystyle\int_0^2\left(\dfrac{1}{3}y^2-2\right)dy=-\left[\dfrac{1}{9}y^3-2y\right]_0^2=\dfrac{28}{9}$

$(4)\ x=-y^2+4$ 이므로

$\qquad \displaystyle\int_0^3(-y^2+4)dy=\int_0^2(-y^2+4)dy-\int_2^3(-y^2+4)dy$

$\qquad =\left[-\dfrac{1}{3}y^3+4y\right]_0^2-\left[-\dfrac{1}{3}y^3+4y\right]_2^3=\dfrac{11}{3}$

04 $(1)\ S=\displaystyle\int_{-2}^3(x+6-x^2)dx=\left[-\dfrac{1}{3}x^3+\dfrac{1}{2}x^2+6x\right]_{-2}^3=\dfrac{125}{6}$

[다른 풀이]

$x^2=x+6$에서 $(x+2)(x-3)=0,\ \therefore x=-2,\ x=3$

따라서 $S=\dfrac{1}{6}(3+2)^3=\dfrac{125}{6}$

$(2)\ x^2+3x-10=0$에서 $(x-2)(x+5)=0,$

$\qquad \therefore x=-5,\ x=2$

따라서 $S=\dfrac{1}{6}(2+5)^3=\dfrac{343}{6}$

$(3)\ x^2-9=0$에서 $(x+3)(x-3)=0,\ \therefore x=-3,\ x=3$

$\qquad S=\dfrac{1}{6}(3+3)^3=36$

$(4)\ x^2-2x-8=0$에서 $(x+2)(x-4)=0,$

$\qquad \therefore x=-2,\ x=4$

$\qquad S=\displaystyle\int_{-2}^4(-x^2+2x+8)dx=\left[-\dfrac{1}{3}x^3+x^2+8x\right]_{-2}^4$

$\qquad =\dfrac{80}{3}+\dfrac{28}{3}=36$

$(5)\ x^3-3x+2=0$에서 $(x+2)(x-1)^2=0$ $x=-2,\ x=1$

$\qquad S=\displaystyle\int_{-2}^1(x^3-3x+2)dx=\left[\dfrac{1}{4}x^4-\dfrac{3}{2}x^2+2x\right]_{-2}^1$

$\qquad =\dfrac{3}{4}+6=\dfrac{27}{4}$

05 $(1)\ S=\displaystyle\int_{-2}^2\{(-x^2+8)-x^2\}dx=\int_{-2}^2(-2x^2+8)dx$

$\qquad =\left[-\dfrac{2}{3}x^3+8x\right]_{-2}^2=\dfrac{64}{3}$

$(2)\ S=\displaystyle\int_{-1}^1\{(-2x^2+5)-(2x^2+1)\}dx$

$\qquad =\displaystyle\int_{-1}^1(-4x^2+4)dx=\left[-\dfrac{4}{3}x^3+4x\right]_{-1}^1=\dfrac{16}{3}$

$(3)\ S=\displaystyle\int_0^1\{(-x^2+4x)-(x^2+2x)\}dx$

$\qquad =\displaystyle\int_0^1(-2x^2+2x)dx=\left[-\dfrac{2}{3}x^3+x^2\right]_0^1=\dfrac{1}{3}$

$(4)\ S=\displaystyle\int_0^2\{(-3x^2+5x+3)-(x^2-3x+3)\}dx$

$\qquad =\displaystyle\int_0^2(-4x^2+8x)dx=\left[-\dfrac{4}{3}x^3+4x^2\right]_0^2=\dfrac{16}{3}$

(5) 두 곡선의 교점의 x좌표는

$\qquad -2x^2+2x+12=0$에서 $-2(x+2)(x-3)=0$

$\qquad x=-2,\ x=3$ 이므로

$\qquad \therefore S=\dfrac{|-2|}{6}(3+2)^3=\dfrac{125}{3}$

(6) 두 곡선의 교점의 x좌표는 $-2x^2+3x+5=0$에서

$\qquad -2(x+1)\left(x-\dfrac{5}{2}\right)=0$ $x=-1,\ x=\dfrac{5}{2}$ 이므로

$\qquad \therefore S=\dfrac{|-2|}{6}\left(\dfrac{5}{2}+1\right)^3=\dfrac{343}{24}$

06 $(1)\ y'=3x^2$에서 접선의 기울기는 3이므로 접선의 방정식은

$\qquad y+1=3(x+1)$ $\therefore y=3x+2$가 된다. 따라서

$$\int_{-1}^{2}\{(3x+2)-x^3\}dx=\left[-\frac{1}{4}x^4+\frac{3}{2}x^2+2x\right]_{-1}^{2}=\frac{27}{4}$$

(2) $y'=-6x^2$에서 접선의 기울기는 -6이므로 접선의 방정식은
$y+2=-6(x-1)$ $\therefore y=-6x+4$가 된다.

$$S=\int_{-2}^{1}\{-6x+4-(-2x^3)\}dx=\left[\frac{1}{2}x^4-3x^2+4x\right]_{-2}^{1}$$
$$=\frac{27}{2}$$

(3) $y'=-3x^2$에서 접선의 기울기는 -3 이므로 접선의 방정식은
$y-2=-3(x+1)$ $\therefore y=-3x-1$가 된다.

$$S=\int_{-1}^{2}\{-x^3+1-(-3x-1)\}dx$$
$$=\left[-\frac{1}{4}x^4+\frac{3}{2}x^2+2x\right]_{-1}^{2}=\frac{27}{4}$$

(4) $y'=3x^2$에서 접선의 기울기는 12이므로 접선의 방정식은
$y+8=12(x+2)$ $\therefore y=12x+16$이 된다.

$$S=2\int_{-2}^{4}\{(12x+16)-x^3\}dx$$
$$=2\left[-\frac{1}{4}x^4+6x^2+16x\right]_{-2}^{4}=108$$

(5) $y'=6x^2+1$에서 접선의 기울기는 7 이므로 접선의 방정식은
$y+3=7(x+1)$ $\therefore y=7x+4$가 된다.

$$S=\int_{-1}^{2}\{(7x+4)-(2x^3+x)\}dx$$
$$=\left[-\frac{1}{2}x^4+3x^2+4x\right]_{-1}^{2}=\frac{27}{2}$$

07 (1) 두 그래프의 교점은 $\frac{1}{4}x^2=x$에서 $\frac{1}{4}x(x-4)=0$,
  $\therefore x=0, x=4$ 이므로

$$S=2\int_{0}^{4}\left(x-\frac{1}{4}x^2\right)dx=2\left[\frac{1}{2}x^2-\frac{1}{12}x^3\right]_{0}^{4}$$
$$=2\left(8-\frac{16}{3}\right)=\frac{16}{3}$$

(2) 두 그래프의 교점은 $\frac{1}{2}x^2=x$에서 $\frac{1}{2}x(x-2)=0$,
  $\therefore x=0, x=2$ 이므로

$$S=2\int_{0}^{2}\left(x-\frac{1}{2}x^2\right)dx=2\left[\frac{1}{2}x^2-\frac{1}{6}x^3\right]_{0}^{2}$$
$$=2\left(2-\frac{4}{3}\right)=\frac{4}{3}$$

(3) 두 그래프의 교점은 $\frac{1}{2}x^3=x$에서 $\frac{1}{2}x(x^2-2)=0$,
  $\therefore x=0, x=\sqrt{2}$ 이므로

$$S=2\int_{0}^{\sqrt{2}}\left(x-\frac{1}{2}x^3\right)dx=2\left[\frac{1}{2}x^2-\frac{1}{8}x^4\right]_{0}^{\sqrt{2}}$$
$$=2\left(1-\frac{1}{2}\right)=1$$

(4) 두 그래프의 교점은 $x^3=x$에서 $x(x^2-1)=0$,
  $\therefore x=0, x=1$ 이므로

$$S=2\int_{0}^{1}(x-x^3)dx=2\left[\frac{1}{2}x^2-\frac{1}{4}x^4\right]_{0}^{1}=\frac{1}{2}$$

(5) 두 그래프의 교점은 $\frac{1}{3}x^3=x$에서 $\frac{1}{3}x(x^2-3)=0$,

$\therefore x=0, x=\sqrt{3}$ 이므로

$$S=2\int_{0}^{\sqrt{3}}\left(x-\frac{1}{3}x^3\right)dx=\frac{3}{2}$$

08 (1) ① $x=\int_{0}^{1}(t^2-6t)dt=\left[\frac{1}{3}t^3-3t^2\right]_{0}^{1}=-\frac{8}{3}$

  ② $x=\int_{0}^{10}(t^2-6t)dt=\left[\frac{1}{3}t^3-3t^2\right]_{0}^{10}=\frac{100}{3}$

(2) ① $x=\int_{1}^{6}(t^2-6t)dt=\left[\frac{1}{3}t^3-3t^2\right]_{1}^{6}=-\frac{100}{3}$

  ② $x=\int_{6}^{10}(t^2-6t)dt=\left[\frac{1}{3}t^3-3t^2\right]_{6}^{10}=\frac{208}{3}$

(3) ① $x=-\int_{1}^{6}(t^2-6t)dt=-\left[\frac{1}{3}t^3-3t^2\right]_{1}^{6}=\frac{100}{3}$

  ② $x=\int_{6}^{10}(t^2-6t)dt=\left[\frac{1}{3}t^3-3t^2\right]_{6}^{10}=\frac{208}{3}$

09 (1) $h=\int_{0}^{1}(36-9t^2)dt=\left[36t-3t^3\right]_{0}^{1}=33$

(2) $v(t)=36-9t^2=0$일 때 $t=2$

$$h=\int_{0}^{2}(36-9t^2)dt=\left[36t-3t^3\right]_{0}^{2}=60$$

10 (1) ① $5\int_{0}^{1}(6t-t^2)dt=5\left[3t^2-\frac{1}{3}t^3\right]_{0}^{1}=5\times\frac{8}{3}=\frac{40}{3}$

  ② $5\int_{0}^{3}(6t-t^2)dt=5\left[3t^2-\frac{1}{3}t^3\right]_{0}^{3}=90$

(2) $v(t)=6t-t^2=0$, $t(6-t)=0$
  $\therefore t=6$

(3) $5\int_{0}^{6}(6t-t^2)dt=5\left[3t^2-\frac{1}{3}t^3\right]_{0}^{6}=180$

필 내신 정복   116~118쪽

01 ④	**02** ①
03 ④	**04** ④
05 ②	**06** ④
07 ①, ③, ④	**08** ①
09 ③	**10** ①
11 ②	**12** ①
13 ①	**14** ②
15 ④	**16** ②
17 ①	**18** ③

01 ① 부정적분의 정의에 의하여 상수함수를 미분하면 0이므로
$$\int 0\,dx=C \ (C는 적분상수)이다.$$

② $\int 1 dx = x + C$

③ $\int f(x)dx$는 x에 대한 식이고 $\int f(y)dx$는 y에 대한 식이므로 등호가 성립하지 않는다.

④ $\int f(x)dx = \int g(x)dx$이면

$0 = \int f(x)dx - \int g(x)dx = \int \{f(x)-g(x)\}dx$

$\therefore f(x) - g(x) = 0$이어야 한다.

⑤ 좌변 : $f(x) + C$ 우변 : $f(x)$

02 $f(x) = x^{10} + x^9 + x^8 + \cdots + x^2 + x + C$

$f(1) = 10 + C = 0,\ \therefore C = -10$

$\therefore f(-1) = 1 - 1 + 1 - 1 + \cdots + 1 - 1 - 10 = -10$

03 $f(2) = 1,\ f'(x) = 3x^2 - 4x$에서

$f(x) = \int f'(x)dx = x^3 - 2x^2 + C$

$f(2) = 8 - 8 + C = 1,\ C = 1$

$\therefore f(x) = x^3 - 2x^2 + 1$

그러므로, 상수항은 1이다.

04 $f(x) = x^2 + 3x + C$에 대해

$\lim_{h \to 0} \frac{f(2+3h)-f(2)}{3h} \times 3 = 3f'(2)$

$\therefore f'(x) = 2x + 3,\ f'(2) = 7$

따라서 $3f'(2) = 3 \times 7 = 21$

05 $f(x) = \int f'(x)dx = \int (3x^2 - 6x)dx$

$= x^3 - 3x^2 + C$

$f(0) = 1$ 이므로 $C = 0$이 된다.

$\therefore f(x) = x^3 - 3x^2 + 1$

06 $\int_0^3 |x-1|dx = \int_0^1 (-x+1)dx + \int_1^3 (x-1)dx$

$= \left[-\frac{1}{2}x^2 + x \right]_0^1 + \left[\frac{1}{2}x^2 - x \right]_1^3 = \frac{1}{2} + 2 = \frac{5}{2}$

07 양변을 x에 관해 미분하면 $f(x) = 4x - 1$

양변에 a를 대입하면 $2a^2 - a - 3 = 0,\ (a+1)(2a-3) = 0$

$\therefore a = -1,\ a = \frac{3}{2}$

08 $f(x) = x^2 - 2x + \frac{3}{4}\int_0^1 f(t)dt$에서

$\int_0^1 f(t)dt = a$라 하면, $\int_0^1 \left(t^2 - 2t + \frac{3}{4}a \right)dt = a$에서

$\frac{1}{3} - 1 + \frac{3}{4}a = a,\ a = -\frac{8}{3}$

$\therefore f(x) = x^2 - 2x - 2\ \therefore f(0) = -2$

09 $f(x) = \int_{-3}^x (3t^2 - 6t - 9)dt$에서

$f'(x) = 3x^2 - 6x - 9 = 0 \Rightarrow 3(x+1)(x-3) = 0$

$\Rightarrow x = -1$ 또는 $x = 3$

극댓값 $f(-1) = \int_{-3}^{-1} (3t^2 - 6t + 9)dt$

$= \left[t^3 - 3t^2 - 9t \right]_{-3}^{-1} = 32$

극솟값 $f(3) = \int_{-3}^3 (3t^2 - 6t - 9)dt$

$= 2\int_0^3 (3t^2 - 9)dt = 2\left[t^3 - 9t \right]_0^3 = 0$

$\therefore M + m = 32 + 0 = 32$

10 $\int_{-3}^0 (2x^3 + x)dx + \int_0^2 (2x^3 + x)dx - \int_{-3}^2 (2x^3 + x)dx$

$= \int_{-3}^2 (2x^3 + x)dx - \int_{-3}^2 (2x^3 + x)dx = 0$

11 $\lim_{x \to 1} \frac{1}{x-1} \int_1^x (t^4 - 3t^3 + 2t^2 + 3)dt$에서

$f(t) = t^4 - 3t^3 + 2t^2 + 3$라 하면

$f(1) = 1 - 3 + 2 + 3 = 3$

12 $\int_0^{10} x^3 dx = \left[\frac{1}{4}x^4 \right]_0^{10} = 2500$

13 $f(x) = \begin{cases} 2x - 3 & \left(x \geq \frac{3}{2} \right) \\ -2x + 3 & \left(x < \frac{3}{2} \right) \end{cases}$이고, 이 때, $a > \frac{3}{2}$이므로

$\int_0^a |2x-3|dx = \int_0^{\frac{3}{2}} (-2x+3)dx + \int_{\frac{3}{2}}^a (2x+3)dx$

$= \left[-x^2 + 3x \right]_0^{\frac{3}{2}} + \left[x^2 - 3x \right]_{\frac{3}{2}}^a$

$= \left(-\frac{9}{4} + \frac{9}{2} \right) + (a^2 - 3a) - \left(\frac{9}{4} - \frac{9}{2} \right)$

$= a^2 - 3a + \frac{9}{2}$

즉, $a^2 - 3a + \frac{9}{2} = \frac{5}{2}$이므로

$a^2 - 3a + 2 = 0,\ (a-1)(a-2) = 0,\ \therefore a = 2\ \left(\because a > \frac{3}{2} \right)$

14 교점을 구하면 $x^2 - 3x = 2x - 4$에서

$x^2 - 5x + 4 = 0,\ (x-1)(x-4) = 0\ \therefore x = 1,\ x = 4$

$\therefore S = \frac{1}{6}(4-1)^3 = \frac{9}{2}$

15 $\int_0^4 (-t^2 + 2t + 3)dt = \left[-\frac{1}{3}t^3 + t^2 + 3t \right]_0^4$

$= \frac{-64 + 48 + 36}{3} = \frac{20}{3}$

16 $v = 49 - 9.8t = 0\ \therefore t = 5$

$\int_0^5 (49 - 9.8t)dt = \left[49t - 4.9t^2 \right]_0^5$

$= 245 - 122.5 = 122.5$

따라서 물체가 최고점에 도달하였을 때의 지상으로부터의

높이는 $122.5+10=132.5(\mathrm{m})$

17 $2\displaystyle\int_0^2 ax^2\,dx=2a\left[\dfrac{1}{3}x^3\right]_0^2=\dfrac{16a}{3}=16$

$\therefore a=3$

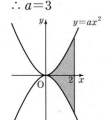

18 $v(t)=30-6t=0$ $\therefore t=5$이므로

$\displaystyle\int_0^5(30-6t)\,dt=\left[30t-3t^2\right]_0^5=75(\mathrm{m})$

선행학습 · 보충학습의 강자!

자신감